Texto de acordo com as normas do novo acordo ortográfico da língua portuguesa (Decreto Legislativo Nº 54 de 1995).

Editora – Catia Mourão
Capa – Décio Gomes
Diagramação – Catia Mourão
Revisão – Halice FRS e Kel Costa

CIP-BRASIL. CATALOGAÇÃO NA PUBLICAÇÃO
SINDICATO NACIONAL DOS EDITORES DE LIVROS, RJ

R694c
2. ed.

Rosa, Daniella
Crenças e criaturas: sombras do mundo / Daniella Rosa. - 2. ed. - Rio de Janeiro : Ler, 2020.
260 p. ; 23 cm.

ISBN 978-65-5055-030-1

1. Ficção brasileira. I. Título.

20-63410 CDD: 869.3
CDU: 82-3(81)

Meri Gleice Rodrigues de Souza - Bibliotecária CRB-7/6439
09/03/2020 17/03/2020

Foi feito o depósito legal.
Direitos de edição:

Ler
EDITORIAL

Crenças e Criaturas

SÉRIE SOMBRAS DO MUNDO
VOL.1

DANIELLA ROSA

2ª EDIÇÃO
Rio de Janeiro – Brasil

SUMÁRIO

Prólogo

Quando, finalmente, percebi que somente eu conseguia ver aquelas cores e sentir a vibração que elas emanavam, dei-me conta da necessidade de controlar isso, de guardar o mais intimamente possível. Essas "cores" me faziam mal, na maioria das vezes me deixavam triste, deprimida, com raiva e até um pouco zonza. Era como se sugassem um pouco da minha energia ou tentassem transformá-la. Não tive muita escolha, o melhor a fazer era criar uma barreira. Por sorte, tive ajuda a tempo de não me tornar uma lunática enclausurada.

Não sei se você compartilha da minha percepção, mas o mundo moderno não ajuda em nada a controlar minhas inseguranças e ansiedades. Sinto a ambição e a crueldade tão disseminadas quanto a própria informação e a facilidade de conexão com o mundo. Vejo, dia após dia, o mundo assistir passivamente seu lento e inevitável declínio. Acompanho os meios de comunicação noticiando tragédias e enfatizando o tempo todo que estamos mergulhados em violência e maldade. Mas, para mim, a maldade é que está mergulhando dentro de nós, cada vez mais fundo.

Incomoda-me ver que a violência faz parte das nossas vidas, de uma forma tão intrínseca que a torna ainda mais ameaçadora do que a sua própria definição. É comum ouvir que se trata de uma questão cultural. Mas se cultura é, segundo uma de suas definições, tudo aquilo que é produzido pela inteligência humana, eu me pergunto qual é a inteligência por trás de tanta violência.

Não sei se algum dia o mundo será um lugar onde a sobrevivência não seja a primazia absoluta, mas pretendo me manter abscissa de tudo que não demonstre deferência à essência humana, que há muito anda esquecida. Ainda acredito que o mais importante seja viver e não apenas sobreviver.

As cores, que eu chamo de energia ou sombras, são sempre escuras e densas, quando envolvem uma pessoa carregada de maldade ou com más intenções. Mas nem sempre uma pessoa com má intenção carrega também a energia da maldade; apesar de ser estranho, é muito comum encontrá-las separadas. Contudo, quando estão juntas... Bem, esse não é o tipo de pessoa que você gostaria que cruzasse o seu caminho. Intenções mudam, a raiva passa, o ódio perde força diante do amor e a agressividade pode ser canalizada para o bem. Mas a maldade, quando está dentro de você, ela cria uma barreira nociva, impedindo que qualquer coisa boa a transponha. Ela o domina e torna suas ações devastadoras para qualquer um que estiver em seu caminho, mas, principalmente, ruim para você mesmo. Ela faz com que perca a percepção de que alguns caminhos não têm volta.

Eu vejo sombras ao redor das pessoas. É assim que sei o que estão sentindo, é assim que vejo todos ao meu redor: um borrão de sombras e cores. E, também, é por isso que sei que não existe lugar para mim nesse mundo.

Capítulo 1

Nova York – 25/05/2013

Eu devia festejar, mas não sentia vontade. Essa data me trazia lembranças dolorosas.

A morte nunca é algo fácil de digerir, nem sempre o tempo diminui a dor de uma perda. Além disso, não entendo como um dia que marca e expõe sua idade avançando em ritmo indesejado, pode ser um dia a se comemorar. Meu palpite é que a expectativa que cerca esse dia se deve aos presentes e ao forte apelo sobre o reencontro com pessoas que você gosta, e até com aquelas de quem você nem gosta tanto; além de um bom motivo para colocar em prática a maior convenção social de todas: festa.

Para mim, as pessoas supervalorizam a chegada dos dezoito. Eu estou ficando mais velha, é apenas isso. Acredito que seja reflexo de uma inerente pressão social, como se, efetivamente, haja diferença entre ter dezenove ou vinte.

Meu pai sempre dizia que quando eu atingisse dezoito anos algumas mudanças aconteceriam, mas não percebi nenhuma.

Não curto festas nem comemorações de qualquer natureza, principalmente no meu aniversário. O que fazer quando você vê que os desejos de sucesso, paz e felicidade não são verdadeiros? Pois é, eu vejo. Mas algum amigo sempre aparece com um bolo ou uma garrafa de qualquer coisa alcoólica, querendo me deixar animada e disposta o suficiente para celebrar. Eles vivem tentando me arrastar para qualquer lugar, praticamente toda semana. Isso é o significado de diversão para eles. No dia do meu aniversário a coisa só se agrava. Eles não entendem que este é só mais um dia. Um dia um pouco mais atribulado e com mais telefonemas e sorrisos do que o habitual, só isso! Não representa alegria ou motivo para festa; pelo contrário, é um período traumático e doloroso para mim.

Amigos são importantes e são legais na maioria das vezes. No entanto, quando resolvem que querem ver o outro feliz, baseados em suas próprias expectativas de felicidade, pode ser um saco.

Geralmente não estou na mesma sintonia que eles. Amo meus amigos, mesmo quando me chamam de "Carrie" sinto certo carinho no apelido, é como se as minhas esquisitices os divertissem.

Exceção justa feita à Carol. Ela é a minha melhor amiga e eu a tenho como uma irmã. Está sempre comigo em todos os momentos, desde quando nos conhecemos há quatro anos. Pode não ser muito tempo, mas sinto como se fosse uma amizade de infância.

Carol está sempre por perto, preocupa-se comigo de verdade e eu com ela, mesmo que pareça nunca precisar de ajuda. É tão segura, destemida e tão bonita. Will costuma nos chamar de dupla dinâmica, mas a verdade é que somos totalmente o oposto uma da outra.

Ele é um grande amigo também, porém, um pouco estranho. É do tipo que some por dias sem que alguém saiba por onde andou, e quando retorna, não comenta absolutamente nada sobre sua ausência. Ele adora fazer piadas e tirar sarro de tudo e de todos; e, claro, sou seu alvo preferido.

Will já era muito amigo de Carol quando eu o conheci na faculdade, então, tornou-se também meu amigo. Apesar de meio misterioso, até que é gente boa. Carol tem uma ligação especial com ele; quando ela não está comigo, com certeza estão juntos.

Eu sou caseira, gosto de ficar com minha avó e com minhas plantas. Prefiro ouvir uma boa música em casa do que ficar saindo à noite para lugares que, na maioria das vezes, exploram exatamente o oposto do que eu entendo por boa música. Já eles dois, são os maiores *baladeiros* que eu já vi, não sossegam nem em dia de tempestade.

É bem verdade que, às vezes, ficamos na minha casa, só conversando e aproveitando as guloseimas que vovó prepara. Quase sempre, passamos a noite toda falando de coisas engraçadas ou assistindo filmes.

Eu sempre preferi vir para casa nos finais de semana. No começo, achava que eles faziam isso porque se sentiam mal em me ver sozinha em casa, enquanto todos participavam de festas com a turma das fraternidades e irmandades. Eles nunca entenderam bem o meu jeito mais reservado, mas sempre o respeitaram. Com o tempo percebi que esses momentos entre amigos também se tornaram especiais para eles. Era o nosso momento.

Fiz boas amizades na universidade. Estamos juntos há dois anos no curso de biologia e acabamos nos tornando um grupo de amigos para quase tudo, dentro e fora da universidade. Para falar a verdade, é quase como se eu estivesse presente em cada balada, porque no dia seguinte eles sempre me contam os detalhes do que aconteceu.

Durante o primeiro ano do curso morei no campus da universidade e a experiência foi péssima. Minha avó foi muito compreensiva, pois foi preciso nos mudar para perto do campus ou eu não conseguiria continuar estudando.

Passei a maior parte do meu aniversário em casa com a minha avó, adoro quando a data cai no final de semana. Vovó Eleonor fez um bolo delicioso, cheio de morangos por cima e com recheio de chocolate.

Eu sabia que teria alguma surpresa, já que meu celular só tocou algumas vezes e, em todas elas, eram pessoas seguindo corretamente a regra, que diz que devemos ligar para dar parabéns às pessoas que conhecemos e são próximas de alguma maneira.

Hoje em dia nem todas as pessoas ligam, a maioria prefere postar uma mensagem nas redes sociais. Assim segue a humanidade moderna. Perde-se a privacidade e o anonimato, o que não é muito bom, mas pelo menos você tem a escolha de não fazer parte disso. Se assim o fizer, porém, estará praticamente abrindo mão de fazer parte do mundo.

Estava verificando as mensagens, quando ouvi a campainha. Nem precisei abrir para saber quem estava na porta. Depois de muita insistência, eles me convenceram e acabei cedendo. Fomos a um desses barzinhos barulhentos e me vi rodeada por vozes, risadas, cigarros e cheiros estranhos, provenientes da mistura desses elementos com perfumes e bebidas. Sem contar o cheiro de madeira, vindo das paredes.

O local era todo de madeira, compondo um ambiente bastante rústico e aconchegante. Não fosse o barulho e a quantidade de pessoas que tagarelavam ao mesmo tempo, eu até me sentiria bem, pois tinha gostado do estilo provençal do lugar.

Ocupamos uma mesa grande e redonda, o que me obrigou a interagir com todos quase simultaneamente. Ao meu lado, Will me cutucava toda hora, como se quisesse me fazer pegar no tranco. Carol se sentou na minha frente, cercada por Nara e Ana. Do meu outro lado estava Edy. Todos estavam se divertindo e eu me esforçando.

Ana e Edy eram amigos mais distantes, não faziam parte do nosso grupo restrito. Eles só cursavam algumas matérias com a gente e, às vezes, participavam de grupos de trabalho. Senti um clima entre eles assim que chegamos e me concentrei por um segundo na energia de ambos. Foi nítido para mim, eles irradiavam sensualidade. Estava bem claro que o flerte pairava no ar e logo entendi porque Nara havia convidado os dois.

Nara era uma boa amiga, sempre me entendia. Na verdade, acho que ela entendia todo mundo. Sua compreensão e paciência iam além do que costumamos ver por aí. Estava sempre disposta a ajudar e agradar, principalmente os amigos, mesmo que lhe custasse tempo ou algum sacrifício. Era a cara dela, dar uma de cupido naquele dia.

A noite estava agradável e eu quase me divertia. Por vezes, sentia-me mal por não curtir tanto quanto esperavam que eu curtisse. Nem sempre eu era assim, reprimida e chata. O problema é que sempre ficava um pouco depressiva nos meus aniversários, era difícil evitar.

Lembrei-me do meu pai. As imagens sempre passavam na minha cabeça como um filme, memórias de quando era criança e ele fazia festinhas surpresa para mim. As lembranças eram alegres e dolorosas ao mesmo tempo. Quando criança, eu sabia que teria sempre alguma coisa diferente, todo ano ele inventava uma surpresa. Eu me lembrava dele em vários momentos da minha vida, mas em aniversários tudo parecia potencializado, especialmente a saudade.

Somente eu sabia o esforço que fazia para não deixar que esses sentimentos atrapalhassem a noite que, por sinal, corria muito bem. Tive que sorrir muito mais do que gostaria, é verdade, mas até que não era tão ruim. No fundo, eu me sentia bem por não os decepcionar.

Carol sempre dizia que eu me esforçava bastante para parecer feliz e, quase sempre, conseguia enganar a todos, menos a ela. Sinceramente, acho que ela tinha razão. Era a única que me fitava — de dez em dez minutos —, tentando compreender o que se passava pela minha cabeça e por trás dos sorrisos que vinham naturalmente, depois de um copo de vinho que eu gentilmente aceitei para não parecer desagradável.

— Vamos dar uma volta, Any? — Quase ao mesmo tempo em que ouvi sua voz, senti Carol me puxando pela mão.

Fomos circular pelo bar. Na verdade, parecia uma inspeção de reconhecimento.

Não sei se já mencionei, mas Carol é linda. Possui cabelo curto e preto na altura dos ombros, olhos ligeiramente puxados e negros, dona de um olhar tão penetrante que ninguém era capaz de desviar ao encontrá-lo. Ela era o tipo de garota que parecia ter saído de uma revista de moda. A qualquer hora, do dia ou da noite, estava sempre linda.

Ela sempre ficava bastante animada quando podia se exibir e mostrar sua beleza. Eu percebia que se divertia ao ver a quantidade de olhares que atraía quando passava. E, sem parecer despeitada, eu me sentia um patinho feio desfilando ao lado do lindo cisne branco. Não que eu seja feia, mas perto de Carol ninguém conseguia se sentir muito melhor do que a Fiona em sua forma de ogra, é claro.

Fomos até o outro lado do bar com alguma dificuldade, já que alguns rapazes a puxavam pelo braço para tentar uma investida. Foi um pouco perturbador ficar o tempo todo desviando ou pedindo licença para conseguir avançar dois passos. Naquele momento, eu só desejava voltar à nossa mesa e ficar sorrindo até a hora em que todos se cansassem e resolvessem ir embora. Estava ansiosa pelo dia seguinte, o dia em que tudo voltaria ao normal. Só mais um dia comum sem nada o que comemorar.

Carol era observadora e teimosa. Ela dizia o tempo todo que eu precisava arrumar uma paquera ou coisa assim. Uma distração, era o que ela costumava dizer. Algo além dos meus amigos e da minha avó. Só mesmo ela conseguia ver além das aparências, quando o tema era a minha vida. Parecia me enxergar da mesma forma que eu enxergava as pessoas, a essência e a verdade delas, o que tinham de melhor e de pior.

— Any, lembro que há muito tempo você namorou com aquele garoto da escola e depois disso não se relacionou de verdade com mais ninguém. Como sua amiga, digo que isso não é nada saudável. Faz bem para a alma, para o coração e até para a saúde se apaixonar, beijar ou, pelo menos, flertar. Vamos lá, garota! Você precisa se divertir! Eu não gosto nada de ver você com essa cara sem graça, "tentando" parecer animada. Queria vê-la feliz de verdade, só para variar. — Minha cara não foi das melhores, após o comentário. O bico foi inevitável, mas ela prosseguiu: — Alany Green! É sério! Eu sou sua melhor amiga e você sabe que não consegue esconder muita coisa de mim, não sabe? Posso ver em seus olhos que anda distante. Parece que está sempre alheia à sua própria vida, procurando por alguma coisa que não sabe o que é. Eu queria mesmo ver você vivendo como uma pessoa que busca a felicidade e aproveita o que a vida oferece, sem preocupações desnecessárias.

Eu não sabia bem que entonação dar à minha resposta. Então, tentei a versão mais tranquila possível.

— Carol, primeiro: eu estou com essa cara de brava para espantar os assanhados, já que você insiste nesta expedição pelo mundo das cavernas, em volta desses trogloditas. Segundo: não estou procurando nada e acho que todo mundo se sente um pouco perdido às vezes. Acho que é normal e bem comum se sentir diferente das outras pessoas, não saber ao certo onde é o seu lugar no mundo. Então, só posso concluir que sou perfeitamente normal. — Suspirei, resignada. — Quer saber?! Eu vivo minha vida muito bem, obrigada. Tenho amigos, já tive um namorado por quem me apaixonei, mas não deu muito certo e adoro minha família, ou o que restou dela! O que mais eu posso querer?

Carol continuou me olhando com desconfiança, com um sorriso guardado, quase revelado. Seu olhar acusatório me deixou sem muita escolha.

— Ok! Já entendi que minha vida não é tão legal assim e sei que não pareço muito feliz hoje, mas você sabe como eu fico nos meus aniversários. Relaxa, está bem? Vai passar. Amanhã já estarei melhor, você vai ver.

Por sorte, ela resolveu suspender o discurso e voltar à nossa mesa. Mudamos o caminho e seguimos pelo meio do bar. Isso para evitar ou, pelo menos, variar os descarados de plantão, o que nos fez passar perto do palco, onde um cantor se preparava para iniciar sua apresentação.

O que ouvi me fez parar instantaneamente e buscar a origem daquela voz que testava o microfone. Meus olhos seguiram em direção ao pequeno palco e, por alguns instantes, eu o observei: cabelo castanho, comprido e ondulado, olhos negros e barba por fazer.

Eu sei que a descrição não parece nada impressionante, mas essas características juntas compunham um conjunto em perfeita harmonia.

Quando ele começou a cantar, em segundos eu estava de boca aberta bem na frente daquele palco e não era pela beleza do cantor, mas por sua voz perfeita.

Eu sempre adorei música e até cantava quando pequena, junto com meu pai. Ele dizia que eu era boa, mas o problema era que ele me incentivava a fazer qualquer coisa, bastava eu dizer que gostava. Cheguei a me apresentar em bailes da escola e festinhas do bairro. Conforme eu crescia, sentia-me cada vez mais interessada em música. Eu cantava para as minhas plantas todos os dias e tinha certeza que elas gostavam. Fiz aulas de piano e de canto por um tempo, mas abandonei e resolvi me dedicar aos estudos. Talvez, por isso, quando ele começou a cantar, meus lábios se esticaram tanto que quase doeu, tão largo era o sorriso que nasceu no meu rosto. Que voz linda era aquela? Nem parecia ser dele. Não que ele não tivesse porte para ela, mas uma voz como aquela parecia nem existir de verdade. Fiquei impressionada.

Não fui capaz de me mexer e fiquei ouvindo, maravilhada. Fechei os olhos algumas vezes durante a música, contudo, o sorriso jamais saiu de meu rosto. A canção era simples e demasiadamente linda para ser cantada naquele lugar ou só para aquelas pessoas. Era digna de uma apresentação com centenas de expectadores. Mas quando ele começou uma nova música, foi que percebi que a canção era o que menos importava, qualquer uma ficaria maravilhosamente perfeita naquela voz.

Senti-me enfeitiçada. Era como se nunca na vida tivesse ouvido nenhum som parecido. Tornava as melhores vozes do mundo totalmente sem graça, mesmo a dos maiores tenores de toda a história da música. Fiquei me perguntando se eu tinha bebido demais para ficar tão impressionada, o que não me parecia muito razoável, já que mal havia tomado duas taças inteiras de vinho. Mesmo sem costume, principalmente por que não tinha a idade permitida, a quantidade foi pouca para causar qualquer alteração.

Fiquei parada próxima ao palco por muito tempo, sem me dar conta do mico que estava pagando. Com certeza eu devia estar com a boca aberta. Sei que a música faz isso com a gente; como dizem, nada chega mais rápido ao coração do que uma bela canção. Pode até ser brega, mas eu acredito mesmo nisso.

Enquanto eu estava parada, admirando o cantor, Carol chegou bem perto de mim e sussurrou:

— Parece que ele também gostou de você.

— Também? Carol, eu não gostei dele, só da voz dele... — respondi imediatamente, ríspida e envergonhada demais para olhar para ela ou, talvez, sem vontade nenhuma de desviar os olhos dele.

Capítulo 2

Não sei dizer quantas músicas ouvi ou por quanto tempo fiquei parada em frente ao palco. Foi como se estivesse saindo de um transe. Senti meu rosto enrubescer, quando percebi que o tal cantor me olhava e sorria. Se ria para mim ou de mim, eu não sabia. Foi muito constrangedor.

— Agora vou cantar uma das minhas preferidas. — Ele me encarou e piscou. — Agradeço a todos pela noite maravilhosa, obrigado.

Quando começou a tocar, ele sorriu novamente, olhando em minha direção. Um sorriso enorme e iluminado, como se estivesse agradecendo pela minha presença. É claro que fiquei vermelha como um pimentão e o seu sorriso ficou mais debochado e descontraído, e ainda mais lindo.

Ergui uma das sobrancelhas como costumo fazer, como um gesto de reprovação, porque ele parecia mesmo estar rindo de mim. Inacreditavelmente, ele entendeu. Percebi quando ergueu os ombros num gesto de quem diz: “foi mal”.

Desviando o olhar, ele começou a cantar. Com os olhos fechados, parecia estar se conectando com a música. Ao abri-los, olhou-me de um jeito sério e profundo. Ele me observava como se procurasse por algo dentro de mim, em minha mente ou na minha alma. E parecia estar conseguindo. Foi intenso.

Eu ouvia a canção dentro da minha cabeça, como se ele estivesse com a boca colada em meu ouvido. Por um instante, fiquei tonta e senti as pernas bambas. A música era *Demons*, da banda *Imagine Dragons*. Ele cantava com tanta verdade que realmente me impressionou.

Fiz como nos desenhos animados e chacoalhei a cabeça para me recompor, tentando colocar as ideias no lugar. Decidi ouvir a música sem olhar para ele; a vergonha já estava grande demais. Senti alguém segurando a minha mão e me virei, era Carol.

— Any, tudo bem? Você está meio pálida. Eu a olhei de longe e parecia que não estava muito bem. Está sentindo alguma coisa? Não quer se sentar um pouco? Talvez tenha sido o vinho. Eu falei para o Will que você ainda não podia... — Carol me segurou e foi me levando de volta à mesa onde estávamos.

— Eu estou bem, Carol. Não se preocupe — interrompi. — Nem bebi tanto assim. Fique aqui comigo até essa música acabar. Segurei sua mão e dei um sorriso para tranquilizá-la, recusando-me a sair de perto do palco.

— Any, esse cantor é lindo! Mas agora estou um pouco assustada com a forma com que ele olha para você. Parece que nunca viu uma mulher bonita.

— Também acho estranho — respondi, sem tirar os olhos dele. — Já que se fosse por beleza ele estaria olhando para você e não para mim. Por isso, minha teoria é que só está retribuindo minha fixação por sua voz de anjo e, talvez, esteja pensando que estou dando o maior mole para ele. Vai saber!

Tentei parecer desinteressada. Na verdade, nem sabia se estava interessada em alguma coisa. Talvez eu só quisesse mesmo ouvir aquela voz sem parar.

— Não seja idiota, Any! Você é uma criatura realmente linda, não imagina o quanto, só não enxerga isso. Mas acho que ele enxergou. — Carol me olhava de maneira estranha, desconfiada.

A música acabou e foi como se um filme lindo chegasse ao fim, daqueles que a gente não quer que acabe nunca. Ele colocou o violão de lado e se levantou.

Virei-me para voltar à mesa, onde meus amigos estavam. Achei que já tinha me exposto demais com aquela admiração estranhamente arrebatadora, estava na hora de me recompor.

— Vocês ouviram isso? — perguntei, quando cheguei à mesa.

— Que voz! Também achei maravilhosa! — Nara disse, demonstrando sua sinceridade de sempre.

— Você gostou mesmo da voz... ou do dono dela? — Will, claro, não podia perder a piada.

— Para mim, era uma voz normal. Bonita sim, mas nada fora do comum — disse Carol, levantando os ombros.

Will continuou fazendo piadas da situação e eu sabia que a maneira mais rápida de acabar com aquilo era fazendo parte, não demonstrando qualquer desconforto. Bebi mais vinho e senti que me excedi um pouco quando me vi rindo, de verdade, das piadas dele.

Fomos interrompidos quando uma voz soou, linda e melodiosa, atrás de mim, deixando-me sem fôlego.

— Desculpe interromper. Fui informado de que alguém nesta mesa está fazendo aniversário hoje, então... — Ele levantou uma garrafa de vinho e continuou: — É uma cortesia da casa. — Um silêncio constrangedor tomou conta da mesa. — Quem é o aniversariante, para eu dar os parabéns? — prosseguiu ele, com aquela voz desesperadamente linda.

Fui bombardeada com vários dedos acusadores apontados para mim. Virei a cabeça até que meus olhos achassem os dele e, sem graça, também levantei o dedo, identificando-me como a feliz aniversariante, com um sorriso frouxo e envergonhado no rosto. E lá estava ele, com um sorriso lindo e iluminado, bem na minha frente. É claro que eu não sabia o que fazer nem onde me esconder, a não ser embaixo da mesa. Só que já era tarde demais para isso.

Olhei para Carol pelo canto do olho e vi que ela o observava com um olhar desconfiado. Will e Carol se olhavam discretamente, como se estivessem conversando. Quando se olhavam assim, era como se quisessem dizer algo que ninguém podia ouvir. Isso era bem frequente entre eles, mas também acontecia uma coisa parecida entre Carol e eu. Não dá para explicar esse tipo de conexão. Às vezes, com alguns amigos não é preciso falar para que saibam o que estamos pensando.

— Qual é o seu nome, aniversariante? — perguntou carinhosamente o dono da voz encantadora.

— Alany.

Não consegui pronunciar mais nada. Talvez estivesse com vergonha de soltar minha voz, que perto da dele parecia um grunhido. Ou, simplesmente, intimidada com a situação e com a beleza daquele sujeito que, de perto, ficava ainda mais perfeito.

Ele sorriu novamente e me entregou a garrafa de vinho.

— Meus parabéns, Alany! Uma cortesia da casa. — Num gesto simples com a cabeça e ainda sorrindo, ele se afastou da mesa, olhando para Carol enquanto caminhava.

O semblante dela mudou aos poucos, como se estivesse ficando muito preocupada. Fiquei pensando se isso seria por minha causa. Não fazia sentido. Eu queria perguntar o motivo daquela cara feia, porém achei melhor não criar polêmica.

Mudamos de assunto para amenizar meu constrangimento. Depois de algum tempo, percebi que Ana e Nara estavam cochichando baixinho no canto da mesa. Elas olhavam em direção ao fundo do bar. Certamente estavam paquerando um rapaz, que estava sentado a umas quatro mesas atrás de nós. Pude até ouvir uma delas dizendo: "ele é mesmo interessante".

Não me contive e me virei um pouco, o suficiente para perceber que o rapaz em questão era o cantor com voz de anjo. Ele estava sentado sozinho, com uma taça nas mãos.

Eu o olhei novamente após uns cinco minutos; ele era lindo! Apesar do ambiente escuro, eu podia ver sua pele perfeita e seu rosto de traços rústicos. Por algum motivo, não conseguia parar de olhar para ele. Em uma das muitas olhadas, pude ver que seus olhos se concentravam nos meus a cada virada de cabeça. Mesmo assim, não consegui parar ou disfarçar.

Ele sorriu e levantou o copo, como se estivesse brindando comigo à distância. Sorri um pouco constrangida, sem desviar os olhos dele.

Que maluquice! Eu nunca havia encarado ninguém dessa forma antes. Com certeza era o vinho se manifestando.

— Já está um pouco tarde, acho que devíamos ir embora. — Carol, pela primeira vez, estava erguendo a bandeira branca e isso era muito estranho.

— Como assim, Carol? Você é sempre a última a querer ir embora — disse Will, tão perplexo quanto eu.

— Eu não queria ir embora agora, é meu aniversário e ainda está cedo. Vamos tomar mais alguma coisa e depois iremos. Eu prometo — falei, unindo as mãos em um gesto de súplica.

Carol não estava com a cara muito feliz, mas concordou.

Olhei de soslaio para a mesa nos fundos e percebi que o cantor estava mordendo os lábios inferiores, tentando conter uma risada; parecia que estava ouvindo a nossa conversa. O que um pouco de vinho não faz a gente imaginar? Ele estava há pelo menos cinco metros de distância, e com todo aquele barulho seria impossível que nos ouvisse.

Começávamos a nos comunicar com olhares e sorrisos; a cada sorriso ele parecia mais lindo. Algumas meninas passavam em frente à mesa e sorriam para ele, mas ele parecia não notar e continuava me olhando. Numa das vezes em que o olhei, ele puxou uma cadeira e fez um gesto para que eu me sentasse com ele.

Senti um frio no estômago que não era nada familiar, eu acho que nunca havia sentido uma sensação como aquela. Relutei, mas sabia que acabaria indo até ele, até porque era exatamente o que eu queria fazer e decidi não reprimir minhas vontades naquela noite.

Olhei-o com desconfiança e sorri. Em seguida, constatando que o vinho havia vencido, veio a coragem que eu jamais teria sem essa ajuda engarrafada. Fiz um movimento para me levantar e logo fui questionada:

— Aonde você vai? — como um cão de guarda, Carol se pronunciou prontamente.

— Vou agradecer o vinho, elogiar a voz dele, fazer cara de safada e pular em seu colo. — Todos da mesa me olharam espantados, o que me fez soltar uma risada exagerada. — Calma! É impressionante como vocês acreditam em tudo. Só vou conversar um pouco. É meu aniversário e só se faz dezoito anos uma vez na vida. Além do que, só Deus sabe quando terei essa coragem de novo. — Revirei os olhos e todos concordaram que esse tipo de atitude não era muito a minha cara, então, era melhor não reprimir.

— Você enlouqueceu? Ele pode ser um psicopata ou qualquer coisa parecida. Eu vi como estava olhando para você e não achei nada normal. Não seja irresponsável. — Carol parecia irritada.

— Carol, você acha mesmo que eu não saberia se ele fosse uma pessoa com intenções ruins ou, pelo menos, acha que não descobriria isso em um minuto de conversa? Além disso, estamos em um lugar público. Olhe em volta. Não estaremos sozinhos e você está aqui para me defender, caso eu precise. Aliás, onde está aquele discurso: "você precisa conhecer alguém, se divertir, blá, blá..." — Pisquei para ela e saí em direção ao desconhecido.

Carol era a única que confiava 100% no meu julgamento com as pessoas, eu nunca errava e ela até se aproveitava disso para escolher seus namorados.

Eu tenho um discernimento perfeito para relações humanas. Quando conheço alguém consigo saber se é uma pessoa de boas intenções ou um interesseiro, um aproveitador inescrupuloso ou alguém que se enquadra em algum outro adjetivo ruim. Claro que, na maioria das vezes, não tenho uma sensação exata do tipo: esse é ladrão, esse é mentiroso... São apenas sensações boas ou ruins. É mais ou menos como se eu conseguisse enxergar a vibração ou a intenção das pessoas, e identificá-las. E essa minha estranheza estava melhorando com o passar dos anos, ultimamente estava muito forte e sincronizada. Por vezes, pude sentir a vibração de alguém apenas olhando para a pessoa do outro lado da rua. Não é algo que se possa explicar, por isso só a Carol acredita realmente, nem sei por quê. Os outros, incluindo a minha família, acham que é um sexto sentido ou uma simples intuição. Acho que eu também não acreditaria se alguém me dissesse ser capaz de ver coisas tão intangíveis, para dizer o mínimo.

É claro que evito falar sobre isso com outras pessoas, não estou a fim de ser rotulada de maluca de novo. Pelo menos, venho tentando limpar o meu nome, preservar minha imagem ou o que resta dela, limitando-me a ser uma pessoa normal.

Por muito tempo fui taxada de doida e não foi nada agradável. Aprendi a me proteger através do silêncio e da barreira. Parei de ver as pessoas como elas realmente são, atenho-me a saber exatamente o que elas querem que eu saiba sobre elas. Claro que algumas exceções poderiam ocorrer, e nesse dia, essa seria uma delas.

Caminhei em direção à mesa onde ele estava e no caminho, sem a sua voz para me confundir, percebi que era bastante jovem, talvez uns vinte e cinco anos. Não era possível avaliar detalhes, mas os ombros largos e os braços naturalmente fortes eram um deleite à parte. Ele me observava fixamente pelo caminho e não pude deixar de perceber o quanto seus olhos eram carregados de força e mistério, o que era estranho e ao mesmo tempo *sexy*. Senti mais uma vez um frio na barriga e compreendi que havia uma tensão no ar, tão forte que quase pude tocá-la.

Eu não fazia ideia do que iria dizer quando chegasse à mesa. Normalmente, não vou ao encontro de estranhos dessa maneira, muito menos se este encontro tiver qualquer conotação romântica.

Ele me observou chegar cada vez mais perto. Seu olhar era impenetrável e, ao mesmo tempo, tão intenso que me senti um pouco invadida e temerosa. Não tive escolha e liberei o bloqueio para sentir sua energia. Para minha surpresa, não encontrei a barreira e percebi que já estava totalmente desprotegida. Ainda bem que sua vibração era muito positiva. Também pude sentir o que seu olhar escondia: ansiedade e indecisão. Por trás daquela aparência forte, de olhar impenetrável e misterioso, havia insegurança. Quem diria?

A energia que emanava dele era intensa como nunca tinha visto ou sentido antes e me dei conta do que tinha acontecido quando eu estava em frente ao palco. Por alguma razão, deixei cair a barreira que criei para me manter sempre protegida e, naquele instante, fiquei profundamente conectada a ele.

Finalmente, quando cheguei próximo à mesa, ele se levantou e puxou a cadeira para que eu me sentasse. Estranhei o comportamento, mas adorei a gentileza. Apesar de um gesto simples, não vemos esse tipo de atitude hoje em dia. Eu gosto de algumas gentilezas consideradas ultrapassadas. Os caras não se preocupam mais nem se você tem uma cadeira para sentar e depois ainda querem dividir a conta.

Antes mesmo que ele se sentasse, comecei a tagarelar para tentar impedir que aquele silêncio constrangedor de elevador tomasse conta do momento, roubando a minha coragem.

— Oi! Desculpe ter vindo até aqui, mas é que eu queria agradecer pelo vinho e... — Ele me interrompeu.

— Alany... seu nome é muito bonito. — Ele me observava com a expressão de um jogador de pôquer, completamente concentrado e impenetrável. — E não precisa me agradecer pelo vinho, porque eu só queria um motivo para falar com você sem ser devorado por sua amiga.

Silêncio e dúvida estavam presentes naquele momento. Fiquei completamente sem palavras. Aquela voz não tinha o mesmo tom de quando estava cantando, parecia inofensiva agora. Mas, ainda assim, era linda. Respirei fundo e, como se tivesse soltado o freio da língua, comecei a tagarelar, rápida e descompassada, de novo.

— Pode me chamar de Any. Eu só queria dizer que adorei a sua voz, é muito linda. Por isso, fiquei paralisada, ouvindo-o cantar, como se eu fosse uma maluca ou sei lá o que. E também... — disse essas palavras tão rápido que nem eu mesma entendi bem o que estava dizendo. Só parei de falar porque senti sua mão sobre a minha, ao mesmo tempo em que vi um sorriso completamente genuíno estampado em seu rosto.

— Você não precisa se explicar, Any. Muitas pessoas gostam da minha voz, é por isso que eu sou cantor. Mas fico muito feliz que tenha gostado. Acho que, na verdade, eu é que tenho que me desculpar por olhá-la assim.

Talvez a tenha deixado desconfortável. Desculpe! — Ele, mais uma vez, lançou aquele olhar que parecia penetrar na minha alma. — Você é tão linda, que não consigo evitar.

— Oi? — Olhei com expressão de dúvida e ergui uma das sobrancelhas, num sinal de reprovação.

— Não acredita em mim? Não sou bom com mentiras. Acredite, você saberia se eu estivesse mentindo — ele respondeu, sorrindo e balançando a cabeça. Sua mão liberou a minha, apenas para passar suavemente por seu cabelo.

— Eu saberia mesmo, sou muito boa em descobrir mentiras. Você ficaria surpreso.

Sorrimos juntos, mais para quebrar o gelo do que qualquer outra coisa.

— Qual é o seu nome, senhor cantor?

— Nossa! Que grosseria a minha. Muito prazer, Santiago! — Ele estendeu a mão para um cumprimento formal e emendou: — Mas pode me chamar de San.

Franzi a testa porque me espantei com o nome dele. Será possível que até o nome do cara era legal? Além do cabelo, corpo, boca, olhos... Era tudo perfeito. Mas essa última parte eu apenas pensei.

Ele se acomodou na cadeira, de forma a ficar mais perto de mim, fazendo-me sentir seu perfume. E para completar, o cheiro era incrível.

— Então, você foi arrastada para cá ou gosta de lugares assim, com muita gente jogando conversa fora e, às vezes, até se divertindo? — ele perguntou, parecendo já saber a resposta. Era como se me conhecesse há muito tempo.

— É... fui mesmo arrastada. Amigos! Sabe como é. Eles acham que aquilo que os fazem felizes pode fazer feliz o mundo todo, então, aqui estou eu, comemorando. — Levantei os dedos em ritmo de festa e dei um largo sorriso para parecer animada. Com certeza, pareci mais uma desequilibrada.

— Sei bem como são essas coisas. Amigos são importantes e precisamos preservá-los. Os seus parecem gostar muito de você, principalmente aquela que vi ao seu lado, em frente ao palco.

— Carol! Ela é uma amiga superprotetora mesmo, como se fosse minha irmã mais velha. Está sempre por perto quando preciso de ajuda. E quando não preciso também.

Ele me olhava com aqueles olhos misteriosos e curiosos, o que estava me deixando bastante sem graça. Ficamos sem assunto, mas isso não pareceu incomodá-lo nem um pouco.

Por mais que eu tentasse, a situação continuava muito desconfortável. Eu precisava sair de perto dele antes que dissesse alguma grande bobagem, daquelas que não dá para consertar. Nunca lidei muito bem com pressão social.

— Bem, acho melhor voltar para a minha mesa. Na verdade, acho que já vamos embora.

Sem se importar com o que eu acabara de dizer e sem mudar a intensidade de seu olhar, ele simplesmente disse:

— Eu poderia olhar para você a noite toda.

Nossa! Ele foi bem direto e me pegou completamente de surpresa. Eu esperaria qualquer coisa, menos isso. E agora, o que eu deveria dizer? Só consegui levantar uma sobrancelha e dar um sorriso torto.

— Desculpe se a deixei constrangida. Eu costumo ser direto, principalmente quando vejo alguma coisa que me encanta. Mas não quero que se sinta envergonhada e muito menos que duvide disso, só porque nos conhecemos há quase — olhou no relógio em seu pulso —, vinte minutos.

Ele tinha um rosto tão jovem... No entanto, parecia muito maduro e com a tranquilidade de alguém mais velho. Talvez fossem os anos de estrada, na luta por uma carreira de cantor. Quem sabe o quanto isso amadurecesse as pessoas?

Apesar de parecer esquisito, as coisas que ele me dizia e seu jeito doce e tranquilo, eram como alguém que já tinha vivido muito e falava com muita propriedade. Além disso, as cores que irradiavam de seu corpo demonstravam calma e passividade.

Quando sorri em concordância ao que acabava de dizer, foi incrível ver a alegria e satisfação que tomou conta dele. Acho que nunca a energia de alguém tinha me afetado tão positivamente. O bloqueio não existia mais e eu me sentia serena, até mesmo o constrangimento havia passado.

— Eu canto aqui há alguns meses e nunca vi você, por isso deduzi que não fazia muito o seu estilo, apesar de, aparentemente, ter muito apreço pela música. Se algum dia quiser voltar, prometo não deixá-la sem jeito, vou me comportar melhor.

— Acho que posso voltar qualquer dia desses. Eu gosto muito de música, até cantava um pouco quando era menor. Já não canto há muito tempo e nem posso dizer que cantava bem. Era coisa de criança, mas meu amor pela música continua o mesmo.

Nem sei por que me abri com ele dessa forma. Eu nunca falava sobre isso com ninguém, porque a pessoa para quem eu cantava não estava mais presente e isso me tirou totalmente o gosto pelo canto, mas não o meu fascínio pela arte.

— A música é sempre uma terapia. Se fez parte da sua vida em algum momento, ela nunca mais a abandona — ele disse com convicção.

Fiquei o observando por algum tempo. Na verdade, tive essa oportunidade porque, finalmente, San tinha parado de me encarar. Mas isso não durou muito.

Logo seus olhos estavam nos meus de novo e só pude sorrir. Como reflexo, ele sorriu de volta e aquele sorriso lindo me fez esquecer tudo. Eu não queria parar de olhar, só queria chegar mais perto. E ele também queria, eu podia ver isso em seus olhos. Nós nos aproximamos aos poucos como se fôssemos imãs. A cada fração de segundo estávamos mais perto. A música à nossa volta tocava em uma rotação muito lenta e as pessoas eram apenas borrões. O olhar penetrante não me incomodava mais, e me entreguei ao desejo de também observá-lo sem reservas.

Nossa aproximação iminente foi interrompida por uma voz:

— Any! Estamos indo embora. — Claro que Carol não deixaria aquele beijo acontecer. Péssimo momento para uma interrupção. Quase pude ouvir uma buzina soar, anunciando o fim do jogo.

Com muita calma, Santiago se levantou, beijou minha mão e se aproximou mais do que o necessário de meu rosto, sussurrando:

— Obrigado mais uma vez. Estarei aqui, caso queira ouvir boa música.

Nós nos despedimos apenas com um largo sorriso e voltei à minha mesa, com Carol me escoltando. Sentei ao seu lado sem olhar diretamente em seus olhos. Aguardávamos a conta, quando olhei para frente e encarei cinco pares de olhos curiosos, que me fulminavam em busca de respostas ou comentários. Elevei de leve os ombros e as sobrancelhas, como se não estivesse entendendo os olhares. Eles reduziram um pouco a ansiedade, mas não desistiriam tão facilmente.

— E então, Any? Não tem nada para nos contar? — perguntou Will, olhando para o lado e tentando não parecer muito invasivo.

— Não — respondi, com um sorriso carregado de escárnio. Na verdade, queria que ele entendesse nas entrelinhas: “Não é da sua conta”.

Logo começou uma chuva de especulações, cinco pessoas confabulando sobre o que teria acontecido naquela mesa durante nossa conversa. Era impossível acompanhar aquelas mentes diabólicas. No entanto, uma única mente estava mais interessada em me observar, ao invés de tagarelar: Carol.

— Pelo jeito, a conversa foi muito boa. — A voz de Carol carregava algo mais do que simples curiosidade.

— Foi legal e estranha. Pelo menos, agora sei que, apesar de um pouco misterioso, ele é um cara legal. Posso garantir que não é nada do que vocês estão pensando — falei um pouco mais alto, dirigindo-me a todos na mesa. — Não houve nada, apenas uma conversa sem implicações futuras.

— Uh! Acho que ela não está gostando muito das nossas suposições — ironizou Will. — Vamos lá, Any! Deixe a gente feliz e diga o que ele falou de interessante. Por um momento, eu o vi colocar a mão sobre a sua. Será que estava pedindo sua mão em casamento ou pedindo para que você falasse mais devagar? — Ele soltou um riso de zombaria e todos o acompanharam, inclusive eu.

Sua expressão foi mesmo engraçada e até que tinha um pouco de verdade na brincadeira. Meus amigos sabiam como eu me comportava quando ficava nervosa, pois eu sempre fazia isso nas apresentações da faculdade. Falava tão rápido que ninguém conseguia entender nada.

Durante o caminho de volta para casa, nada foi dito sobre os acontecimentos da noite. Pelo menos, nada que tivesse qualquer relação com Santiago, o que foi um alívio. Eu não sabia se conseguiria ocultar meu interesse e o que tinha sentido, principalmente sabendo que Carol estava desconfortável por algum motivo que eu desconhecia. Eu nunca a tinha visto daquela forma, o que aumentava ainda mais meu interesse.

Estávamos em dois carros. Eu peguei carona no elegante e imponente carro importado de Carol, junto com Will e Nara. Ao me despedir, agradeci a todos pela noite que, pela primeira vez, havia sido realmente interessante.

— Amanhã ligo para você — sibilou Carol do banco do motorista, contorcendo seu corpo para poder me enxergar.

— Ok, boa noite! — O que mais eu podia dizer?

Capítulo 3

O dia havia acabado, mas não o meu interesse pelos acontecimentos da noite. Deitada em minha cama, comecei a remontar os fatos. A imagem linda de San surgiu do nada, e junto com ela uma luz quente me atingiu o rosto. Lutei para abrir meus olhos e percebi que tinha caído no sono sem concluir minhas lembranças. Aquela luz era apenas o sol entrando pela minha janela.

Maio sempre é um mês bem esquisito, com alguns dias frios e outros quentes o suficiente para eu acordar suada.

Não me lembrava de ter tido nenhum sonho, normal ou maluco como os que tenho constantemente. Acho que estava mesmo muito cansada ou sob o efeito do vinho. Caí no sono tão rápido que nem tive tempo de pensar nas coisas legais que aconteceram.

Desci a escada e segui até a cozinha, onde minha avó preparava o almoço. Só então percebi que havia dormido muito além da conta.

— Bom dia, bela adormecida! — Eu adorava a voz dela, era como um calmante para mim. Meu pai me dizia que vovó contava histórias para ele dormir e que ele nunca ficava acordado até o meio delas. Ela tinha o dom de acalmar qualquer pessoa, mesmo uma criança agitada.

— Bom dia, Vó! Que cheiro bom! — Dei um beijo em sua testa e peguei uma caneca para tomar café. Parei encostada na pia e deixei os olhos perdidos; pensava em San e no quanto tudo me entusiasmou naquela noite.

— Está tudo bem, querida? Parece muito pensativa hoje — ela perguntou, curiosa e com ar fraternal.

— Não é nada não — desanuviei os pensamentos e respondi, enquanto subia a escada para trocar de roupa. — Estou me sentindo muito bem na verdade. Há tempos não dormia tanto.

O dia passava rápido. Fiz alguns serviços domésticos, conversei bastante com a minha avó e passei um tempo no telefone com Carol. Era bem mais fácil falar com ela à distância, pois eu podia fazer careta e até conseguia esconder algumas informações.

Fiquei aliviada quando percebi que, na verdade, minha amiga queria me contar o lance que estava rolando entre ela e um rapaz que cursava a faculdade com a gente. Isso fez com que ela esquecesse um pouco do ocorrido na noite anterior e não me abarrotasse de perguntas constrangedoras.

Depois da conversa com Carol, procurei me ocupar com outros afazeres: vasculhei coisas sem sentido na internet, assisti a um filme de ficção e fiz um trabalho sobre Citologia para a faculdade. Então, resolvi deitar e fazer novamente uma reconstituição da noite anterior. Eu não conseguia tirá-lo da cabeça.

— Já vai se deitar? — minha avó perguntou. — Conversamos bastante hoje, mas você ainda não me contou como foi ontem à noite.

Ela sorriu e estendeu a mão, indicando com a outra que eu me sentasse ao seu lado, no sofá.

— Não teve nada de especial, mas foi divertido em alguns momentos. A senhora sabe como meus amigos são engraçados, mas, às vezes, bem "desgostáveis". Posso definir a noite como um sucesso, para o meu padrão, porque conheci um rapaz que tem a voz mais encantadora do mundo, até mais do que a da senhora. Não sei bem como definir, mas ele parecia ter a voz de um anjo.

— Que bom, acho que você precisa sair mais, conhecer pessoas diferentes e, talvez, chegar perto de ser feliz de novo.

Além da minha amiga Carol, minha avó também se preocupava demais comigo. Por mais que eu dissesse que estava bem, ela sempre me dava uma lição de moral.

— Vó, eu sou feliz, só não sou a pessoa mais animada do mundo.

— Minha filha, o seu pai não iria gostar de ver quem você se tornou depois que ele se foi. Você não é nem a sombra do que era quando ele ainda estava por aqui. — Passando a mão pelo meu cabelo, minha avó sorriu e continuou: — Não pode se culpar a vida toda. Você sabe muito bem que não tinha nada que ele quisesse mais do que vê-la sorrindo, mesmo que para isso precisasse se vestir de palhaço e dar cambalhotas. Seu sorriso o fazia se lembrar de sua mãe.

Meu pai morreu há quatro anos e, desde então, minha vida perdeu a única coisa que fazia sentido para mim. Foi um acidente horrível, uma colisão na estrada. Um carro em alta velocidade invadiu a pista na direção contrária e se chocou com o nosso. O barulho foi ensurdecedor, nunca vou esquecer! Sei bem como foi porque eu estava lá. A última lembrança que tenho dele é a de seus olhos sobressaltados, enquanto virava o carro em uma tentativa desesperada de colocar o seu lado em direção à batida, na esperança de proteger o lado onde eu estava sentada. Eu nunca consegui deixar de pensar que, se eu não estivesse naquele carro, talvez hoje ele estivesse vivo.

Minha mãe nos abandonou quando eu tinha apenas cinco anos. Meu pai e minha avó nunca falavam sobre esse assunto, eles evitavam, de todas as maneiras possíveis, qualquer tema que fizesse menção ao tópico "mãe". Até hoje eu não sei o que aconteceu, por que ela foi embora e me deixou para trás como se eu fosse uma flor que alguém deixa aos cuidados de outra pessoa e diz: *Cuida dela por mim, ela é muito especial*. Na verdade, nem sei se ela me considerava especial. Mas eu não sou uma flor.

Meu pai me deu todo amor que podia e eu sou grata por isso. Ele foi o melhor pai que alguém poderia ter... Ele faz muita falta. Era o único que me entendia. Sempre me dizia que um dia eu acharia o meu lugar, mas que podia demorar muito e eu teria de ter paciência.

"Um dia você terá as respostas que tanto procura, mas lembre-se que essas respostas nem sempre são as que a gente de fato quer ouvir." — dizia ele. Jamais me esqueci dessa frase que parecia me preparar para algo que ele nunca contou.

Sempre tínhamos essas conversas quando estávamos na nossa casa de campo. Tantas lembranças... O jardim com um balanço, o lago onde nós dois nadávamos no verão, a temperatura sempre agradável e aquele constante cheiro de margaridas que pairava no ar. Eram as melhores recordações que eu tinha e não trocaria isso por um vazio frio e uma tristeza arrasadora. Por isso, nunca tive coragem de voltar àquela casa.

Lembro-me de brincar de esconde-esconde; nós nos escondíamos pela casa toda e eu sempre achava o meu pai, ou ele sempre facilitava e me deixava pistas para encontrá-lo. Ele adorava aquela casa porque minha mãe tinha preparado ela para mim, ao menos foi o que ele disse uma vez, meio sem querer. Sentia que vivia querendo me contar algo sobre a minha mãe, mas sempre acabava mudando de assunto.

Sei também que vivi bons momentos com minha mãe naquele lugar, só que não conseguia me lembrar. Por mais que eu tentasse, só via uma parede branca, um vazio, como se nunca tivesse acontecido, como se ela não existisse.

Desfiz as lembranças ao perceber lágrimas se formando nos olhos, não queria entristecer minha avó, ela se esforçava demais tentando me deixar feliz.

— Vó, não é fácil não pensar como seria se ele estivesse aqui. Não que eu não esteja bem com a senhora, mas... é triste demais pensar nisso, lembrar como ele sempre acabava fazendo absolutamente tudo que podia para me ver feliz e sorrindo.

Ao me lembrar disso, um sorriso espontâneo se formou.

— Seu sorriso é mesmo igualzinho ao de sua mãe — ela disse, apertando-me contra os seus braços. — Pense bem, Any. Você tem uma vida linda pela frente e se for tão parecida com sua mãe quanto eu imagino, o tempo não vai conseguir te abalar tão cedo. Sua mãe era linda e jovem, parecia não mudar com o passar dos anos. Desculpe se me preocupo tanto com você, eu só quero que seja feliz.

— Amo você, vovó! Obrigada e não se preocupe tanto. Eu estou bem.

Minha avó tinha uma expressão sempre calma, assim como sua voz. Seu cabelo branco e sua baixa estatura a deixavam ainda mais serena. Eu não conseguia entender o quê exatamente a deixava com aquele ar de sabedoria e paciência, mas talvez fosse assim com os mais velhos. Tinha setenta anos, mas parecia ter cinquenta, por sua disposição de causar inveja.

Dei-lhe um beijo e fui para meu quarto, na esperança de esquecer aquela conversa que me deixava tão triste e amargurada. Aquelas lembranças eram tudo que eu não precisava naquele momento. Busquei na memória outro tipo de recordação, frutos da conversa curta, porém muito boa, com Santiago. Aquela voz enlouquecedora, o olhar penetrante, a barba por fazer e o sorriso mais lindo que eu já tinha visto.

Era tarde, o sono já estava batendo e meus pensamentos não conseguiam mudar de rumo, até que ouvi um barulho vindo de fora da casa, como se fosse alguma coisa caindo na rua. Fui até a janela, mas a visão estava comprometida diante da escuridão da noite. Consegui apenas ver um homem parado do outro lado da rua, encostado a um poste de iluminação.

Mesmo sem nitidez, era possível perceber que ele usava chapéu e um casaco preto até os pés. Com a cabeça baixa e uma das mãos no bolso, o homem atirava pedras no meio da rua como se brincasse à beira de um rio. Não conseguia identificar de onde ele tirava aquelas pedras, já que sua outra mão jamais saiu de seu bolso.

Senti um frio percorrer minha espinha. O que estaria fazendo aquela figura tão esquisita bem em frente à minha casa?

Então, o ruído de pedras se chocando contra o concreto simplesmente cessou. Cerrei os olhos o máximo que pude e, imediatamente, preferi nunca ter me deparado com aquela cena; a última pedra não chegou ao chão porque, antes disso, transformou-se em um animal voador. E a próxima pedra teve o mesmo destino, deixando-me completamente aturdida e sem reação, o que só piorou quando "a pedra voadora" chegou muito perto da minha janela, fazendo-me pular para trás de susto. Em seguida, voltei os olhos para o homem e, mesmo sem poder ver seu rosto, tive certeza de que ele estava sorrindo.

O som de asas batendo na árvore em frente à janela me chamou a atenção e busquei identificar que tipo de pássaro era aquela coisa, talvez um corvo. Mais uma vez, voltei o olhar rapidamente na direção do homem. Ele não estava mais lá, vi apenas o poste com sua luz fraca e única em toda a rua. Engoli em seco e me concentrei no breu, a fim de encontrar algum sinal daquele sujeito, mas não havia mais nada. Nenhum vestígio dele.

Resolvi voltar para a cama, tentar dormir um pouco, o que seria bem difícil depois daquela cena. Puxei a cortina para a claridade não entrar e, ao me virar, ainda próxima e de costas para a janela, ouvi um sussurro que parecia ser trazido pelo vento, que açoitava as copas das árvores. Dava para ouvir o ruído das folhas se agitando.

— Any... — foi o que sibilou o vento, causando-me tremor dos pés à cabeça.

O vidro da janela estava fechado, nenhum vento entraria por ali. Meu corpo se arrepiou ainda mais quando, pelo canto dos olhos, pude ver a cortina se erguendo. Senti um grito subir pela minha garganta e sair pela boca, preenchendo todo o meu quarto. Em seguida, eu estava sentada na cama, ofegante e suada.

O alívio me tomou nos braços, era apenas um sonho. Mais um de muitos que eu vinha tendo nos últimos meses. A vida toda eu tive sonhos estranhos, mas de um tempo para cá eles tomaram uma forma assustadora. Aquele homem já havia me assombrado anteriormente. O que isso podia significar? Eu não o conhecia, mas tinha certeza de que se tratava da mesma figura de outros sonhos.

Não consegui dormir o resto da noite. Quando percebi que estava amanhecendo, resolvi descer e me concentrar no planejamento das tarefas que eu realizaria naquele domingo.

Nova York é interessante neste período do ano. Na verdade, a primavera é a minha época preferida, quando o sol não é tão forte e sempre há uma brisa refrescante. Sempre reservo uma parte de quase todos os domingos para visitar o Jardim Botânico do Brooklyn. A variedade de flores e plantas é tão grande que nem mesmo eu posso dizer o nome de todas. Aquele é o lugar mais calmo e cheio de vida que eu conheço. Tudo bem que eu não conheço muitos lugares do mundo, mas me sinto completamente em harmonia quando estou lá. É como se me transportasse para outra dimensão.

A natureza tem o poder de curar, de alegrar e, no meu caso, de trazer paz e equilíbrio. Nenhum lugar no mundo me deixa tão feliz. Meu jardim particular, nos fundos de casa, também me faz muito bem e apesar de uma diversidade muito menor de plantas, ainda assim me sinto energizada. A diferença é que no meu jardim eu não me desligo completamente do mundo, talvez por ser minha casa, logo, uma extensão da minha vida. É difícil desconectar.

O dia voou como sempre acontecia aos domingos, mas eu não via o tempo passar quando ia ao parque. Estava lendo, sentada na grama, embaixo de uma cerejeira. Ao levantar os olhos, percebi que as pessoas andavam apressadas, como se fugissem de algo. Só então reparei no céu e na tempestade que se anunciava. Ventava forte, mas eu queria ficar mais um pouco, sentia-me tão bem, e o livro estava extremamente interessante.

Não, não vou sair daqui até que termine este capítulo, a chuva terá de esperar, teimei comigo mesma.

Continuei lendo tranquilamente, como se tivesse certeza que meu desejo seria atendido. A sensação de uma boa leitura, aliada à paz que aquele lugar proporcionava, fazia-me alcançar um nível inexplicável de concentração e desprendimento.

Por um momento, senti que o mundo estava em câmara lenta. As pessoas não pareciam mais correr ao fugirem de uma chuva iminente, as nuvens estavam inertes e o vento não se deslocava com a mesma avidez de minutos antes. A sensação era ótima e ao mesmo tempo estranha, como se eu estivesse em um transe hipnótico que foi interrompido por um som familiar, cuja origem demorei alguns segundos para identificar. No mesmo momento em que o meu celular começou a tocar, o mundo voltou ao movimento original e fechei abruptamente o livro num reflexo condicionado. Precisamente neste momento a chuva despencou, com a voracidade de quem aguarda ansiosamente seu momento de entrar em cena. Sair correndo foi a única opção.

Já estava em casa quando Carol me ligou novamente e, desta vez, pude atendê-la. Ela perguntou se eu queria acompanhá-la numa festa e, obviamente, minha resposta foi negativa, mas ela já sabia disso. Depois ficou permeando por vários assuntos diferentes. Dentre eles, falamos sobre trabalhos da faculdade, o que eu reconhecia como um código. Era um tema nunca abordado por ela, a não ser em casos onde precisasse usá-lo como desculpa para chegar a outro assunto.

Após alguns rodeios, Carol finalmente conseguiu tocar no ponto em que queria desde o início. Talvez eu devesse revelar que desde o primeiro minuto da ligação percebi sua determinação implícita em esconder que tinha um objetivo específico, mas o fato era que eu me divertia vendo seu esforço.

— Amiga, diz uma coisa, e preciso que seja sincera: você gostou mesmo daquele cantor? — ela finalmente perguntou.

Pensei em gritar: bingo! Mas achei melhor não provocar.

— Gostei. Achei a voz dele maravilhosa! Eu ainda sinto a música dentro de mim, então, é claro que ele mexeu comigo. É um excelente cantor, de um jeito único. Cantar é lindo e inspirador, mas o que ele faz... — suspirei, encantada —, é um dom de Deus. Além disso, ele tem uma energia muito boa e quase tão forte quanto a sua. Santiago é um cara legal, acredite. — Agradeci em silêncio por estar falando sobre aquele assunto por telefone, porque eu não tinha certeza do que estava dizendo. Talvez estivesse mais interessada do que queria assumir, mas é claro que nada aconteceria. Ele era lindo e encantador, nunca se interessaria de verdade por mim.

— Não duvido que ele seja um cara legal, até porque quanto a isso não posso duvidar de você. Mas sei lá... Achei um pouco estranho o jeito que ele olhava para você, não era muito normal. Mas se você não ficou encantada, ou está toda animadinha por ele mais do que pela voz dele, então eu fico mais tranquila. Não gosto de pensar que você pode se envolver com um cara como ele, que, com certeza, vai fazê-la sofrer. Ele, obviamente, é um cara com uma vida noturna agitada, coisa que você está bem longe de ser.

Então era isso, ela estava mais uma vez tentando me proteger, mas não percebia o quanto estava sendo paradoxal. Uma hora me empurrando para alguém e, em seguida, tentando me afastar.

— Não precisa se preocupar com isso, Carol. Sério! — falei, um pouco antes de nos despedirmos, afinal, ela tinha que ir a uma festa e eu precisava dormir cedo.

Acordei assustada, no meio da noite. A porta do quarto estava aberta e eu tinha certeza que havia fechado antes de me deitar. Levantei sonolenta para fechá-la e ouvi um som estranho vindo do quarto da minha avó. Andei nas pontas dos pés até a porta e bati bem devagar.

— Vó?! Está tudo bem?

Sem resposta, coloquei a mão na fechadura e abri a porta com cuidado, em tempo de ver uma sombra negra sair pela janela. Corri até a janela para alcançar aquilo que eu não fazia ideia do que era, mas não consegui ver nada. Voltei para a cama onde minha avó estava e a balancei de leve.

— Vó?! Acorda! — Ela estava gelada e dura como uma pedra. Não pude sentir o seu coração nem sua respiração. — Ai, meu Deus! Não pode ser! Vó! — gritei, num rompante de desespero e fúria. Não entendia o que estava acontecendo.

Fechei os olhos, expulsando algumas lágrimas, e quando os abri, vi que o rosto de minha avó estava em frente ao meu e ela me olhava, assustada.

— Any, o que foi? — perguntou, preocupada.

Olhei em volta e percebi que estava na minha cama. Pelo visto, meu grito tinha sido tão alto que acordou minha avó e a fez seguir até o meu quarto. Era mais um sonho maluco.

Abracei Eleonor, minha querida avó, com muita força, agradecida por ser apenas um pesadelo. A simples possibilidade de perdê-la me apavorava.

Capítulo 4

Era normal ficarmos sempre juntos pela faculdade, pois nossa grade de horários era parecida e participávamos dos mesmos grupos de estudos. Carol, Nara, Will e eu estávamos sempre grudados. Geralmente, no segundo ano de faculdade é assim mesmo, nós nos aproximamos das pessoas com quem temos mais afinidades.

O curso de Biologia não foi uma opção e sim uma vocação, era tão natural para mim que qualquer tema abordado em aula sempre era muito fácil. Às vezes, parecia que Carol tinha escolhido o curso por minha causa. Ela não demonstrava muito interesse, no entanto, nunca se saía mal em nenhuma atividade.

Já Nara é muito esforçada e disciplinada com os estudos. Nós nos conhecemos na faculdade e a amizade foi quase instantânea, ela é divertida e muito sincera, às vezes um pouco demais, tanto que em muitas situações ela se arrepende imediatamente após ter dito alguma coisa. Mas, como palavra dita não tem volta, frequentemente ela fica sem graça e acaba tentando consertar de um jeito muito peculiar e engraçado, que só piora tudo.

Hoje mesmo estávamos falando sobre o professor Gerson, o que é um assunto recorrente entre as meninas, porque ele é bem jovem e bonito. Falávamos sobre como sua aula era agradável em vários aspectos. Eu disse que além da beleza ele é bastante charmoso e inteligente, e a Nara completou:

— Acho que é por isso que ainda não desisti do curso. — Arrependida do que disse, ela desviou os olhos e tentou consertar. — Quer dizer... Claro que não é por isso, mas isso também conta... Aff! Esqueçam o que eu disse — completou, sem graça.

Na sexta-feira, após a aula, eu estava entediada. Deitei-me assim que cheguei em casa, sem me importar de ainda ser cedo. De repente, senti uma brisa suave invadir meu quarto e o cheiro que ela trazia era muito bom; de maresia.

Que estranho, de onde vem esse cheiro? Pensei. Minha casa fica localizada há quilômetros de distância do mar.

Tive uma sensação esquisita e me levantei, andei até a porta do quarto e a abri. Fiquei imóvel ao perceber, bem na minha frente, um penhasco muito alto e assustador. E não só pela altura, mas porque estava bem no meio da minha casa.

Olhei para baixo e senti uma breve vertigem, havia um imenso mar com suas águas claras colidindo de encontro às pedras abaixo de mim. Era como se eu estivesse a uns cinquenta metros de altura e o vento ao meu redor era forte demais. A paisagem era linda: o sol estava se pondo.

Senti-me feliz com aquele lugar, sem me preocupar que há alguns segundos eu estava dentro do meu quarto. Apesar de bizarra, a cena me deixou calma e eu tive dúvida se estava em um sonho maluco ou se realmente uma enorme fenda tinha se aberto no centro de minha casa.

Uma calma irreprimível me envolveu e ouvi um som ao longe que parecia uma voz me chamando, mas não era uma voz qualquer. Era linda e eu a conhecia bem. Era a voz do Santiago. Deixei-me envolver e dei alguns passos em direção à voz que tanto admirava. Quando percebi, já estava caindo em direção às ondas que rebentavam nas rochas. Fui invadida por um frio no estômago e quase caí da cama.

Nossa, que surpresa! Outro sonho esquisito! Pensei com ironia. Mas, desta vez, não foi assustador, deixando de lado o fato de que eu me joguei de um penhasco.

Sentei na cama e percebi que ainda era muito cedo e eu só tinha cochilado por uns quinze minutos. Levantei e saí do quarto, pois não conseguiria dormir novamente, estava muito agitada. Esses sonhos me deixavam perturbada, muitas vezes eu não conseguia distinguir se estava sonhando ou acordada.

Procurei a minha avó, ela é como um amuleto quando me sinto insegura sobre a realidade e o sonho. Segurei sua mão por alguns segundos e isso foi o suficiente para acabar com qualquer medo. Livre de meus temores, decidi ir atrás de uma aventura.

— Alô! Nara? É Any, tudo bem? — Eu precisava sair e ela podia ser minha cúmplice perfeita.

— Oi, Any! Estou bem e você? Para me ligar a essa hora deve ter acontecido alguma coisa. O que foi?

— Na verdade, queria saber se você tem alguma coisa para fazer hoje.

— Não tenho nada de interessante, estou até um pouco entediada. Em que está pensando?

— Quero ir até aquele bar da semana passada. Não consigo pensar em nenhum outro lugar mais legal. Pelo menos, sabemos que lá é agradável — falei, sentindo-me aliviada por dizer o que queria. Aquele tipo de iniciativa não era muito a minha cara.

— Legal! Vamos sim — Nara respondeu. — Eu também gostei daquele bar. Mas se eu não soubesse que o seu verdadeiro interesse é ver o cantor de novo, acharia que está doente. Você já falou com a Carol? Ela também vai?

— É que... a Carol não quer que eu o veja de novo, ela acha que isso pode acabar mal. Além disso, ela está viajando. Foi a uma convenção ou coisa parecida, algo a ver com o trabalho dela. Só volta na segunda. Então, você está a fim ou não?

— Claro que estou. Eu passo aí em meia hora, pode ser?

— Vou me arrumar. Até daqui a pouco — respondi, já me levantando.

Quase uma hora depois estávamos dentro do bar. Sentamos estrategicamente em uma mesa escondida nos fundos, bem longe do pequeno palco e protegida por um pilar, que mais parecia um tronco de árvore. A noite estava quente e o bar muito mais apinhado de gente do que no outro dia, o que não me incomodou; a aglomeração até ajudaria a me manter camuflada.

Dez longos minutos se passaram, até que a voz que eu esperava finalmente se fez presente.

— Boa noite a todos! Quero agradecer a presença de vocês e dizer que hoje meu repertório está um pouco mais romântico do que o habitual. Sinto-me especialmente inspirado esta noite.

Dei graças a Deus por ter me sentado onde ele não podia me ver, com certeza eu estava com cara de boba e com as bochechas vermelhas.

O tempo passava e eu sequer conseguia conversar com Nara, só conseguia ouvir aquela voz. A cada nota eu ficava mais encantada e sentia alguma coisa revirando em meu estômago.

A desvantagem do lugar onde sentamos era justamente estar longe e ter a visão obstruída. Está certo que ele não podia me ver, e esse era o objetivo, mas eu também não podia vê-lo. Ainda me lembrava do primeiro dia, do seu rosto, de como cantava com os olhos fechados e com tanta intensidade e paixão que era impossível não se emocionar. E foi justamente o som de palmas alentadas que me tirou do campo das lembranças.

— Obrigado! — ele agradeceu. — Quero oferecer a próxima música a uma pessoa que conheci há pouco tempo e que está aqui esta noite. Confesso que adorei revê-la.

Eu fiquei congelada, petrificada. Nara me encarava com um olhar desconfiado e eu sabia que as mesmas perguntas passavam por nossa cabeça. De quem será que ele estava falando? Podia ser qualquer uma daquelas meninas sentadas próximas ao palco.

— Any, será que ele estava falando de você? Claro que não né, como ele ia saber que a gente está aqui? — Nara parecia confusa e continuou: — Então, ele pode estar com alguém. Mas essa pessoa pode ser só um amigo, ou amiga.

Ela tentava pensar positivamente, mas, como sempre respondia suas próprias perguntas, ficou tentando consertar, enquanto eu só pensava em como estava sendo idiota. Claro que ele tinha conhecido uma garota e estava rolando alguma coisa.

Agradeci mais uma vez — por pouco não o fiz em voz alta — por estar quase oculta, naquele cantinho escuro.

Quando a música acabou, San anunciou uma pausa de alguns minutos e avisou que logo voltaria ao palco.

— Nara, logo que ele voltar a cantar nós iremos embora. Assim, ele não vai ter qualquer chance de nos ver. Seria muita humilhação dar de cara com ele de mãos dadas com uma dessas meninas histéricas, que por muito pouco não se sentam no colo dele.

Havia um pouco de recalque no meu comentário. Eu sentia uma raiva completamente irracional e um pouco de inveja da garota para quem ele ofereceu aquela música. Porque eu me sentiria tão atraída por alguém que só havia visto uma vez? Alguma coisa em Santiago mexia comigo. Eu não entendia bem o que era, mas, talvez, a oposição de Carol tenha aguçado o meu interesse.

Conversamos mais um pouco, sem que eu tirasse os olhos do palco, aguardando, apreensiva, a volta do cantor e, consequentemente, a minha deixa para sair de mansinho. Eu não estava prestando atenção em mais nada além do palco e por isso não percebi quem se aproximava. Quando o ouvi, era tarde demais para tentar uma desculpa ou uma fuga estratégica.

— Oi — foi só o que ele disse, ao pé do meu ouvido. Virei-me e encarei aquele sorriso lindo que me fez congelar, enquanto ele apontava para a cadeira à minha frente. — Posso?

Fiz um sinal de aprovação com a cabeça para que ele se sentasse e, em seguida, perguntei em tom desconfiado:

— Como me achou aqui?

— Senti seu cheiro — disse ele, com um sorriso enorme.

Minha careta demonstrava que eu não tinha acreditado, mas era tão agradável reencontrá-lo que qualquer resposta serviria. Ficamos nos olhando por alguns segundos, talvez minutos... Não saberia dizer. A troca de olhares foi intensa, quase íntima. Foi difícil até piscar e, quando o fiz, percebi que deveria dizer alguma coisa, estava ficando constrangedor demais.

— Eu vou dar uma volta. Até daqui a pouco — disse Nara, piscando para mim.

Ela nem se importou com o olhar de reprovação que eu lancei em sua direção, simplesmente se levantou e saiu. Se eu não sabia o que dizer antes, agora então... Eu parecia muda. Na minha mente só tinha uma imagem totalmente branca, como uma folha de papel esperando para ser usada, e eu não tinha ideia do que escrever nela. Não tinha planejado isso, não esperava encontrá-lo assim, ou melhor, eu não esperava que ele me encontrasse assim.

O fato é que ali estávamos, eu e o cara mais gato do mundo, sozinhos em uma mesa de bar, sob um clima não identificado, e eu só conseguia pensar que alguém naquele bar devia estar esperando por ele. Mas ele estava comigo, quando podia estar com qualquer garota.

Por que nunca prestei atenção na Carol quando paquerava alguém? Por que nunca li uma revista de adolescente do tipo que traz na capa: "Não perca tempo! Saiba quais são as 10 melhores cantadas do momento."?

Quase soltei um suspiro alto de alívio, quando ele resolveu quebrar o silêncio.

— Não esperava vê-la por aqui de novo. Não tenho uma surpresa boa como essa há muito tempo. Visto que não é muito adepta de lugares como esse, deduzi que se está aqui é porque gostou mesmo da música ou do cantor — ele disse, enquanto me olhava fixamente.

Sua expressão era tão desarmada que me deixou bem mais à vontade. Percebi que não tirava os olhos dos meus, não importava o que eu fizesse ou dissesse.

— Tem razão, esses lugares não me agradam muito. Por outro lado, sua voz sim. Nós procurávamos alguma coisa para fazer e resolvemos voltar. Eu sou um pouco exigente quando se trata de sair. Na verdade, sou bem chata. Ficar procurando lugares não me anima. Como já sabíamos que aqui tem música boa... — Fiz um gesto com os ombros para tentar passar casualidade. — Mas você não precisava vir aqui falar comigo só porque eu vim, não quero atrapalhar.

— Você não me atrapalha.

Que droga! Eu teria que ser muito mais direta, não queria que ele fosse embora, mas precisava falar. *Coragem, Alany.*

— Você ofereceu uma música para alguém — lembrei a ele. — Não acha que deveria estar sentado com essa pessoa agora?

— Acho — respondeu sem rodeios e completou: — Por isso estou aqui.

Engoli em seco e senti meus músculos relaxarem. O clima ficou tenso, mas de um jeito bom. Nossos olhares pareciam se comunicar, como se quisessem dizer algo que não tínhamos coragem de verbalizar. Tentei não demonstrar o quanto fiquei surpresa com a resposta, sorrir foi a única coisa que me veio à mente.

— Adoro ver o seu sorriso, mas preciso voltar. Você pode pedir uma música se quiser. Agora é a hora de atender alguns pedidos e gostaria muito de cantar algo especial para você. Também queria que cantasse comigo uma música, cantar é como andar de bicicleta — ele disse, finalizando com uma piscada que seria brega se não fosse tão sexy.

— Não vai rolar. Eu disse que cantava, não que cantava bem. Quanto à escolha, deixo você sugerir. Surpreenda-me! — Sorri e ele retribuiu com um olhar de desafio aceito.

— É a primeira vez que não sinto vontade de voltar ao palco, mas preciso ir. Quando a apresentação acabar posso voltar aqui e a gente continua essa conversa. Se não quiser tudo bem, contento-me em ficar olhando para você — falou segurando minha mão, sem tirar os olhos dos meus. Balancei a cabeça, sorrindo, e ergui uma sobrancelha. Eu não acreditava naquele discurso, mas queria que fosse verdade. — Ficaria muito feliz se me esperasse — ele completou, trazendo a mão ao meu rosto e capturando meu olhar mais uma vez.

Sorri, pois não tinha palavras para responder. Não tinha certeza do que pensar a respeito enquanto ele se afastava. Será que estava sendo cafajeste ou romântico? Simpático ou prepotente? A verdade era que nada disso importava, eu simplesmente não fugiria. Estava imóvel, tentando assimilar a situação, tanto que nem percebi quando ele voltou e se aproximou de mim, perto demais para que eu pudesse respirar.

— Mas antes, queria fazer um pedido — ele disse, desfazendo o sorriso como se precisasse de um favor. Só observei e esperei. — Quero muito que vocês se sentem naquela mesa. — Santiago apontou para uma mesa na frente do palco que estava vazia, onde ele poderia me ver perfeitamente, assim como eu o veria.

Nara chegou ao mesmo tempo em que ele se afastou e a informei que mudaríamos de mesa. Ela pareceu surpresa, mas ficou animada, não parava de dizer que achava tudo muito legal e super-romântico.

San começou a tocar o violão para iniciar uma canção maravilhosa que falava sobre ser jovem e tolo demais a ponto de não valorizar o amor e acabar por perdê-lo. Por várias vezes, em todas as músicas que cantava, ele me olhava como se aquele trecho tivesse algo a me dizer, como se estivesse cantando para mim. O seu olhar era carregado de sentimento, mas eu não sabia se por minha causa ou se estava conectado demais com a música. De qualquer forma, de uma coisa eu tinha certeza: era lindo vê-lo cantar.

Após algumas músicas, ele anunciou o que eu estava esperando.

— Agora, dedico essa música à minha fonte de inspiração dessa noite. — Ele me olhou de um jeito tão terno que todos perceberam a quem se referia.

As pessoas, com certeza, achavam que havia algo sério entre nós, embora não houvesse nada de fato. Mas quando ele piscou para mim e começou a cantar, as meninas em volta fecharam a cara. Até mesmo eu achei que havia algo entre nós.

A canção era *"Can't take my eyes off you", de Frankie Valli.* Essa música é linda e na voz do Santiago ficou simplesmente perfeita. A letra já é maravilhosa e ele cantou em um ritmo mais lento e mais romântico. Eu já havia escutado essa versão na voz do James Arthur e nunca esqueci. Ele, até então, tinha a voz mais linda que já ouvi, mas agora... Santigo realmente conseguiu me impressionar. Quem nos via naquele momento jamais acreditaria que eu o estava encontrando pela segunda vez na vida, porque nem eu acreditava.

Meu celular estava tocando e claro que eu não percebi, não perceberia se o bar estivesse pegando fogo até que o teto caísse sobre a minha cabeça. Foi Nara que viu alguma coisa acendendo na minha bolsa. Havia sete ligações perdidas da minha casa. Fiquei muito preocupada, pois já era tarde e minha avó devia estar dormindo. Talvez estivesse passando mal. Ela nunca me ligaria se não fosse alguma coisa importante.

Saí da mesa, dirigi-me à porta de entrada do bar para conseguir ouvir e retornei à ligação. O telefone só chamava, o que me preocupou ainda mais. Minha avó sempre atendia a telefonemas tarde da noite, mesmo que demorasse um pouco para chegar até o aparelho. Ela dizia que se alguém ligava de noite não era para dar boa notícia, já que uma notícia boa sempre podia esperar amanhecer.

Voltei ao bar e fiz sinal de longe para que Nara viesse ao meu encontro.

— Narinha, tinham sete chamadas não atendidas da minha casa e agora estou retornando, mas só chama e ninguém atende. Aconteceu alguma coisa. Precisamos ir embora — declarei.

— Então vamos. Você não vai se despedir do cantor? — Nara perguntou, indicando o interior do bar com a cabeça.

— Agora não dá. Voltamos aqui na semana que vem e eu explico o que aconteceu. Não tenho tempo para isso, estou preocupada de verdade. Temos que ir agora.

Para ajudar, caía uma tempestade horrível naquela noite. A chuva aumentava à medida que avançávamos e, a cada metro, Nara era forçada a reduzir a velocidade. Parecia uma tortura.

Eu tentava incessantemente ligar para casa e continuava a chamar até cair na caixa postal. Já estava desesperada, só pensando em coisas ruins. Olhei pela janela do carro e, pela primeira vez na vida, a chuva me irritou. Qualquer expressão da natureza sempre me deixava animada, mas não desta vez. Eu estava cada vez mais angustiada.

— Não vejo uma chuva assim tão forte há muito tempo. Por que ela teve de cair justo hoje? Chuva, por favor, não nos atrapalhe ainda mais.

Desejei que a chuva desse uma trégua e, ao dizer tais palavras, tive a sensação de que ela me atendia.

Vimos o céu se abrir no horizonte. Mesmo à noite, eram visíveis a mudança de cor e a dispersão das nuvens. A chuva diminuía a cada minuto e o vento começou a soprar forte, empurrando para mais longe o que ainda restava das nuvens. Foi bem esquisito, mas não pude deixar de agradecer, pois tinha nos ajudado abrindo caminho e melhorando muito a visão, permitindo que Nara aumentasse a velocidade.

O bairro onde moro é muito arborizado e tranquilo, com casas clássicas que chamamos de *brownstones,* por causa da fachada de pedras de arenito marrom. Eu amo esse bairro, as casas são iguais e geminadas, com a mesma escada curta na entrada, e até as portas são iguais. Naquele momento de tensão, fiquei observando todas as casas que se estendiam pela rua até chegar à minha, que era a última.

Nara mal estacionou em frente de casa e eu desci correndo. Abri a porta e subi a escada como um raio.

— Vó? Você está aqui? — Adentrei o quarto da minha avó, que acabara de acordar, assustada com meus gritos.

— Deus! O que houve, Any? Quase morro do coração. Aconteceu alguma coisa?

Percebi sua voz assustada.

— A senhora está bem? Eu liguei várias vezes, mas a senhora não atendeu. Fiquei tão preocupada! Pensei que tivesse acontecido algo ruim.

Abracei minha avó como se a estivesse reencontrando depois de anos. Nara entrou no quarto e pude ouvir seu suspiro de alívio. Elas eram bem próximas, minha avó tratava Nara como um membro de nossa família.

— Querida, garanto que esse telefone não tocou. Você sabe que eu jamais deixaria de atender um telefonema noturno — declarou Eleonor, já demonstrando preocupação.

— Eu sei. Por isso me preocupei tanto.

Fiz um teste e liguei novamente do meu celular, e só chamou. No entanto, o telefone de casa não tocou.

— Como isso é possível? Eu atendi ao telefone hoje e ele estava tocando normalmente.

Fui correndo até o aparelho na sala e percebi que ele estava com o som desligado. Na verdade, estava baixo demais, não era possível ouvi-lo tocar. Então, corri para o meu quarto e fiquei ainda mais surpresa quando vi que o meu aparelho estava exatamente como o da sala.

Sentei na minha cama em choque, alguma coisa estava muito estranha, mas me levantei em seguida e fui até minha avó, que já estava na cozinha preparando um de seus chás milagrosos. A euforia causada pela minha chegada havia lhe tirado o sono.

— Vó, você me ligou agora à noite, mais ou menos onze e meia?

— Não, meu bem. Eu já estava dormindo a essa hora.

— A senhora tem certeza que não ligou por algum motivo antes de dormir e acabou não vendo a hora? — insisti. — Tente se lembrar.

— Eu me lembraria se tivesse ligado. Mas, por que está perguntando? Você recebeu uma ligação daqui de casa neste horário? — ela perguntou e eu desfiz a cara de preocupação para não deixá-la ainda mais nervosa.

— Recebi algumas ligações neste horário, mas não vi o celular tocar, então, não atendi. O problema é que eu não sei quem ligou, não apareceu o número. Por algum motivo, achei que fosse a senhora. Quando tentei ligar aqui para casa e ninguém atendeu, entrei em pânico. O importante é que não aconteceu nada e a senhora está bem.

Eu queria tranquilizar minha avó, mas a verdade era que tinha acontecido alguma coisa. Ou eu estava muito maluca ou alguém havia entrado na minha casa. Essa pessoa me ligou e depois reduziu o volume dos telefones.

Acompanhei Nara até a porta e fiz um sinal para que ela não falasse mais sobre o que tinha acontecido perto da vovó. Quando já estávamos do lado de fora, ela não resistiu.

— Any, a ligação que você recebeu foi da sua casa, não foi? — perguntou baixinho.

— Foi. Só que minha avó não precisa saber disso, já basta o susto que tomou hoje. Ela não precisa saber que alguém entrou em casa enquanto ela dormia. Mas, com certeza, alguém entrou para ligar no meu celular e ferrar os telefones propositalmente. — Respirei fundo e bufei em seguida. — O pior é que pareço uma louca falando essas coisas. Como alguém entraria aqui? Não tem sinal nenhum de arrombamento, não sei o que pensar. Aliás, acho que estou esperando acordar a qualquer momento. Esse é exatamente o tipo de coisa que acontece em meus sonhos estranhos.

Mas, se fosse um sonho, tudo que aconteceu hoje também seria, e eu não queria que fosse.

— Desculpe, mas não acho que esteja sonhando. Eu, pelo menos, sei que eu não estou. Vi seu celular tocar e conheço bem Eleonor para saber que ela não é senil. Aliás, ela é mais lúcida que nós duas juntas. Então, só posso dizer que estou espantada. Também não sei o que pensar, mas você deveria ligar para polícia.

— Acho melhor a gente pensar nisso amanhã. Além do mais, eu ainda posso acordar e vai ficar tudo bem. Se precisar falar com a polícia, terei que assumir para vovó que desconfio que alguém invadiu nossa casa. Vou pensar melhor no que fazer.

— Quer que eu fique aqui com vocês essa noite?

— Não, amiga, obrigada. Mas quero que fique de olho no seu celular e não o desligue por nada no mundo, qualquer coisa eu ligo para você.

— Pode deixar, eu não vou perdê-lo de vista. Se mudar de ideia me liga, eu volto e passo a noite com vocês.

— Obrigada, mas preciso acalmar a vovó. Sei que ela deve estar preocupada também, ela não é boba. Se você ficar, ela vai ter certeza de que tem algo errado. Amanhã a gente se fala. Boa noite!

Depois de tomar o chá, deitei-me no quarto da minha avó. Quando dormia com ela sempre tinha um sono tranquilo, e eu realmente precisava disso. Ainda acordada, sem conseguir pregar os olhos, percebi que estava com medo. Alguma coisa tinha acontecido, não era invenção da minha cabeça. Fiquei pensando horas sobre as possibilidades e caí no sono sem chegar a nenhuma explicação razoável. Percebi isso quando ouvi uma voz calma me chamar, dizendo que o café estava pronto. Passei tantas horas pensando no que podia ter acontecido que minha cabeça doía só de imaginar começar a pensar novamente no assunto.

Quando deixei, pelo menos por um momento, os acontecimentos que me aborreceram de lado, logo vieram outros pensamentos, e estes eram agradáveis. Era como se um letreiro enorme e brilhante surgisse na minha frente com um nome flamejando, "Santiago". Em seguida me veio a imagem dele cantando e me olhando. Revivi cada cena, cada olhar, cada sorriso. Lembrei-me de como estávamos estranhamente conectados. Não conversamos muito e eu sentia, de alguma forma, que não era necessário. Alguma coisa simplesmente fluía.

No primeiro dia em que o vi fiquei impressionada com sua voz e com todo o resto, só não queria admitir. Na segunda vez, fiquei desconectada do mundo, como se só existíssemos nós dois naquele bar enquanto ele cantava. Só podia ser o poder da música.

Acho que ninguém nunca me olhou daquele jeito, com tanta intensidade, e eu nunca tive vontade de olhar para alguém da mesma forma. Então, eu me dei conta de que não ouvi toda a música que ele dedicou a mim, saí antes que terminasse. O que ele deve estar pensando? Que sou louca ou que não quis ficar? Eu não estava a fim de fazer o joguinho de garota difícil. Queria ir até lá para contar o que houve, mas como eu poderia deixar minha avó sozinha depois de tudo?

Minha cabeça começou a doer de novo, só de lembrar o que aconteceu na noite anterior. Eu não conseguiria sair de casa essa noite. Sequer imaginava quando minha vida voltaria ao normal, quando esse susto deixaria de me assombrar.

No meio do café da manhã a campainha tocou. Quem poderia ser à uma hora dessas? Apesar de que não era assim tão cedo, eu é que havia dormido demais.

— Oi, Carol. Que surpresa! Você não ficaria fora até segunda-feira? — perguntei.

— Olá, amiga. Sim, eu estou bem, obrigada por perguntar. E com você, tudo bem? — Carol disse. Ela sabia como ser sarcástica.

— Sem drama. Não combina com você. Entra aí!

— É verdade. Então, conta o que houve na minha rápida ausência. Um dia fora e já fico desatualizada — ela disse, entrando e seguindo para a cozinha. — Bom dia, Eleonor! — Carol deu um beijo na vovó e se sentou à mesa.

— Bom dia, querida — respondeu Eleonor, antes de seguir para a sala.

— Bem, por onde eu começo? Ontem saí com a Nara e o passeio foi interrompido por um acontecimento no mínimo esquisito. Mas não posso contar os detalhes agora — falei em voz bem baixa, quase cochichando, e fiz um sinal em direção à minha avó.

— Ok. Então, vamos sair e conversamos melhor — Carol falou com a voz mais baixa ainda.

— Não dá. Eu não sei quando vou ter coragem de deixar Eleonor sozinha de novo.

— Posso estar enganada, mas acredito que será na segunda-feira, quando for para a faculdade. Não dá para você ficar em casa vinte quatro horas por dia. Podemos, pelo menos, subir para você me contar o que aconteceu? — ela perguntou.

Subimos para o meu quarto e eu contei tudo. O estranho foi que Carol não parecia surpresa. Sua curiosidade estava muito mais ligada em saber onde tínhamos ido à noite do que acerca do acontecimento bizarro na minha casa. Quando finalmente contei qual tinha sido nosso destino, ela fez uma cara de reprovação, como se tivéssemos frequentado um lugar proibido e eu a tivesse decepcionado.

Nossa! Que exagero! Mas isso não me incomodou nem um pouco, eu tinha coisas mais importantes para lidar do que com uma amiga protetora e rabugenta.

— Você não parece interessada no meu problema. — Meu tom fez parecer que estivesse mais decepcionada do que eu queria demonstrar.

— Any, eu sei que você está preocupada, mas não acredito que alguém tenha entrado aqui. Você disse que não encontrou nenhum sinal de arrombamento. — Carol estreitou os olhos, enquanto concluía: — Deve ter outra explicação, eu vou ajudar você a pensar nisso. Agora relaxa um pouco, você está muito tensa.

Ficamos conversando por muito tempo sobre várias outras coisas e sempre que eu tinha oportunidade de falar sobre a noite passada e de como foi incrível rever Santiago, algo me impedia. Era a primeira vez que eu não dividia uma informação importante com a minha melhor amiga. Isso não era legal, mas eu sabia que ela não entenderia, muito menos iria compartilhar da minha animação. Mesmo porque, eu não podia explicar essa fixação por Santiago, não era um comportamento normal, pelo menos não para mim.

Capítulo 5

Já era muito tarde, quando Carol foi embora, quase meia-noite. Finalmente me deitei, depois de beber um bom chá que minha avó fez para me ajudar a dormir.

Minha amiga tinha razão, a segunda-feira chegou e eu tinha de ir para a faculdade, mas não me sentia feliz em ter de deixar minha avó sozinha. Nessas horas eu agradecia por morar com ela e não no campus da universidade.

A semana passou rápido. Não tivemos aula todos os dias, por estarmos quase entrando no período de férias. Depois do ocorrido na minha casa, eu aproveitei todas as brechas para faltar a alguma aula.

O telefone tocou na quinta-feira à noite, enquanto assistíamos TV. A lembrança daquele dia veio na hora à minha cabeça, o que me deixou apreensiva quando Eleonor atendeu.

Era uma amiga da minha avó, Candence, que teve alguns problemas de saúde e estava precisando de ajuda. Ela morava em uma cidade pequena, a uns 60 km da nossa casa, e tinha apenas um filho, que morava em outro país. Minha avó jamais se recusaria a ajudar uma amiga e não pensou duas vezes. Confesso que essa viagem vinha a calhar, conseguiria um tempo para descobrir o que realmente havia acontecido aqui em casa.

Eleonor viajou na sexta-feira, no período da tarde. Eu resolvi sair naquela noite, mas antes, chequei os telefones e deixei ligada uma câmera, que a Nara me emprestou. Se alguém entrasse na minha casa de novo eu saberia. Melhor ainda, seria tudo gravado e eu descobriria quem era o intruso.

Combinei com Nara que iríamos ao mesmo bar naquela sexta-feira. Além de deixar a casa vazia para um possível flagrante, eu queria conversar com Santiago e explicar o que havia acontecido. Mas, a cada movimento meu e de minha amiga, parecia que estávamos fazendo algo de muito errado, desde escolher a roupa até chegar ao bar, isso porque decidimos não contar nada para Carol. Era bem difícil esconder qualquer coisa dela, ela sempre acabava descobrindo.

Chegamos e nos sentamos na mesma mesa escondidinha. Conforme o tempo passava, percebi que o cantor não se apresentaria naquela noite. Decidi perguntar a um rapaz que parecia ser o gerente. O homem era bem gordo, com cabelo comprido e malcuidado. Uma tatuagem enorme, um tipo de dragão chinês, começava na base do seu punho direito e ia até o pescoço. Ele exibia uma expressão carrancuda, parecia ser do tipo rabugento.

Hesitei por um momento, mas não tinha outro jeito. Perguntei se Santiago estava por lá ou se ele tinha dias certos para cantar. A resposta não foi a que eu esperava. O homem me informou que ele não cantava mais naquele bar e que não sabia o motivo. Após ter se despedido na noite anterior, Santiago disse apenas que não voltaria.

Fiquei em choque por um momento, porque a situação toda era bem estranha. Ele simplesmente foi embora sem deixar rastro?

Voltei para a mesa, decepcionada.

— Narinha, você não vai acreditar... — falei em um tom de espanto e confesso que foi um pouco exagerado. — Ele não canta mais aqui e não sabem para onde foi.

— Relaxa, Any! Esses cantores da noite são assim mesmo, cada hora estão em um lugar. Vamos procurar por ele. Cada dia iremos a um bar diferente até o encontrarmos — assegurou Nara com o olhar confiante, que logo perdeu força. — Só se você quiser, claro.

Mesmo sendo radical, até que eu gostei da ideia. Finalmente eu tinha um objetivo desafiador para sair de casa aos finais de semana.

— Fechado! Mas Carol não pode saber sobre o nosso objetivo, tudo bem? — Não sabia bem o porquê de estar escondendo isso de Carol, mas sentia que era necessário.

Logo depois que falei isso, comecei a me arrepender. E se o Santiago estivesse justamente fugindo de mim? Ele poderia ter se arrependido por ter um comportamento tão "amigável". Não disse nada para Nara, mas no dia seguinte, eu arrumaria uma desculpa para não seguir com o plano.

Acordei cedo e muito disposta, já que não tive sonhos estranhos durante a noite. Dormi como uma pedra depois do chá que fiz, igualzinho ao da minha avó. Peguei o meu celular e notei que havia uma mensagem de Carol, perguntando se estava tudo bem. Respondi que sim, e realmente estava. Tirando o fato de que Santiago havia sumido, provavelmente fugido de mim.

Eu contei para Carol sobre a viagem da vovó e recebi uma mensagem em seguida.

Se a sua avó não está em casa, então você não precisa ficar de babá. Hoje vamos sair e não quero ouvir nenhuma desculpa. Deixo você escolher o lugar. Bjs!

Ah, Deus! E lá vamos nós. Voltei ao plano original, já que eu seria arrastada por aí, colocaria o meu plano em ação. Não sei se falaria com ele, caso o encontrasse, mas eu podia fazer algo que ninguém mais poderia: descobriria a verdade sem nenhum esforço. Assim, saberia se Santiago realmente havia se arrependido ou se existia outra razão para o sumiço repentino.

Levantei e fui para o computador, precisava fazer uma lista dos bares da região, um roteiro para conhecer os mais próximos. Céus! Isso demoraria dias ou semanas.

De repente, pensei em como aquela missão era sem sentido. O cara sumiu e pronto. Eu gostei dele, mas não era nada tipo amor à primeira vista e, avaliando bem, a preocupação excessiva de Carol aumentou, e muito, o meu interesse. Talvez ele nem estivesse mais na cidade.

Não queria pensar nisso, tinha de encontrá-lo e alguma coisa me dizia que ele ainda estava por perto, ou talvez fosse só a minha vontade de que estivesse. Será que ele tinha ficado chateado por eu ter ido embora daquele jeito? Eu precisava saber, precisava vê-lo novamente. Na verdade eu não precisava, mas eu queria.

No meio da tarde ouvi a buzina do carro de Carol. Combinamos de ir ao cinema e assistir a um filme de romance, que parecia ser desses filmes fofinhos e melosos. Gosto de assistir esses filmes, mesmo sabendo que o amor que eles exploram não existe na vida real. Simplesmente impossível acontecer um amor assim, tão forte e inabalável. Eu não me iludo com isso desde uns quinze anos, quando percebi que os casamentos começavam com um amor intenso e terminavam com uma indiferença tão grande quanto o amor do início.

Não faz o menor sentido casar e achar que vai ser feliz para sempre, pois todos os filmes acabam muito antes das crises conjugais começarem, do nascimento dos filhos e das dificuldades financeiras, sem falar no fim da paixão avassaladora. A ideia de amor eterno, para mim, sempre foi meio *fake*, acho que só funciona mesmo em filmes e livros. O amor não passa de uma grande ficção. Carol acha graça quando eu digo essas coisas sobre o amor, sempre me diz que quando eu me apaixonar ela quer estar por perto, só para dar boas risadas.

Todos os rapazes de quem eu gostei ou com quem me relacionei eram meus amigos e tínhamos algo em comum, o que nos aproximava. Eu me apaixonei uma vez, foi legal no início, mas com o tempo a paixão acaba e se não tiver uma ligação forte, o que resta também se esvai. Carinho, respeito, compreensão... tudo acaba aos poucos. Não há relação que aguente.

— Any, o que fez de bom ontem? — perguntou Carol, assim que teve chance. — Soube que você e Nara saíram. Por que não me convidaram?

— Porque fomos ao mesmo bar da semana passada e sei que você não gostou muito de lá.

Não olhei para Carol, mas senti seus olhos pesarem sobre mim. Pensei que ela ficaria brava e começaria com o sermão. Surpreendentemente, isso não aconteceu.

— Quem disse que eu não gostei? Estava divertido? Deviam ter me chamado — disse em tom descontraído.

Levantei a cabeça e a olhei com dúvida. Ela estava sorrindo naturalmente, mas pude sentir um clima estranho e tenso no ar. Ela podia até tentar, só que nunca conseguiria me enganar tão facilmente.

— Foi bem legal. Nós nos divertimos um pouco, mas não ficamos até muito tarde — respondi.

— Que bom! E aonde vamos hoje? Já temos alguma programação? — ela indagou, tentando parecer desinteressada, mas, no fundo, Carol queria saber se havíamos encontrado Santiago. A pergunta foi para Nara, já que eu nunca os acompanhava nas baladas, e ela, claramente, não queria me encarar naquele momento.

— Hoje estamos pensando em ir ao bar Dangelo's. Any quer conhecer o lugar e eu também, falaram que é legal — Nara respondeu, tentando parecer inocente. Ela era boa nisso.

— Any quer conhecer o lugar? — perguntou Carol.

— É. A Any sim, por quê? Vocês vivem dizendo que ela tem que sair mais, qual é o espanto? — indagou Nara com uma falsa irritação.

— Não é espanto. É que a Any nunca está muito disposta a nos acompanhar, só isso — Carol respondeu e completou, erguendo os ombros: — Não está mais aqui quem falou.

Depois do filme, seguimos para casa sem tocar no assunto de bar ou de Santiago, falamos apenas sobre coisas da faculdade. Apenas três amigas aproveitando o dia no cinema.

Às nove horas eu já estava pronta. Levava uma lista na bolsa, já que, talvez, o bar escolhido estivesse muito chato e resolvêssemos ir a outro lugar; eu não queria perder muito tempo. Claro que chato era sinônimo de "nada de Santiago".

Chegamos ao bar por volta das nove e meia e já estava muito cheio. Quando estou em um lugar com muita gente preciso me concentrar para manter o bloqueio. E naquele bar... Nossa! As pessoas estavam carregadas com cargas negativas. Por um momento me preocupei com elas, mas logo a energia começou a me afetar.

O bar possuía luzes fortes, era todo aberto e com mesas do lado de fora, o que tornava o ambiente propício à prática de *happy hour*. Isso explicava a roupa usada pela maioria das pessoas; era formal demais para um bar, provavelmente vinham direto do trabalho.

Carol percebeu que eu não estava muito confortável. Ela sabia bem como eu me sentia em lugares como aquele, por isso segurava a minha mão com força, tentando me passar um pouco da sua energia, que era estranhamente diferente dos outros, mas boa, na maioria das vezes.

Com o passar dos anos, fui aprendendo a identificar mudanças de humor, de intenção ou de sentimentos em cada um que estivesse perto de mim. Percebi que as pessoas, mesmo sem saberem, se comunicam através dessa energia; tenho certeza de que existe mesmo uma constante troca.

Carol passou um bom tempo me ensinando a controlar essa habilidade, e, aos poucos, consegui criar um bloqueio eficiente. Quando ando pela rua e encontro pessoas, basta olhá-las para saber se dentro delas ainda existe bondade, amor ou se já foram dominadas pelo egoísmo e a maldade do mundo. As pessoas empobrecem o seu espírito quando abrem o coração para o ódio e o egoísmo, a maldade encontra acesso livre para corrompê-lo. Quando sinto isso, é como se tivesse uma queda de pressão. Minhas pernas, às vezes, até falham, sinto-me fraca e triste.

Por isso, Carol me ajudou a criar essa barreira. Hoje, eu ando entre as pessoas e vejo apenas rostos. Deixei as sombras de lado. O problema é que nos últimos meses as coisas ficaram mais intensas. Sinto que a barreira não está mais tão firme, parece mais frágil a cada dia, o esforço que preciso fazer é cada vez maior. Ainda dou conta de me concentrar, mas tenho medo de que em algum momento esse controle acabe.

Assim que encontramos uma mesa, Nara e eu nos olhamos por um segundo. Ela fez uma careta e percebi de imediato que, assim como eu, não estava gostando daquele lugar.

— Preciso ir ao banheiro, já volto. — Levantei e segui em direção ao bar, não me importando se era a direção correta do banheiro.

Perguntei ao *barman* se alguém iria se apresentar ali, naquela noite; algum cantor. Ele me disse que apenas uma cantora e que nenhum cantor o havia procurado ou havia sido contratado naquela semana. Voltei à mesa e, desapontada, olhei para minha cúmplice, balançando a cabeça levemente. Ela entendeu na hora.

— Não sei vocês, mas eu não gostei desse bar. Eu não sou a Any, mas posso até ver a falsidade no ar, pessoas que fingem gostar umas das outras para conseguirem alguma vantagem no trabalho, é bizarro. Podemos ir embora ou procurar algum outro lugar? — indagou Nara, com interpretação digna de uma atriz.

— Concordo. O ambiente aqui está muito pesado. Vamos para o *Luz da Lua*, é aqui perto — falei ao me lembrar do próximo nome na lista.

— Uau! Você quer mesmo se tornar uma baladeira! Quem diria? Até já conhece os bares da cidade pelo nome — Will zombou, mas concordou na hora. Deu para perceber que ele também não estava gostando.

Chegamos ao bar Luz da Lua e o ambiente era mais agradável.

— Pessoas melhores. — Suspirei em voz alta e os olhos dos três se voltaram para mim, curiosos. — Não sei se esse bar é melhor, mas, pelo menos, o clima está mais leve. — Mesmo com o bloqueio, eu sentia a energia do ambiente, isso nunca parou; com ou sem barreira.

O bar era bem pequeno, com um balcão no canto direito e algumas mesas em frente a ele, não tinha palco e nada indicava que haveria qualquer apresentação.

— Essa sua habilidade é muito louca, qualquer dia vou levar você ao Submundo só para ver o que consegue sentir lá — disse Will despretensioso. Ele sorria como se o que acabou de dizer fosse muito engraçado.

O coitado foi fuzilado por um olhar mortífero de Carol, dava para ver ódio nos olhos dela. Dei um passo atrás, como que saindo de perto, em um reflexo de proteção. Will não respondeu, apenas balançou a cabeça, olhando para Carol. Curiosa, baixei a guarda e senti que ele estava com medo e arrependido pelo que disse.

— Nossa, Carol! O que foi isso? — perguntei, um pouco assustada.

— Will é um idiota às vezes, ele sabe me irritar e deve ser isso que você sentiu. Tive vontade de arrancar a cabeça dele, só isso. — Carol sorriu para parecer tranquila e dar um tom de brincadeira ao comentário, mas seu semblante ainda demonstrava raiva e ela continuou em tom de acusação: — E você, por que está baixando a guarda? Não acha que pode acabar se sentindo mal como das outras vezes?

— Eu estou muito bem. Relaxa — respondi e saí andando na frente.

Entramos e constatei que, de fato, não era o tipo de lugar que tinha música ao vivo. Arfei e olhei para Nara, que estava com a boca torta em sinal de desânimo. Sentamos em uma mesa próxima ao bar. O local era mesmo agradável, então, não tínhamos desculpas para ir embora.

Ficamos sentados, ouvindo a música ambiente e bebendo qualquer coisa gelada.

As pessoas entravam e saíam, e eu as identificava como se fosse um jogo. Um casal na mesa ao lado chamou minha atenção. A garota era bonita, tinha cabelo vermelho e usava roupa de couro preta; faziam o estilo roqueiro.

Tive uma incontrolável curiosidade a respeito do casal. A garota foi muito fácil de sentir, ela era pura e íntegra. Já o seu companheiro travava uma luta interior com sua própria natureza, que não era nada ruim, apesar de suas intenções serem bastante confusas. Não seria uma batalha fácil para ele e poderia se estender por muito tempo, talvez anos.

Minha conexão ficava mais forte e nítida a cada pessoa que passava. Pela primeira vez, em anos, eu estava me entregando àquela insanidade sem ficar constrangida.

Will percebeu minha atenção demasiada nas pessoas à nossa volta e iniciou uma disputa. Ele sempre pensou conhecê-las, mas, na verdade, ele usa um conjunto de informações visuais para criar um perfil superficial e subjetivo.

— Any, vamos ver se eu consigo chegar perto de enxergar essas pessoas. Aquele ali... Ele tem jeito de ser doidão, não parece uma boa pessoa. Olha só as tatuagens malucas dele! — disse Will.

O cara era mesmo sinistro, com o cabelo raspado e tatuagens por quase todo o corpo. Parecia um livro de figuras.

— Não, Will. Para falar a verdade, ele é bem melhor que muita gente aqui. É o tipo de pessoa que tem personalidade forte e coração puro, sabe? Como dizem, não julgue o livro pela capa.

— Não estou acreditando. Vocês vão fazer isso mesmo? — Carol parecia irritada, mas também interessada no assunto. — Any, por que está fazendo isso? Não está mais se sentindo mal? O que houve com a barreira?

— Carol, relaxa um pouco. Não vai acontecer nada. E essa garota? Ela tem jeito de ser barra pesada — Will novamente arriscava.

Ele estava falando de uma garota loura mais ao fundo do bar e que não me passava quase nada. Não consegui identificar muito bem a energia dela. Então, concentrei-me um pouco mais e isso foi o suficiente para eu me sentir zonza. O lugar começou a rodar. Quando olhava para as pessoas, era como se visse as almas delas fora de seus corpos. Cada indivíduo ostentava um vulto sobre sua cabeça e, conforme enxergava um novo vulto escuro ou de energia ruim, eu ficava mais fraca e zonza. Parecia me consumir aos poucos.

— Any, relaxe. Respira fundo e pensa em alguma coisa boa. Pensa nas suas plantas, nas árvores que você tanto ama. Imagine que está lá no meio daquele parque, sob a cerejeira, sentindo a brisa e os raios de sol em seu rosto. — Carol segurava a minha mão ao dizer isso. Eu não sabia como, mas ela tinha percebido que eu começava a ter aquelas sensações ruins.

Não me lembro de ter me sentido assim antes, mas parecia que Carol sabia exatamente o que dizer para me acalmar. Fui relaxando. Já tinha sido afetada por energias ruins e nunca as tinha visto assim, várias ao mesmo tempo. Eu podia ver e sentir todo mundo que estava naquele bar, mesmo os mais distantes. Foi algo incrível e novo, mas eu não queria tentar de novo.

— Any, você está bem? Parece que a menina era barra pesada mesmo — comentou Will, despretensiosamente, e Carol o fuzilou com os olhos mais uma vez.

— Estou bem, obrigada. Já acabou, foi só uma sensação ruim.

— Eu já avisei para não brincar com isso. O que estava pensando? Aliás, parece que você está se especializando nisso. Anda treinando? Não olhe demais para mim — brincou Carol no final, para não parecer uma bronca, mas eu sabia que era exatamente isso.

— Não preciso olhar para você. Eu já sei que sua essência é boa, mas... — Dei de ombros e tentei encontrar no próximo gole de refrigerante uma explicação para o que sentia a respeito de Carol, mas Will me interrompeu.

— Então, galera, que tal a gente pedir mais uma cerveja? — Ele mostrou seu copo vazio e sorriu.

— Ótima ideia! Estou super dentro. — Nara nunca dispensava uma cerveja.

Pedimos mais uma rodada, cerveja para eles e refrigerante para mim.

Depois de algum tempo, resolvemos ir embora. Will sempre dizia que ao lado dele eu não precisava me preocupar com as limitações da idade, ainda assim, eu não curtia bebidas alcoólicas.

A semana seguinte se arrastou. Carol não desgrudou de mim, estava sempre em casa ou me esperando na faculdade, após as poucas aulas que ainda tínhamos. Ela parecia mais cuidadosa do que o habitual. Fora isso, nada acontecia e eu me sentia angustiada. Só me senti melhor quando chegou sexta-feira. Finalmente, voltaríamos à caça.

Embora Santiago fosse só um cara lindo, que se interessou por mim e provavelmente se arrependeu, ter essa missão era divertido e intrigante. Talvez por estarmos escondendo isso de Carol ou pelo simples fato de ter uma razão para sair de casa e me aventurar um pouco. Minha vida andava tão completamente pacata e chata, que qualquer novidade ganhava atenção especial.

Liguei para Nara e marcamos de ir ao Santo Graal, um bar com música ao vivo em tempo quase integral. Não parecia o estilo de Santiago, mas iríamos tentar. Carol e Will nos encontrariam lá.

Como chegamos antes, foi fácil nos informar e, como imaginei, ele não estava. Nunca ouviram falar dele. A música ambiente que tocava era de péssima qualidade e quando a música ao vivo começou, foi ainda pior, tive total certeza de que ele nunca cantaria naquele lugar.

Não canso de me impressionar, quando percebo que algumas pessoas acreditam mesmo que qualquer frase rimada possa virar música.

Carol e Will chegaram, e só estávamos esperando isso para pularmos para o próximo bar da lista. Falamos que um cara estava dando em cima de mim, o que era muito chato, e isso convenceu os dois de que devíamos ir a outro lugar. Fomos, então, para um bar chamado Alquimia, um lugar espirituoso com uma decoração rústica. Seu interior parecia um castelo, com paredes de pedras no estilo medieval; apenas luzes fracas iluminavam o local, ladeadas nas paredes arredondadas. O balcão acompanhava o cenário em uma arquitetura campestre.

As pessoas pareciam entrar no clima, elas eram um pouco estranhas. Algumas pareciam fantasiadas. Duas mulheres me lembraram amazonas, estilo mulher maravilha. Mais ao fundo, três homens pareciam vikings. Senti-me em um jogo de RPG.

— Não estou gostando muito daqui — disse Carol, com o olhar apreensivo. — Will, você conhecia esse lugar?

Will fez uma careta e ficou claro que ele não conhecia.

— Eu achei interessante. É bem diferente. Vamos ficar só um pouco, depois podemos ir embora se quiserem. — Tentei parecer interessada no lugar, mas só queria chegar até alguém que me oferecesse uma informação sobre as apresentações da noite.

— Não, Any. Nós devíamos ir embora agora — afirmou Carol, decidida.

— Posso tentar sentir alguma coisa e...

— Nem pense nisso! Não é preciso ter habilidades para ver que esse é o pior lugar do mundo para você fazer isso. Vamos embora, agora! — declarou Carol ainda mais autoritária do que o de costume.

Concordei em ir embora, mas Nara não se deu por vencida e tentou ganhar algum tempo, dizendo:

— Então, vamos embora, mas antes preciso ir ao banheiro.

Carol assentiu.

— Ficaremos esperando ali no balcão — tratei de dizer logo, para estabelecer um lugar seguro onde encontrar alguma informação sobre o San.

Seguimos em direção ao velho balcão, enquanto andávamos aquelas pessoas esquisitas nos olhavam com estranheza. Imaginei que deveria ser um daqueles bares onde os frequentadores são sempre os mesmos e quando alguém diferente aparece é visto como um intruso ou uma novidade.

Paramos ao lado do balcão e o homem atrás dele, que servia as bebidas, nos olhou com desconfiança.

— Estão perdidos por aqui? — O homem sorriu ao perguntar, mostrando seus dentes podres. Ou melhor, mostrando os poucos dentes que resistiram, e que, por sinal, não durariam muito tempo por ali. Carol olhou para ele muito séria.

— Perdidos? Não, só estamos com sede. Pode nos trazer uma cerveja? — pediu Carol, sem tirar os olhos dos dele.

— Por que você pediu uma cerveja, se estamos indo embora? — perguntei.

— Não queremos chamar a atenção, e entrar e sair de um lugar tão rápido é o oposto disso — ela respondeu, ainda sem tirar os olhos do homem, que foi buscar a cerveja e logo trouxe nosso pedido.

Ficamos observando o ambiente, fingindo naturalidade. Em uma mesa, próxima a uma das janelas, havia três homens esquisitos. Eles eram grandes, barbudos e conversavam, rindo muito alto. Em outra, mais à frente, um casal, não menos estranho, conversava normalmente. A mulher era linda, loura de olhos verdes, e seu acompanhante era calvo, magro e tinha anéis em todos os dedos. De onde eu estava não conseguia ver seu rosto, porém, ele tinha algo de sinistro. Vestia um sobretudo azul-marinho e botas de saltos grossos e altos.

O bar me lembrou uma taberna antiga e provençal, mas nem todos eram estranhos ou estavam prontos para uma festa à fantasia. Em algumas mesas eu via casais sem características tão fortes, que pareciam estar se conhecendo, ou amigos conversando naturalmente. Desviei os olhos para um pequeno palco ao lado do bar, não parecia que alguém se apresentaria naquela noite. Um rock leve tocava como música ambiente, empregando um clima relaxante que combinava com o local.

Carol resolveu ir ao banheiro também, e eu não tinha certeza se ela precisava mesmo ir ou se estava preocupada com Nara.

Percebi que Will olhava em direção a uma mesa, do lado esquerdo do balcão. Ele tentava desviar e acabava sempre com os olhos pregados naquele canto. Busquei a razão de tamanho interesse e vi uma garota loira sentada sozinha. Notei que ela também olhava em nossa direção.

— Por que não vai até lá e fala com ela? — indaguei.

— Não posso sair de perto de você ou a Carol me mata.

— Sério, Will? O que poderia acontecer? Aproveita enquanto a nossa amiga não chega. Com certeza, ela vai querer ir embora e você vai perder a chance. Eu não sairei daqui e você pode me ver de lá, então, não tem problema. Vai logo! — Precisei dar um pequeno empurrão para que ele se movesse.

— Não vai rolar, Any. — Will deu um passo e depois estacou, mas era como se não estivesse ali, já que não tirava os olhos da garota. Ela sorriu para ele e o vi retribuir. — Está bem! Eu vou até lá, mas se a Carol chegar e ficar brava, você diz que ela me chamou. Não sei você, mas eu estou me sentindo muito bem nesse lugar, não acredito que seja perigoso. — Ele encolheu os ombros. — Se precisar de qualquer coisa, estarei bem ali.

Assim que Will se afastou, um cara mal-encarado parou do meu lado. Ele tinha uma barba espessa e um bigode mal feito, suas roupas estavam amarrotadas, porém eram novas e de bom corte. Usava *jeans* e uma jaqueta vermelha que parecia de alguma marca famosa que eu não conhecia, já que não me ligo nessas coisas. Ele me olhava com muita curiosidade e sequer tentava disfarçar.

Afastei-me um pouco e me debrucei para perguntar ao homem atrás do balcão se haveria alguma apresentação. A resposta foi negativa como eu imaginava, minhas esperanças ficavam mais fracas a cada nova tentativa. Fiquei pensando em San e no quanto aquela missão poderia ser impossível. Então, uma voz rouca me tirou do meu momento nostálgico.

— Eu estava aqui pensando no porquê de uma garota bonita estar neste lugar tão bizarro, mas agora percebo o motivo. Está procurando um cantor? Não acho que este seja o melhor lugar para alguém se apresentar. Alguns já tentaram, mas nunca acabou bem.

O homem tinha um sorriso bobo quando o fitei.

— Desculpe, mas não estou procurando por ninguém, só queria saber se teria alguma apresentação hoje. — Aquele cara era estranho, senti-me um pouco intimidada e me afastei. Nem percebi quando as meninas se aproximaram.

— Cadê o idiota do Will? — perguntou Carol, áspera, com explícita irritação.

Nara arregalou os olhos e eu apontei para a mesa no canto do bar. A mesma onde antes estava uma garota sentada sozinha e que agora tinha Will como companhia. Carol se virou e, de novo, fuzilou Will com o mesmo olhar de raiva que vi no outro dia.

— Qual é o problema, Carol? Olha, fui eu que falei para ele ir até lá. Está tudo bem, não precisa ficar tão irritada. — Tentei limpar a barra dele, vendo o olhar de raiva de Carol. Fiquei pensando se ela estaria com ciúmes.

— Ela é namorada dele? — perguntou o cara mal-encarado, que já estava do meu lado de novo. — Se não é, acho que quer ser. — Ele sorriu.

— E quem é o bobo da corte? — questionou Carol, olhando fixamente para o homem.

— Todos me chamam de Van — ele respondeu sorrindo e estendeu a mão para cumprimentá-la.

— Van? — Carol estreitou os olhos. — Mas que tipo de nome é esse? É algum tipo de enigma?

Ela riu de um jeito provocativo e o tal Van não gostou muito.

— É só um apelido, gata. Mas você pode me chamar como quiser — ironizou o homem, enquanto piscava para ela.

— Que tal eu chamar de "dá o fora"? — Carol o provocou, com cara de poucos amigos.

— Hoje é o seu dia de sorte, por isso não vou me incomodar, porque acabei de encontrar a paz dentro de mim e ela tem a forma de uma beldade. — O homem se aproximou e colocou a mão no rosto de Nara, que se encolheu na mesma hora.

Carol se colocou entre Nara e Van.

— Nem pense nisso. — Os dois ficaram se olhando com se fossem começar um duelo.

— Acho melhor a gente ir embora — declarei. — Vou buscar o Will. Do jeito que ele está olhando para aquela garota acho que nunca vai conseguir sair dali.

Segui em direção à mesa onde Will estava, mas antes pude ver o olhar de desespero de Carol. Foi tudo muito rápido; eu simplesmente me virei e saí, mesmo ouvindo seu protesto. Eu sabia que Carol viria atrás de mim, então queria chegar à mesa antes dela me alcançar, para tentar avisar Will que ela estava puta e convencê-lo a se despedir e sair sem maiores constrangimentos. Ao mesmo tempo eu pensava: *ela não é a nossa mãe, por que fazemos tudo que ela quer?*

Cheguei perto da mesa e Will se levantou quando me viu parada ao seu lado. Olhei para a garota e constatei que, de perto, ela era ainda mais bonita. Seu cabelo passava dos ombros, em ondas louras, graciosas; seus olhos eram duas pedras preciosas, verdes como esmeraldas.

— Olá! Eu sou Alany. — Direcionei um sorriso para a garota, tentando ser simpática.

— Oi! Sou Alamanda. Muito prazer!

Havia um largo sorriso em seu rosto e a sensação que tive não podia ser melhor. Transmitia muita calma, posso até dizer que senti paz, algo que nunca havia acontecido. Foi como sentir que estávamos em um lugar muito tranquilo e não em um bar bizarro, cheio de gente esquisita. Mesmo sem deixar de lado a barreira, consegui sentir a energia dela forçando a entrada, como se quisesse me passar aquela sensação.

— Não quer se sentar conosco, Alany?

— Obrigada, mas eu vim chamar Will para irmos embora. Fica para a próxima. Will, nós estamos indo, Carol não está muito bem. — Arfei e fiz uma careta, para que ele entendesse nas entrelinhas: *"Carol está puta da vida com você e está pronta para arrancar sua cabeça se você não vier agora".*

— Obrigado por me deixar conhecer você! E até qualquer hora — disse Will para Alamanda, beijando a mão da garota e se afastando.

Ele estava com cara de bobo e com os olhos fixos nos dela. Após alguns segundos de troca de olhares, Will finalmente conseguiu se afastar e seguimos em direção às meninas.

Capítulo 6

Mal demos um passo e senti um puxão, seguido por um grito de alerta.

— Cuidado!

A voz pertencia a Alamanda. Ela nos puxou para trás no momento exato em que uma cadeira voava pelo bar em nossa direção. Havia uma briga que não dava para entender de onde vinha ou quem eram os envolvidos. A única coisa que eu sabia era que Alamanda acabara de nos livrar de um grande problema. Eu podia ver Carol nos procurando com os olhos, por cima da briga, e acenei, tentando dizer que estávamos bem, mas senti que estava sendo puxada novamente.

— Vocês precisam sair daqui, agora! — disse Alamanda.

Ela nos tirou de perto da confusão e não parecia mais tão calma como antes. Alamanda nos conduziu para os fundos do bar, havia uma saída atrás do balcão. Pude ver que a porta por onde havíamos entrado estava bloqueada por várias mesas e cadeiras amontoadas. Sem outra opção, as pessoas corriam na nossa direção, buscando a única saída disponível. Estava tudo confuso, mas eu não podia simplesmente sair.

— Não podemos ir embora, as meninas ainda estão do outro lado e acho que não estão conseguindo passar — eu gritei, enquanto era praticamente arrastada. — Precisamos ajudá-las!

A cada minuto, mais alguém entrava no meio e passava a fazer parte da briga, como em um filme de faroeste. No início, algumas pessoas apenas observavam. Depois, pareciam tomar posição de ataque, como se fossem animais. Também pude ver uma mulher colocar as mãos na cabeça, como se estivesse com muita dor, e vi quando um dos homens grandes, que parecia um *viking*, levantou-se e virou a mesa, fazendo tudo que estava em cima dela voar sobre as pessoas.

Mais alguns puxões e estávamos do lado de fora do bar, junto com um monte de gente que saía correndo. Todos estavam histéricos, pareciam realmente fugir de um tornado ou coisa pior.

— Fique aqui! Eu vou lá dentro buscar as meninas. Não saia daqui Any, por favor! — pediu Will. Ele estava com uma voz assustada, nunca o tinha visto assim.

— Eu fico com ela — declarou Alamanda, demonstrando que essa era a melhor coisa a fazer.

A voz dela parecia bastante calma agora. Ela segurou minha mão e me dirigiu um olhar tranquilizador. Na verdade, eu estava apreensiva ao seu lado, porque, apesar da paz que Alamanda conseguia transmitir, ela era bem diferente das outras pessoas. Era como se aquela paz fosse a sensação que ela *queria* passar e não a sua energia natural.

Ouvi alguns barulhos estranhos vindos do interior do bar, pareciam gritos e gemidos, misturados a risadas. Dei um passo para trás como reflexo e Alamanda segurou minha mão ainda mais forte, mantendo-me firme. Eu estava assustada e ela não parecia se incomodar com nada, com a briga ou a expressão das pessoas correndo e, com certeza, também não se importava com os barulhos que ficavam cada vez mais esquisitos.

Também ouvi muitas coisas quebrando no interior do bar. De vez em quando, alguém saía lá de dentro machucado, cambaleando e correndo pela rua, como se estivesse fugindo para salvar a própria vida. Era um filme de terror.

A mulher de cabelo negro com uma mecha azul, que estava com as mãos na cabeça segundos antes de eu sair pela porta dos fundos, saiu tropeçando, parecendo desnorteada. Sua situação era até compreensível, o inacreditável foi ver a cor do seu cabelo, que agora estava completamente branco como nuvem. Isso me deixou muito mais preocupada. Estava acontecendo qualquer coisa muito errada naquele bar.

— Eles estão demorando, preciso ir até lá para ver o que está acontecendo — declarei.

— Não é uma boa ideia, Alany — retrucou Alamanda, com tanta calma que foi até irritante.

— Alamanda, eu agradeço muito por me tirar de lá, só que não consigo ficar aqui parada, sem fazer nada, enquanto meus amigos estão do lado de dentro. Vou, pelo menos, ligar para a polícia.

A rua estava quase vazia, a maioria das pessoas que saíram correndo já não estava mais por perto. Comecei a ligar para a polícia do meu celular. Estávamos a dez passos do bar e um barulho assustador quase me fez derrubar o telefone no chão. Era impossível, mas parecia um rosnado muito alto. Alamanda arregalou os olhos e sua expressão passou de tranquila para aterrorizada em um segundo.

— Alany, eu preciso que você fique exatamente aqui e não se mexa até eu voltar. Acho que posso ajudar a acabar com essa briga. — Ela parecia confiante

— De jeito nenhum! Eu vou com você — falei, já caminhando em direção ao bar.

— Não seja teimosa! Não é hora para isso. Seus amigos correm perigo, a coisa está feia lá dentro e pode ser muito violento. Se quiser ver seus amigos bem, tem que me prometer que vai ficar aqui até eu voltar.

Senti sinceridade nas palavras de Alamanda e aquela paz irritante novamente, então, resolvi aceitar e aguardar mais um pouco.

— Ok! Mas se você não voltar em cinco minutos, eu vou entrar.

Ela assentiu e correu em direção ao bar.

Olhei em volta, estava escuro e comecei a sentir um pouco de frio. Eu estava na calçada, do lado de fora do bar. Como mágica, todas as pessoas seguiram seu caminho e logo eu estava sozinha. O vento assoviava e o frio aumentava a cada minuto.

Vi um vulto encostado em uma árvore, do outro lado da rua. Ele se mexeu e a rodeou, colocando-se à minha frente e me observando com cautela. O homem usava uma roupa escura, tinha cabelo preto e espetado. Ao dobrar a perna e apoiar o pé na árvore, colocou um sorriso torto no rosto e assumiu uma posição confortável; bem diferente da minha àquela altura. Não sei se era sua intenção, mas o sorriso me provocou um arrepio de pavor.

Dei alguns passos para trás, devagar, e o vi apenas mexer a cabeça em reprovação. Resolvi entrar no bar, qualquer coisa era melhor do que ficar ali, sozinha, com aquele sujeito, mas um barulho abissal interrompeu meus passos. Alguém foi atirado pela janela do bar e caiu no meio da rua, bem na minha frente. Não sabia se devia correr ou parar onde estava. Estreitei os olhos e reconheci aquele corpo, era Will.

— Meu Deus, Will!

Corri ao seu encontro, gritando seu nome e rezando para que estivesse vivo e bem. Ele já estava se recuperando quando cheguei perto, estava balançando a cabeça, tentando se sintonizar.

— Will, você está bem?

Minha pergunta era mais de incredulidade do que preocupação. Ele já estava de pé, depois de ter sido lançado a uma distância de uns cinco metros e a uma velocidade que os meus olhos quase não conseguiram acompanhar.

— Eu estou, mas por que está aqui sozinha? Cadê a Alamanda?

— Ela entrou para ajudar vocês. Aliás, o tempo dela acabou. Quem vai entrar lá agora sou eu. Você pode andar? — perguntei e antes mesmo de ouvir a resposta, saí em direção ao bar. De canto de olho, vi meu amigo se levantar, então andei mais rápido. Já estava cansada daquilo tudo. — E nem adianta tentar me impedir... — completei e olhei para trás, para ver se Will me seguia, mas ele não estava mais lá. — Essa não! Aonde foi esse maluco?

Senti uma mão em meu ombro.

— Desculpe, Any, mas lá dentro você não ajudaria em nada.

Will estava atrás de mim, ainda zonzo pelo voo forçado e a queda no asfalto. Eu me perguntava como ele tinha feito aquilo, como se moveu tão rápido? Num instante, estava se levantando no meio da rua e agora, estava bem na minha frente.

Milhares de perguntas se formaram na minha cabeça e, pela primeira vez desde que conheci Will, ele me olhou nos olhos. O olhar mais profundo que já senti.

— Any, eu prometo dar todas as respostas que você quiser, mas agora não posso deixar você entrar aí, desculpe.

— Por que não posso entrar? — Minha pergunta foi firme e por nada eu ficaria sem uma resposta. De alguma forma, ele sabia bem disso.

— Primeiro, porque Carol vai me matar se eu deixar você entrar. Sabe como ela gosta de você e tudo que faz para protegê-la. Segundo, porque você não vai poder ajudar em nada, só iria atrapalhar. As coisas que estão lá dentro não estão de brincadeira. Você não entenderia, não assim, de repente.

— Do que você está falando? Que coisas?

Ele não respondeu, então desviei e segui em direção à entrada do bar, mas ele se colocou na minha frente e me olhou fixamente. Pude ler em seus olhos: *"só por cima do meu cadáver"*.

— Any, fique calma que depois eu explico. Mas se prepara porque a coisa é sinistra.

— Eu nunca vou perdoá-lo se alguma coisa acontecer à Carol ou à Nara. Pelo menos, vá lá dentro e veja como elas estão.

— Quase me pegou, mas não posso deixar você — ele disse, com um sorriso sem graça.

— Se é tão importante assim, eu fico aqui. Mas preciso que você entre neste bar e traga as meninas, por favor.

— Desculpe, Any! Não vai dar. Eu preciso mesmo ficar com você.

— Mas que droga, Will!

Estava tão nervosa que senti meu sangue ferver e o ar à nossa volta pareceu esquentar. Num instante, eu não sentia mais frio. Até Will pareceu perceber a mudança na temperatura, porque demonstrava procurar por algo no ar.

— Como você pode ter tanta certeza de que elas vão ficar bem? Será que você está ouvindo o som que vem lá de dentro? — perguntei, bem exaltada. — Tem alguma coisa de muito errada acontecendo e não se parece com nada que eu já tenha ouvido, parece um animal. Além disso, também vi uma mulher saindo com o cabelo completamente branco e lembro bem que ele era preto como a noite, quando a vi. O que há lá dentro, Will? O que está acontecendo?

Eu sabia que mesmo que tentasse não conseguiria passar por ele, ainda assim, buscava um jeito de confundi-lo para conseguir chegar ao bar, mas uma luz brilhante, tão forte a ponto de me cegar por alguns segundos, irradiou lá de dentro. Raios de luz saíram pelas janelas e portas. Parecia que uma bomba incandescente havia sido jogada e, com a mesma intensidade que surgiu, simplesmente desapareceu. Eu ainda tentava cobrir os olhos com as mãos, quando vi Carol e Nara passarem pela porta e corri em direção às duas.

— Vocês estão bem? — gritei, enquanto me aproximava.

— Agora estamos, e você? — Carol parecia cansada.

— Cadê Alamanda? — Minha voz tinha um tom de preocupação. Eu olhava em volta, procurando por ela.

— Ela já vem, não se preocupe. A briga já acabou, está tudo bem.

Nunca vi Carol tão abatida. Seus olhos estavam fundos e sem o brilho habitual. Seu cabelo, apesar de ainda arrumado, parecia opaco. O estado de Nara era um pouco mais combalido, seu rosto estava estranho e os olhos perdidos como folhas secas ao vento.

— Nara! Você parece em choque. O que houve? Está machucada? — perguntei.

Coloquei um braço em sua cintura para ajudá-la a caminhar e ela me olhou, lançando-me um sorriso compacto.

— Any, ele realmente não estava aqui. Eu tenho certeza.

Devolvi o sorriso, aliviada, não pela informação recebida, mas por ela não estar em choque e até tentar fazer piada.

— Quem não estava aqui? — perguntou Carol.

— Precisamos levar Nara para casa agora, acho que ela não está nada bem, pode estar até delirando — eu disse, num tom acusador.

Disfarçadamente, pisquei para Nara e continuamos caminhando. Parei ao lembrar que Alamanda ainda estava dentro do bar e eu não podia simplesmente ir embora sem saber se ela estava bem. Quando me virei, eu a vi passando pela porta. A imagem foi intrigante. Não sei por que, mas parecia cena de filme. O vento agitava seu cabelo e ela marchava com a segurança de uma guerreira, só faltavam armas em volta da cintura.

— Maldição dos infernos! Por que viemos nesse lugar? Não quero ficar aqui nem mais um minuto. — Arfou Carol, apertando o passo em direção ao carro.

Todos nós a seguimos e entramos no carro em silêncio. Olhei para Will e ele entendeu muito bem meu olhar. Ele me prometeu explicações e eu as queria logo.

Lembrei-me da figura sinistra, do outro lado da rua. Busquei na escuridão, mas não havia ninguém.

— Que loucura foi essa? Alguém pode me dizer? Nunca vi nada parecido. Pelo menos, não fora da televisão. — Eu estava chocada e queria explicações.

— Não precisa fantasiar. Você não estava lá dentro, eu imagino que do lado de fora parecia muito pior do que era. O importante é que estamos todos bem — considerou Carol, como se eu estivesse exagerando.

— Não sei se a aplaudo ou se brigo com você. Não subestime minha inteligência. É claro que alguma coisa muito esquisita aconteceu lá dentro! — reclamei, demonstrando uma incomum irritação. — Não sou idiota. Aqueles sons não eram de um pastor alemão.

— Any, por favor. Se você está disposta a não acreditar, não tem por que eu começar a explicar. Além do mais, vamos respeitar o estado de Nara, não vê que ela está em choque? Falamos sobre isso amanhã. Tudo bem? — indagou Carol. Ela estava usando a mesma técnica que usei contra ela.

— Vocês deviam conversar amanhã, quando estiverem mais calmas.

Quando Alamanda terminou a frase, a calma se instaurou no carro, como se uma injeção de serenidade tivesse sido aplicada em cada um de nós. Ficamos em silêncio por um momento, parecia que estávamos embriagados de tranquilidade. A sensação era boa.

— Tudo bem, mas amanhã vou querer saber o que houve. E não vou aceitar balelas no lugar de uma explicação decente sobre tudo isso. Principalmente sobre a queda do Will. Qualquer um estaria no hospital depois daquilo — eu disse.

— O que você falou? Queda do Will? — indagou Carol.

Will aproveitou aquele momento, virou-se e me encarou; seu olhar cortou o meu e, de alguma forma, o senti entrando em minha cabeça. Em seguida, ouvi sua voz, mas seus lábios não se moviam.

— De qual queda você está falando? — ele disse isso em voz alta, para todos escutarem, mas dentro da minha cabeça, falou: *"Any, ela nunca vai contar a verdade. Amanhã a gente conversa e eu explico, mas não podemos falar sobre isso com Carol, ela faria qualquer coisa para deixá-la fora de tudo isso".*

Fiquei simplesmente de queixo caído, incapaz de qualquer reação. Ele estava falando comigo, mas não dizia nada.

Ai, meu Deus! O que estava acontecendo? Só posso estar maluca!

— Any. Está tudo bem? — Carol me observava pelo retrovisor, curiosa por eu ter ficado muda de repente.

— Estou um pouco confusa, só isso.

Acho que estou doida, isso sim, pensei.

"Não, Any, você não está doida. Eu posso mesmo ouvir seus pensamentos e te enviar os meus. Prometo que falaremos sobre isso amanhã. Agora, não deixe Carol perceber que estamos nos comunicando dessa forma ou ela vai surtar", continuou Will, dentro da minha cabeça.

"Você deve estar louco se acha que vou conseguir esperar até amanhã por uma resposta. Tenho certeza de que só estou tranquila e quieta por alguma influência da Alamanda. Essa garota é estranha, mas juro que não vou esperar até amanhã."

Ah, meu Deus! Eu estava mesmo conversando com ele sem dizer uma palavra?

"Any, relaxe! Tudo bem, eu vou à sua casa ainda hoje e contarei tudo. Agora, fique calma e disfarce."

"Ficar calma é exatamente o que não dá para fazer hoje."

Será que faltava acontecer mais alguma coisa bizarra? Ele se virou rápido para ninguém perceber o que estava acontecendo e eu fiquei paralisada, sem saber o que pensar. Tinha acabado de conversar com alguém apenas por pensamento e eu nem tinha bebido.

Não conseguia pensar em nada racional que explicasse tudo o que aconteceu, mas sentia que tudo em que eu acreditava até aquele dia estava prestes a mudar. Não entendia porque Will tinha tanto medo de Carol ou porque ela mesma não me contava o que estava acontecendo. Na verdade, eu não entendia absolutamente nada.

— Carol, você pode me deixar nesta avenida? Eu moro logo ali à frente. — Só percebi que Alamanda ainda estava no carro quando ouvi seu pedido.

Segurei sua mão, num gesto de gratidão. Apesar de não entender o que tinha acontecido, sabia que ela tinha ajudado.

— Alamanda, obrigada por ficar comigo lá fora e depois ajudar esses mentirosos que, apesar de tudo, são meus amigos.

Ela achou graça no comentário e soltou uma risada contida.

Carol me fuzilou com o olhar pelo retrovisor e Will também sorriu. Nara estava dormindo, com a cabeça encostada na janela do carro.

— Onde você mora, Alamanda? Eu levo você até lá, é o mínimo que posso fazer depois de ter nos ajudado naquela briga estúpida. — Carol parecia mesmo agradecida.

— É só continuar nessa avenida até o semáforo e virar à direita.

Ficamos em silêncio por uns cinco segundos, quando um nome rompeu o silêncio, saindo de forma grosseira da boca de Carol.

— Santiago! É claro! Como eu não percebi isso antes. Pelas trevas! Eu não acredito! Vocês estão procurando aquele cantor. — Carol estava furiosa e indignada. Ela deu três socos no volante. — Por isso está tão animada em sair com a gente toda noite.

Engoli em seco. Não podia e não queria negar a verdade.

— Você ia ficar me enchendo o saco se soubesse que estávamos procurando por ele. E, se eu bem a conheço, você acharia uma forma de nos impedir. Sempre consegue manipular as coisas a seu favor.

— Eu não acredito! — Ela balançava a cabeça, em sinal de total reprovação. — Quem diria? Você é toda certinha, mas, desta vez, perdeu completamente o juízo, Alany.

— Carol, você não devia se meter tanto na minha vida. Não dessa forma. Eu só queria vê-lo de novo, não me casar com ele. Você, mais do que ninguém, sabe como sou com esse lance de música. Eu nem sei por que você não gostou dele, não entendi mesmo a sua cisma. Ele não é nenhum marginal. Você sempre confiou em mim. Há quanto tempo não me interesso por ninguém? Você devia me dar força e não ficar no meu pé desse jeito. Você não é minha mãe!

— Any, você não entende! Eu não tive um bom pressentimento sobre ele, só isso. Mas não vamos falar disso agora.

Àquela altura, eu também não queria discutir tal assunto. Entendemos que seria melhor deixar aquela discussão para outro momento. Acho que entramos na mesma energia de deixar as coisas esfriarem para depois conversarmos.

— É aqui. — Alamanda anunciou. — Pode parar em frente a este muro branco, por favor.

O carro parou, Alamanda se despediu e agradeceu. Ao descer, piscou para Will.

— Nossa! Como deve ser morar em uma casa como essa? — comentei e olhei para Will, que continuava vidrado na moça loira que se afastava. — Você também gostou, não é, Will? — perguntei.

— Eu? Claro. Achei maravilhosa! — ele disse, entusiasmado.

— Estou falando da casa — ironizei.

— Claro. Eu também estou falando da casa.

Rimos muito, ao perceber que ele estava totalmente fora do ar por causa de Alamanda, o que foi ótimo para aliviar a tensão.

Seguimos em frente e fui a próxima a ser deixada em casa. Dei boa noite de forma geral, pois não queria enfrentar o olhar de censura de Carol.

Quando entrei em casa, subi direto para o meu quarto e fiquei remontando as cenas da noite na minha cabeça, sobretudo, quando as coisas ficaram muito estranhas. Will sendo lançado pela janela e não se machucando, passando por mim como fumaça sem que eu o visse, segurando-me com uma força brutal e, o pior de todos os fatos, lendo pensamentos. Alguma coisa estava acontecendo e eu precisava saber o que era, antes que enlouquecesse.

Senti um frio na barriga e um arrepio me subiu pela espinha, quando pensei na possibilidade de Will ter poderes sobrenaturais ou até ser alguma coisa que não exatamente humano. Tentei me lembrar de quando o conheci na faculdade. Ele sempre foi amigo de Carol e sempre foi piadista com quase tudo, só evitava fazer piadas com a sua melhor amiga; sempre pareceu ter um pouco de medo dela. Ele usava óculos escuros quase sempre e quando não estava com eles, nunca olhava direto nos olhos de ninguém. Acho que agora eu sabia o motivo.

Já o tinha visto com algumas meninas, mas ele nunca namorava. Will sempre dizia que estava esperando o verdadeiro e único amor da sua vida e não importava o quanto teria que esperar, ele sabia que ela estava por aí. O que mais me intrigava era a energia que ele emanava; não era como a das outras pessoas. Aliás, a de Carol também era densa e parecida com a dele em alguns aspectos. Sua cor era sempre avermelhada e estranhamente fraca. Muitas vezes eu não conseguia identificar e acabava ignorando, mas, pensando bem, nunca me concentrei muito nisso. Will sempre me pareceu inofensivo.

Perdi completamente a linha de raciocínio quando ouvi um ruído do lado de fora. Fui até a janela. Devia ser o Will, como tinha prometido. E lá estava ele, parado embaixo da minha janela. Estava muito escuro, pois a lua não estava em sua melhor fase. Contudo, com um pouco de esforço, pude ver que não era Will.

O homem me olhou e, quando sorriu, reconheci aquele riso torto imediatamente. Que droga! Era o mesmo homem que estava me observando na rua do bar e que sumiu, de repente, quando Will foi lançado pela janela. Foi então que me dei conta de que, mesmo sem o chapéu e o casaco, era a mesma figura perturbadora que aparecia nos meus sonhos.

Fiquei sem reação, não imaginava o que ele queria de mim ou como sabia onde eu morava. Fechei a janela e corri para pegar meu celular. Disquei o número de Will e, enquanto estava chamando, ouvi outro barulho do lado de fora, como se alguém estivesse subindo pelas paredes.

— Mas que inferno! O que é isso agora?

Caminhei bem devagar, praticamente na ponta dos pés. Estava com as mãos suadas e a respiração acelerada. Quase em câmera lenta, encostei-me à parede ao lado da janela e tentei achar coragem para olhar. Será que aquele homem estava tentando subir até a minha janela?

Quando finalmente olhei, não o vi mais na calçada. Foi o tempo de respirar aliviada e um rosto apareceu atrás do vidro, fazendo-me pular e gritar de susto.

— Mas que droga, Will! Quase me matou de susto! — Arfei, irritada. Quando voltei a ter ar nos pulmões, abri a janela para que ele entrasse. — Por que não entra pela porta, como todo mundo?

— Não quis acordar sua avó. O que foi? — Will me olhava com curiosidade. — Está assustada com alguma coisa? Sua cara está péssima.

— Minha avó ainda não voltou de viagem, seu tonto. Tinha um homem aí na rua agora mesmo, por isso eu estava assustada. — Will ainda estava parado no parapeito da janela. Pensei que teria que puxá-lo pela camisa. — Entra logo!

— Que homem é esse? Você o conhece? — ele perguntou.

— Não, só que... eu acho que o vi hoje, lá no bar. Na verdade, do lado de fora, na calçada, um pouco antes de você voar pela janela.

— Espera um pouco. Está dizendo que viu um cara lá no bar e esse mesmo sujeito estava aqui em frente?

Balancei a cabeça, confirmando, e sua expressão demonstrou preocupação. Não parecia nada bom.

— Any, sente-se aqui. — Ele pegou minha mão e me sentou na beira da cama ao seu lado, olhando-me fixamente.

Eu estava pensando sobre o que podia estar acontecendo. Tudo estava tão confuso e misterioso. Pensei em coisas de outro planeta ou super-heróis. Will sorriu como se tivesse ouvido alguma coisa muito engraçada. Na mesma hora, lembrei que ele podia ouvir meus pensamentos.

Deus! Vai ser difícil controlar os pensamentos.

— Olha só, eu queria um pouco de privacidade. Dá para ficar fora da minha cabeça? — Seria difícil conversar com ele assim.

Ainda sorrindo, Will começou seu discurso:

— Você precisa ter calma e limpar sua mente. Primeiro, precisa entender que existem muitas coisas lá fora além da sua compreensão. E não precisa se privar dos seus pensamentos, só posso ouvi-los se estivermos em contato visual. Mas, ainda assim, sei que tudo isso é muito estranho e novo para você. O mundo, como o conhece, está prestes a acabar. O mundo real é feito de várias criaturas e não apenas de seres humanos como você acredita — ele falou rápido demais.

Will colocou a mão no rosto, balançando a cabeça e demonstrando que não sabia como continuar. Levantou a cabeça devagar e me olhou com a expressão de um pai solteiro tendo a primeira conversa com a filha sobre garotos. Então, algumas cenas me vieram à cabeça. Will nunca havia me olhado nos olhos em todos esses anos e também não olhava nos olhos de outras pessoas com frequência. Quase nunca, na verdade. Com exceção de Carol; eles se olhavam bastante e eu sempre imaginei que a comunicação entre eles era diferente, mas não dessa forma.

— Desculpe! Não pude evitar. Mas, já que está pensando na Carol, preciso dizer que ela jamais vai poder saber que eu estive aqui para contar tudo isso, entendeu? — ele avisou, preocupado.

— Tudo isso? Primeiro, eu já pedi para sair da minha cabeça. Segundo, você só está começando, eu ainda tenho um milhão de perguntas. Aliás, vou fazer a primeira: por que Carol não pode saber disso? Por que você tem tanto medo dela?

— Ela gosta demais de você e só quer protegê-la. Mas confesso que, às vezes, acho que ela exagera. Você tem o direito de saber mais, e não dá para fingir que não aconteceu nada essa noite. Você é teimosa, tenho certeza que não ia descansar enquanto não tivesse algumas respostas.

— Está bem! Vou fingir que acredito. Continua. O que aconteceu naquele bar? Refiro-me à hora da briga e não quando você entrou na minha mente sem minha permissão. — Eu me acomodei melhor na cama para ouvir a história.

— Não entrei na sua mente! Apenas consigo me comunicar de uma forma diferente, isso nem é tão incomum assim. — Ele se levantou, passou a mão na cabeça e espremeu os olhos, como se tivesse se arrependido da promessa. — Bom, como ia dizendo, existem coisas nesse mundo que você nem imagina. É como se existisse um mundo paralelo, onde coisas, pessoas ou criaturas que você pensa existir apenas nos livros, estão por aqui sem serem notados. Não sei como explicar isso sem parecer absurdo e chocante.

Will se virou para a parede e apoiou as mãos na mesa do computador, encostada na parede.

— Você está tentando me dizer que lá no bar, hoje, havia pessoas ou criaturas diferentes de mim e de outros humanos? E que existe um mundo paralelo, cheio de criaturas de livros e contos de fadas que convivem entre nós? — perguntei, tentando concluir alguma coisa daquela conversa.

— Não pensei que seria tão difícil. Ai, meu Deus! A Carol vai me matar, eu sei que vai. — Ele estava de cabeça baixa, resmungando de um jeito que pensei que fosse desistir. — Parece que estou louco, não é? Eu sei, mas é isso aí — ele respondeu em tom de alívio, erguendo a cabeça e puxando o ar com força.

Pensei que Will estivesse maluco, que pudesse estar perturbado, por ter essa estranha habilidade de ouvir pensamentos.

— E o que aconteceu dentro do bar, afinal? Eu ouvi barulhos sinistros que pareciam de um animal.

— A briga foi entre dois grandalhões, que se estranharam por causa de uma mulher. O problema foi que um cara se aproveitou da confusão para tentar levar Nara com ele, e claro que não deixamos. Só que, ao impedi-lo, descobrimos que ele era um celsu e a coisa foi ficando cada vez mais feia. Não havia mais nenhum humano dentro do bar além da Nara, então, ele se transformou em um maldito urso negro e atacou as meninas. Quando entrei para ajudar, cheguei perto da Nara para acalmá-la, a coitada estava em choque. Quando ele me viu perto dela fui arremessado pela janela.

Levantei a mão para que ele parasse de falar. Não estava chocada com a história da briga, na verdade eu estava achando até divertido, como se estivesse lendo um livro e não queria deixar passar os detalhes.

— Espera! Você falou celsu? — perguntei.

— Criaturas que você conhece como místicas, sobrenaturais, mágicas, enfim... No mundo oculto são chamadas de celsus.

— Como alguém pode se transformar em um urso?

— Um metamorfo, claro — respondeu, como se fosse óbvio.

— Meta o quê? Bem, primeiro eu quero saber que tipo de celsu é você, Will? — Fiz a pergunta cuja resposta considerei difícil. Se eu a tivesse, qualquer outra viria facilmente.

Will agora me observava atentamente. Desviei os olhos, não queria que ele visse o que eu estava pensando, mesmo porque os meus pensamentos eram estranhos e totalmente confusos. Tentei me lembrar das lendas, das histórias, dos livros, de tudo que pudesse me dar uma pista.

— Eu já contei o que podia, Any. Prometi contar o que estava acontecendo naquele bar, não foi? Eu também prometi a Carol que nunca contaria a você o que... — ele hesitou. — O que eu sou. Então, tecnicamente, não quebrei nenhuma promessa. — Will desviou o olhar rapidamente, como se tivesse ouvido um barulho do lado de fora.

Eu não tinha ouvido nada, mas parece que ele estava certo de que havia alguém ou alguma coisa na rua.

— Acho que o homem misterioso voltou. E, se não for ele, é ainda pior. Só pode ser a Carol e aí eu estarei ferrado. Any, se você contar a alguém o que falei, também estarei ferrado. Desculpa! Vou ter que ir agora. Pensa um pouco no que eu disse e depois a gente conversa melhor. Vou ficar por perto, quero saber se tem alguém rondando por aqui.

Will saiu pela janela num salto, caiu na calçada como um gato e sumiu na escuridão, só pude ver um borrão. Nem tive tempo de protestar, ele simplesmente saiu.

O que eu faria com as perguntas que estavam na minha cabeça?

Recostei na parede e respirei fundo. Estava tomada por uma euforia anormal diante de tantas possibilidades e, ao mesmo tempo, decepcionada com aquela conversa. Foi como assistir um filme, mas não ver o final.

Capítulo 7

Quantas perguntas sem respostas. Estava ficando ainda mais nervosa agora que Will se fora. De que diabos se tratava tudo aquilo? Seria mesmo possível que fosse verdade? Sempre pensei que havia algo mais no mundo além do que estava visível, mas aquilo já era demais. Minha melhor amiga me escondia mais segredos do que o Vaticano escondia do mundo, meu amigo podia ler mentes e não parecia exatamente humano. Que droga, nada daquilo fazia o menor sentido!

Comecei outra sessão de lembranças e não cheguei a nenhuma conclusão. Imaginava o que o Will poderia ser, mas não queria acreditar. Quanto mais eu pensava sobre o assunto, mais estranhamente intrigada eu ficava.

Curiosa e com sede de informação, sentei na cama e fiquei pensando no bar bizarro, na briga estranha, em todos me impedindo de ver o que acontecia lá dentro, na bela Alamanda e em sua energia manipuladora, em Will sendo atirado pela janela e se levantando normalmente; até na garota com o cabelo branco. Eu estava ficando maluca.

Subitamente, senti um arrepio percorrendo meu corpo e me lembrei daquele homem bizarro, parado na calçada. Pude rever a imagem dele me observando e agora, sim, eu estava ficando com medo. A história toda me parecia apavorante quando associada à figura assustadora daquele sujeito que parecia me perseguir, aparecendo nos meus sonhos e agora na rua bem à minha frente. Dei-me conta de que essa pessoa, ou o que quer que ele fosse, era real e não mais um personagem dos meus sonhos apavorantes.

O que eu faria agora? Não conseguiria trabalhar, nem estudar, nem viver com aquela ansiedade. Eu queria sair e procurar respostas, mas não sabia aonde ir, ainda mais às quatro horas da manhã.

Acabei pegando no sono em meio a tantos pensamentos e só acordei quando ouvi um sussurro chamar meu nome. Meus olhos não queriam abrir, estavam pesados e tive de forçá-los. Quando finalmente consegui abri-los, o que vi foi um par de olhos me encarando, de alguém tão perto, que pude sentir sua respiração em minha boca. A figura estava tão próxima que sua imagem ficou desfocada, principalmente na penumbra.

Um sorriso leve se formou no rosto que me observava. Os olhos eram negros e grandes, tinham cílios enormes; a pele era bem clara. Analisando melhor, pude ver aquele sorriso leve e dissimulado pendendo para o lado. Não precisei ver mais nada para saber quem estava ali, no meu quarto, na minha cama e quase em cima de mim. Com certeza mais perto do que o necessário. Tentei gritar, mas senti a mão grande e forte sobre a minha boca.

— Shhh! Antes de qualquer coisa, quero que pense na melhor coisa a fazer. Você pode gritar, o que não aconselho, ou pode me deixar tirar a mão da sua boca e me escutar. Entendo perfeitamente o quanto deve ser complicado confiar em mim, mas a verdade é que se eu quisesse fazer algum mal a você, já teria feito. — O homem arqueou uma sobrancelha como se o gesto confirmasse o que estava dizendo. — Tenho certeza de que maior do que o seu medo é a sua curiosidade sobre a razão de minha presença aqui, ou por que nos encontramos ocasionalmente em seus sonhos — ele disse, piscando para mim.

O homem se afastou um pouco e pude ver melhor seu rosto. Era jovem e bonito, com um visual clássico, na faixa dos trinta anos. Ainda assim, seus olhos fundos e sombrios o deixavam assustador e pouco amistoso.

Por mais estranho que fosse, ele realmente estava dizendo a verdade. Sua vibração era forte, densa e obscura, no entanto, não era ruim; era ambígua e imprecisa. No momento em que ele encostou em mim, perdi o controle sobre a barreira e ela caiu por completo.

Assenti, afinal, o que tinha a perder? Além do que, se gritasse, quem me ouviria? Eu nem sabia se aquilo tudo era real, ele sempre apareceu nos meus sonhos, então este podia ser mais um. Eu não podia saber se tudo aquilo era um pesadelo, mas o medo que senti parecia bem real para mim.

Afastando a mão do meu rosto, ele recuou ainda mais, colocando-se sentado na beira da minha cama. Era estranho o jeito como me olhava, parecia curioso com alguma coisa. Cerrando os olhos e com um tom bastante condescendente, disse:

— Você está mais bonita.

— O que quer comigo? — perguntei com a voz falhando.

Pensei que estava conseguindo disfarçar o medo, no entanto, minha voz não saiu tão segura quanto eu esperava. Olhando atentamente para ele comecei a me acalmar. Alguma coisa naqueles olhos me fazia esquecer os riscos, mesmo com medo eu queria ouvir o que tinha a dizer.

O homem andou até a mesa do computador e se sentou na cadeira em frente à cama, com as pernas abertas e apoiando os braços no encosto. Ele novamente tinha um sorriso torto no rosto.

— Você sorri muito para um cara do lado negro da força. — Eu tentava desfazer o clima tenso e acho que consegui porque o sorriso dele se abriu ainda mais.

— Por que acha que sou do lado negro?

— É meio óbvio. Você está de preto, tem um olhar sinistro e me faz ter sonhos bizarros.

Ele levantou o dedo e moveu a cabeça em sinal negativo.

— Eu não tenho nada a ver com a natureza dos seus sonhos, é você quem os cria. Digamos que eu seja apenas um visitante.

— O que você quer? Não veio até o meu quarto para ficar se fazendo de mocinho, certo? Porque eu sei que você não é. — Eu me sentia um pouco mais segura e falei com a voz firme.

— Você não me conhece, mas com certeza não tenho interesse em ser o mocinho. — Nesse momento, o sorriso desapareceu. — É meio tarde para isso.

Ao falar, sua energia cresceu, e ela era tão densa e cinza como uma nuvem de tempestade. Engoli em seco e me encolhi, fazendo-o rir mais uma vez.

— Mas eu também não sou o vilão. Pelo menos, não agora. Na verdade, há tempos anseio abrir seus olhos. Aqueles que se dizem seus amigos são as pessoas de quem realmente precisa duvidar. Eles vivem mentindo ou escondendo coisas de você porque acreditam ser uma maneira de protegê-la. Elas não compreendem que a mentira nunca foi e nunca será o melhor caminho, que apenas aprisiona a verdade junto com aqueles que a conhecem.

— Mas é você quem aparece nos meus sonhos e do outro lado da rua me atormentando com esse ar sombrio. Por que tudo isso? — Minha voz deixava transparecer a raiva que eu sentia daquele estranho, que não me era tão estranho assim, já que o via sempre nos meus sonhos e, algumas vezes, fora deles. Para piorar, falava mal dos meus amigos.

— Não quero que se assuste. Então, vou passar a falar de você.

Ele se levantou e começou a caminhar em círculos, dando início à narrativa de uma história que eu conhecia muito bem:

— Alany, uma menina linda, nascida em 1995, em Nova York. Por volta de quatro anos de idade, sua mãe a abandonou e a pobre garotinha viveu com seu pai até o dia em que este morreu em um terrível acidente, quando ela tinha quatorze anos. Deixada à própria sorte, foi acolhida por sua avó paterna de nome Eleonor Green.

— Você andou investigando a minha vida, e daí? O que isso tem a ver com toda essa loucura? — Eu estava realmente confusa agora, pois ele sabia coisas sobre a minha vida. Mesmo não sendo segredo para ninguém, saber tudo isso exige uma pequena pesquisa. Eu me pergunto o que poderia tê-lo motivado?

— Tenha calma — ele disse, unindo as mãos sob o queixo.

— Como eu posso ter calma? Você vem me atormentando há tanto tempo e agora aparece no meu quarto, sabe coisas da minha vida e quer que eu tenha calma? Por favor! Esse é, oficialmente, o dia mais estranho da minha vida. Não acha que eu tenho pelo menos o direito de ficar confusa ou, por que não, histérica? — Já estava de pé e bufando sem o mínimo de paciência.

— Se continuar a me interromper ficará cada vez mais distante da verdade. Não sei quando conseguiremos outra chance como esta, talvez nunca mais eu consiga me aproximar tanto de você sem nenhum de seus amigos por perto, principalmente a Carol.

Ele conseguiu minha atenção.

— Ok. Vamos lá, continue. O que a Carol tem a ver com tudo isso?

— Você já viu algumas coisas estranhas, mas não pense que está preparada para o que vem a seguir. Existem segredos na história da sua vida que são tão excêntricos quanto eu, ou quanto ao fato de seu amigo Willian ser alguma coisa, não necessariamente... humana. Você já se perguntou por que tem recorrentes sonhos aterrorizantes desde a morte do seu pai? Ou por que não se lembra de quase nada relacionado à sua mãe?

Um ponto de interrogação enorme surgiu na minha cabeça. Sempre me fiz essas perguntas e nunca cheguei nem perto de ter uma resposta, eu não soube o que dizer. Pude ler em seus olhos: era o que eu pensava.

— Entendo que você tenha milhões de perguntas, mas preciso ser cauteloso. É muita informação, mesmo sabendo que você é forte, eu temo por sua sanidade. — Lá estava ele, sorrindo de novo.

— Tudo bem. Então, vamos começar por uma pergunta bem simples: O que você é? — Decidi arriscar. Se bem que o último a quem fiz o mesmo questionamento, fugiu pela janela.

O sorriso desapareceu e a voz se tornou um pouco impaciente.

— Precisamos falar sobre você agora. Digamos que eu sou o único que sabe quem você é de verdade. — Ele olhou pela janela repentinamente e, em seguida, fechou os olhos, parecia contrariado.

Que inferno, mudou de assunto. Decerto é mais um que não é humano no meu quarto. Aquilo já estava ficando muito esquisito, pensei.

— O que foi? Tem mais alguém lá fora?

— Que infortúnio! Infelizmente, essa conversa precisará ser adiada. Ninguém pode saber que estive aqui. Se você quiser saber a verdade sobre a sua vida, sua origem e o que houve com Twylla, precisa deixar essa conversa entre nós. — O homem, apesar de sinistro, estava sendo sincero. — Se fizer isso, nós nos encontraremos de novo. Mas se alguém souber da minha visita, entenderei que prefere permanecer na ignorância ou continuar com meias verdades, e não haverá nada que eu possa fazer.

— Não, por favor! Não entendo porque apareceu só agora na minha vida, mas não pode ir embora assim. Como sabe o nome da minha mãe?

Por pouco eu não o segurei pela perna para impedir que saísse do meu quarto como o Will, sem me dar as respostas que precisava.

— Infelizmente, nosso tempo se esgotou. Eu gostaria muito de continuar nossa conversa, mas receio que seria muito inconsequente da minha parte. Apareci agora porque você vai precisar de ajuda em breve, e também porque aproveitei um vacilo de Carol. Não se preocupe, logo saberá de tudo.

O cara sinistro se lançou pela janela, tentei acompanhá-lo com os olhos e ele simplesmente sumiu antes de tocar o chão. O único vestígio eram as folhas secas balançando com o vento que ele deixou para trás. Era como um déjà vu. Não dava para acreditar que outra "pessoa" estava saindo, ou fugindo pela minha janela. Não era justo.

A sensação de estar totalmente confusa me dominou de forma física, senti-me um pouco fraca, com falta de ar. Estava empolgada e ao mesmo tempo temerosa, perdida. Nada fazia sentido, a menos que...

É claro! Tudo isso era um sonho como os outros. Era a explicação mais plausível, porque sonhos não precisam de elucidações. Portanto, eu só precisava esperar. Em algum momento eu haveria de acordar. Não era meu primeiro sonho estranho e com sensação profundamente real.

Esperei em silêncio, mas nada aconteceu. Resolvi sair do quarto como geralmente faço nos sonhos. Encontrei minha avó no corredor e me assustei, pois tinha esquecido que ela voltaria de viagem naquele dia.

— Caiu da cama, querida? — Eleonor me questionou com uma cara espantada por me ver de pé em pleno sábado antes das seis da manhã.

— Não, vó. Na verdade, eu ainda estou dormindo e isso é só um sonho. Mas daqui a pouco vou acordar e, com certeza, já será tarde o bastante para tomar café da manhã. E a senhora, chegou agora?

— Acabei de chegar. Eu penso que saberia se fosse um sonho. Para mim, está tudo muito real, exceto por você estar de pé a essa hora. — Sua feição demonstrava achar graça do meu argumento.

Fiquei sentada, fazendo bico com a boca e pensando em como acordar. Claro! Segurar a mão de Eleonor sempre funcionava.

— Vó! — chamei, mas ela havia subido para seu quarto.

Dei um pulo de susto com o barulho estridente do telefone. Deus do céu! Mas, a essa hora! É claro. Em sonhos, tudo de estranho acontece. Fui correndo atender.

— Any, é você? Desculpa ligar a essa hora.

— O que foi, Narinha? Não me diga que aconteceu alguma coisa muito sinistra?

— Any, eu acordei muito assustada. Tive um sonho horrível que envolvia você e alguma coisa me dizia para ligar, tipo, urgente. Eu nem imaginava que você estaria acordada, pensei que sua avó atenderia. Que bom que atendeu, não sei o que eu diria para que ela a acordasse. — Nara parecia assustada.

— Relaxa, Nara, nós ainda estamos dormindo. Ou melhor, ainda estou dormindo e daqui a pouco vou acordar. Mas fala aí, qual foi o sonho?

— Bem, vamos lá, espero me lembrar de tudo. Eu estava com você em uma casa que não conheço. Parecia uma casa de campo, perto de um lago. Quando chegamos, não me pergunte como, pude ver que era uma casa branca com as janelas azuis. Azul, tipo, celeste. Havia muitas árvores em volta e um enorme gramado do lado esquerdo, na direção do lago; esta era a perspectiva de frente da casa. Entramos por uma grande porta de madeira, com abertura dupla, da mesma cor das janelas. Esta era a entrada principal que dava para uma sala ampla e muito aconchegante. Uma mesa de jantar do lado direito e um lindo jogo de sofá no lado oposto. No canto esquerdo da sala, havia uma lareira de pedra adornada por quadros e algumas fotos com pessoas, que não me lembro dos rostos. Quando entrei, fiquei observando tudo por um instante e, então, virei-me e olhei para trás; para minha surpresa, você não estava mais lá. Olhei em volta, sem sair do lugar, e nada. Nos sonhos, nossas reações são diferentes, porque quando eu voltei a olhar para dentro da casa, um homem estava sentado na poltrona de *patchwork*, em frente à lareira. Ele me disse que precisava de um favor. E disse ainda que eu não devia esquecer nada do que tinha visto ali e precisava contar a você assim que acordasse. — Minha amiga tomou fôlego para continuar e não a interrompi para não quebrar sua memória. Logo ela continuou: — Então, ele disse: "Diga para Any que foi tudo real, que não era um sonho e que ela precisa confiar em mim e não contar nada a ninguém"... Any? Any, você está ouvindo?

— Desculpe, Nara! Eu estou sim. Ele disse mais alguma coisa?

— Não, mas quando perguntei por que ele mesmo não podia dizer isso a você, o homem sumiu da cadeira e reapareceu ao meu lado, segurou meu braço com força e sorriu ao me dar outro aviso: "Você vai contar isso apenas para Alany e jamais contará a outra pessoa, fui claro?" Lembro-me de ter concordado com um movimento de cabeça. Imediatamente, acordei suada e com uma dor no braço. O mais esquisito é que tem marcas de dedos exatamente no local onde ele me segurou. Ai amiga, estou com um pouco de medo. Nunca tive sonhos assim, foi muito bizarro.

— Como era esse homem? Você consegue se lembrar de mais alguma coisa? — Perguntei já imaginando qual seria a resposta. — Qual roupa ele usava?

—Talvez eu me lembre de algo mais, só me deixa pensar... — Três segundos depois, ela disse: — Cabelo escuro e espetado para cima, pele branca, olhos negros. Estava vestindo um sobretudo preto com um colete antiquado por baixo. Ah! E ele tinha um sorriso estranho.

Meu coração estava congelado durante a descrição do sonho e, quando ouvi aquelas características do tal cara, não tive dúvida.

— Fica calma, está tudo bem. Não sei o que dizer sobre esse sonho, apenas que a descrição é de alguém que conheci hoje, ou ontem. Bem, ele estava lá no bar e esteve aqui em casa. Só fique calma e não comente sobre isso com mais ninguém. Daqui pouco eu ligo de volta. Preciso pensar melhor sobre tudo isso. A teoria do sonho era segura e agora estou duvidando disso também. Mas está tudo bem amiga, depois eu ligo.

Capítulo 8

Como era possível? Como Nara poderia descrever nossa casa de campo sem nunca ter ido até lá? Entrei no chuveiro e deixei a água fria cair sobre a minha cabeça. Comecei a duvidar que estivesse sonhando: e se tudo fosse mesmo real? Será que estava enlouquecendo?

Deixei meu corpo cair sobre a cama. Tive vontade de ligar para Carol, sempre que estava assustada eu recorria a ela, só que daquela vez eu não podia.

Liguei para Nara. Se alguém sabia de mais alguma coisa, algum detalhe que pudesse ao menos abrir caminho para alguma direção, esse alguém era ela, já que estava dentro do bar no fatídico dia daquela briga bizarra.

— Nara, você precisa me contar o que aconteceu naquele bar. O máximo que puder lembrar — pedi, sem rodeios. — Pode ter alguma relação com esse sonho, tente lembrar.

— Na verdade, eu não me lembro de muita coisa. Só daquele cara, o tal Van, que tentou me puxar para o lado dele, mas a Carol não deixou. Também lembro que uma briga tinha começado no fundo do bar, então, abaixei a cabeça porque algumas coisas estavam voando. Depois, só me lembro de ver o Will me segurando e, logo em seguida, saí do bar com a Carol e a Alamanda. Acho que tomei uma pancada porque fiquei um pouco desorientada. Minha lembrança é embaçada e em *flashes*, eu não sei bem a sequência dos acontecimentos.

— Que droga! Então, você não viu nem ouviu nada de anormal?

— Não que eu me lembre. Por quê?

— Porque do lado de fora eu ouvi uns sons estranhos, como se tivesse um animal lá dentro.

— Aff! Eu não vi nenhum animal, como disse, devo ter levado uma pancada. Não consigo lembrar direito de quase nada.

— Tudo bem, amiga. Obrigada!

Tomei café da manhã e fiquei de bate-papo com Eleonor. Queria sair pela rua e fazer coisas malucas, dessas que a gente só faz em sonho, mas no fundo, sabia que não estava sonhando, só queria estar.

Liguei para o Will várias vezes e só caía na caixa postal. Eu estava preocupada com ele depois de ter saído pela janela, supostamente procurando alguém do lado de fora.

— Will, é a Any — avisei. — Quero saber se você está bem. Liga para mim, por favor!

Andei de um lado para o outro dentro do meu quarto e até me belisquei algumas vezes. Ok! Não foi um sonho, então, eu não podia ficar parada. Mas o que fazer agora? Não sabia por onde começar, ainda tinha tantas perguntas. Minha cabeça girava, minha vida tinha tomado um rumo bizarro nas últimas horas e eu não sabia o que fazer.

Desci para a sala e fiquei sentada no sofá, com o olhar perdido por tempo demais para ser normal. Minha avó percebeu que algo não estava bem e me fez um chá que, além de me acalmar, fez com que eu apagasse por algumas horas. Não sabia de onde ela tirava aqueles chás, ela tinha uma receita especial para qualquer situação.

Quando acordei, sentia-me mais relaxada, apesar de ter adormecido no sofá da sala e estar um pouco dolorida. O sol que entrava pela janela me deixou suada. Tomei outro banho, quente desta vez. Aproveitei para pensar nas possíveis alternativas para determinar o que era real e o que poderia ser fantasia. Comecei a sentir medo, um medo irracional de não conseguir distinguir a realidade do sonho. Medo esse que não era novidade para mim, há algum tempo não sentia. Quando criança, toda vez que estava em dúvida, meu pai segurava a minha mão bem forte e eu conseguia perceber que era real, e se o toque era real então não estava dentro de um sonho.

Ao sair do banheiro enrolada em uma toalha e com outra na mão secando o cabelo, quase tive um ataque do coração. Nunca imaginei me deparar, àquela hora, com o homem desagradável novamente. Desta vez, ele estava deitado na minha cama, olhando com um sorriso debochado no rosto.

— Ai meu Deus! O que você está fazendo aqui? Será que é pedir muito ser avisada quando quiser falar comigo? Sabe, tipo... ligar ou apertar a campainha.

O fato de ele estar no meu quarto novamente só confirmava que tudo que aconteceu foi real. Sentei na beirada da minha cama, arrasada, cansada de tentar achar uma explicação racional para tudo aquilo. O medo começava a sumir, era melhor enfrentar aquela realidade bizarra do que ficar perdida dentro de um sonho maluco.

— Infelizmente, não temos tempo para isso. Você está pronta? — perguntou ele, apressado. Depois, deu uma boa analisada no meu visual, que se limitava a uma toalha rosa enrolada no corpo. — Parece que não, mas quem sou eu para discutir moda. Vamos dar um passeio e tem que ser rápido.

— Como assim, dar um passeio? — indaguei.

— Sei que você deve estar cheia de perguntas e hoje estou com muita paciência, então... — Apontando para si mesmo, continuou: — Não desperdice seu tempo. Vai por mim, aproveite ao máximo. Precisamos fazer isso logo, antes que Carol volte. Ela está longe agora, recuperando-se da briga em que se meteu. — Com a mão erguida, ele me impediu de fazer a inevitável pergunta. — É, eu sei. Você deseja saber o que sua preciosa amiga tem a ver com tudo isso e por que ela não pode saber que estou aqui e blá blá blá. O que posso dizer agora é que o tempo não está a nosso favor. Então, por favor, apresse-se! Quanto antes sairmos, mais respostas você terá.

— Como você sabe que ela está se recuperando? Quem é você? Eu não vou a lugar algum com um completo estranho — falei um pouco mais alto que o normal.

No mínimo, irritada com a passividade dele. Afinal, tudo o que eu conhecia como meu mundo tinha se quebrado completamente e era muito provável que não se recomporia nunca mais.

— Você está nervosa e isso é perfeitamente compreensível na sua situação. Apenas preciso que coloque uma roupa mais apropriada. — A passividade permanecia, o que me deixava ainda mais arreliada.

— Você é mais louco do que eu imaginei se pensa que vou sair com você por aquela porta!

— Podemos sair pela janela. Para mim, não será problema — ironizou.

Diante da minha expressão, que provavelmente mostrava que não estava disposta a acompanhá-lo, ele se transformou em uma pessoa sombria novamente e veio em minha direção com um ar sério, pesado.

— Tem todo direito de permanecer nas sombras e continuar sem saber a verdade sobre você e o mundo oculto. — Encarou-me e disse com uma voz grave e tom circunspecto. — Acredite, eu não a julgaria se escolhesse isso. Mas não acredito que depois de tudo que viu, consiga se afastar e continuar a viver na ignorância. Se quiser saber mais, precisa vir comigo. Se decidir ficar, prometo desaparecer. Atenderei sua vontade, mesmo achando que isso não é o mais inteligente a fazer. A escolha é sua, Alany. — O homem não tinha mais o sorriso torto e debochado, seu tom de voz conseguiu demonstrar a seriedade do assunto.

— Eu quero saber mais, só que não sei se acredito em você. Você não me parece uma pessoa muito confiável, nem sei seu nome. — Apesar de me sentir boba depois do que disse, era a verdade; não sabia nada sobre ele.

— Meu nome é totalmente irrelevante no momento. O fato é que eu tenho exatamente cinco minutos para sair daqui antes que sua amiga Nara chegue. — Vendo meu olhar perdido na sua última frase, ele esclareceu: — Ela não pode me encontrar. Você sabe que apareci nos sonhos dela e, se me vir aqui, será difícil explicar, não acha? Eu teria que matá-la, já que não posso hipnotizá-la como o seu amigo Willian fez.

— Como assim, matá-la? Não está falando sério, né? — Normalmente, as pessoas brincam ao usar tal expressão. No caso dele, realmente tive dúvida.

Seu rosto se tornou tão sombrio que senti meu corpo se arrepiar dos pés à cabeça. Não podia deixar que ele fizesse mal a minha amiga, além do que, se quisesse me fazer mal, já teria feito. Não dava para negar esse fato. E eu precisava desesperadamente de respostas.

Peguei uma blusa preta, calça *jeans* e fui ao banheiro para me vestir. Na verdade, foi primeira roupa que encontrei, e fui ao banheiro me vestir.

— Para onde vamos? — perguntei ao voltar para o quarto, já vestida.

Quando íamos passando pela porta, segurei-o pelo braço e pude sentir o peso de seu olhar desconfiado. Com certeza, ele não estava acostumado ou não gostava muito que o tocassem. Senti uma espécie de choque e o soltei na mesma hora.

— Vai mesmo sair pela porta da frente? Por que não fez isso quando chegou? — provoquei.

— Está com medo de que os vizinhos vejam um homem saindo da sua casa? — ele perguntou com ar de escárnio.

— Não — respondi, devolvendo o sorriso. — Estou com medo de que eles vejam você saindo da minha casa.

Assim que entrei e fechei a porta do carro preto, que estava estacionado na rua ao lado de casa, ele arrancou, atingindo uma velocidade acima do permitido em segundos.

— Hei, vá mais devagar! Está querendo nos matar? — Eu estava grudada no banco, sequer conseguia desencostar a cabeça para olhar o velocímetro.

— Você não precisa ter medo. Eu não pretendo nos machucar. Pode relaxar. — Ele virou a cabeça em minha direção ao falar.

— Tudo bem, eu acredito. Mas, por favor, olhe para frente. — Estava apreensiva demais para conversar. Devíamos estar a uns duzentos quilômetros por hora, quando falei: — Já passei por um acidente uma vez, não gostaria de passar por outro.

Sem dizer nada, ele reduziu a velocidade.

— Ok. Vamos ao que interessa. Primeiro, é totalmente relevante e necessário que você saiba a verdade sobre a sua existência. E isso inclui saber que todos à sua volta mentem há anos sobre tudo o que cerca sua vida. Se não acreditar nisso será difícil compreender e aceitar o que tenho para contar.

— Tudo bem. — Assenti. — Mas, antes, me responde uma coisa. Você teria mesmo coragem de matar a Nara? — Não sei por que pensei naquilo, provavelmente pela sensação de quase morte ao estar em um carro em altíssima velocidade.

Ele apenas sorriu.

Meu olhar era desconfiado, afinal, por que eu acreditaria em alguém que tinha acabado de conhecer e dizia que tudo que eu sabia sobre o mundo e a respeito de minha própria vida era uma grande mentira?

O carro parou e eu não conseguia dizer o quanto estava distante de casa. A velocidade que ele atingiu me fez perder completamente o senso de localização.

Se é que esse termo existe.

Descemos do carro e vi que estávamos em frente a uma espécie de cafeteria. A rua era totalmente desconhecida para mim, com certeza nunca tinha estado naquele bairro. Assim como nunca havia passado pela estrada que pegamos para chegar até ali, ela cruzava lugares estranhos, bairros que pareciam desabitados. Era tudo novo para mim.

O Café era muito arrumadinho e elegante. Uma parede de vidro entre molduras de madeira formava a fachada. Além da entrada, havia um pequeno balcão à esquerda e um corredor largo e curto. Ao final deste corredor o que vi foi impressionante: uma estante enorme, repleta de livros, que circulava quase toda a parede do Café. Era maior do que qualquer outra que já conheci.

Pude ver, da mesa à qual nos sentamos, que bem no fundo do salão tinha um pequeno palco com um piano, posicionado na direção de um balcão rústico que não combinava muito com o resto do ambiente. O lugar todo parecia ter sido construído em volta daquele bar, que mais parecia um bar de cabaré, era escuro e de madeira velha.

Não pude tomar café da manhã, estava com fome. Pedi um lanche e me preparei para ouvir as grandes revelações que aquele sujeito prometia fazer e que, com certeza, me fariam enxergar o mundo de uma forma bem diferente.

Naquele momento eu estava com uma sensação boa, por mais estranho que estivesse sendo o dia, estava tomada por uma enorme ansiedade e qualquer sensação de medo era remota. O lanche chegou quase na mesma hora em que eu pedi. Isso, sim, era agilidade no atendimento. Ao mesmo tempo em que iniciei as mordidas, não pude esperar mais, disparei a primeira de muitas perguntas:

— Qual é o seu nome, afinal?

— Desculpe-me, acho que não fomos devidamente apresentados. Temos tempo para isso agora. — Ele estendeu a mão para me cumprimentar. — Antoni Savalas, muito prazer!

— Antoni? — Desta vez fui eu quem sorriu. — Nossa! Eu imaginava um nome diferente, acho que mais sinistro. Antoni é tão... Sei lá! Tão bonzinho.

Ele cerrou os olhos e, dessa vez, não sorriu.

— Não tem nada de errado com o meu nome.

— Claro que não, Antoni. Agora você já pode começar — falei, enquanto comia. Acho até que o fiz de boca cheia.

— Eu estou ponderando por onde começar. Preciso encontrar a ponta certa para desenrolar a história de forma que você não se assuste e saia correndo, com claros sinais de histeria. Para começar, só estamos aqui porque Carol se descuidou e a deixou sob a vigilância do Willian. — Antoni franziu o nariz. Sua careta demonstrava certa indiferença. — Ele é um ser fácil demais de enganar. Sua amiga é, na verdade, uma espécie de protetora. Ninguém chegará perto de você se ela não quiser. É poderosa e consegue sentir qualquer presença indesejada. Por isso eu nunca consegui chegar tão perto, e olha que estou tentando há alguns anos. — Nesse momento ele me olhou de uma forma diferente, parecia uma espécie de ternura. O que era bem estranho.

— Eu comecei a arriscar algumas formas de contato, porque você está chegando à maturidade e isso vai deixá-la cada dia mais forte, também mais confusa. Eu vi o quanto luta para se ajustar em um mundo ao qual não pertence. Não é justo, você precisa saber o quanto a sua vida é, no mínimo, relevante para o equilíbrio deste mundo.

— Antoni, eu posso ser só uma menina, mas sou crescida o suficiente para entender que toda forma de vida é relevante e não me iludo com as expectativas da idade. Toda garota deseja se encontrar e se tornar parte de algo legal, importante. Sei que isso não é exclusividade minha. Então, não me trate como uma menininha carente ou pior, como uma adolescente mimada. — Ele tentou me interromper, mas eu não permiti. — Passei a vida toda acuada, sofrendo com perdas de pessoas importantes na minha vida. Se estou aqui com você não é por curiosidade ou porque gostei dos seus olhos, eu o acompanhei porque, no fundo, sempre acreditei que há muito mais no mundo do que aquilo que podemos ver. E eu preciso saber a verdade.

Antoni apenas me observava, sério. Fui ficando envergonhada, talvez até um pouco nervosa, e quando isso acontecia, disparava a falar como uma maluca.

— Meu pai sempre me dizia que a verdade e as respostas estavam dentro de mim, mas que eu deveria esperar para encontrá-las quando estivesse pronta. Ele também falava para que não tivesse pressa, que o momento certo chegaria e que, então, estaria ao meu lado. Depois que meu pai se foi, nunca mais quis encontrar essas respostas porque ele não estaria comigo e eu, certamente, não saberia o que fazer. — Nunca era fácil lembrar de meu pai. Meus olhos já começavam a arder, mas eu precisava me controlar. — Por muito tempo, fui a maluca da escola ou do bairro, a menina que via ou a menina que pensa ver coisas. Nem sei o que era pior, só sei que não quero mais ser essa pessoa.

— Eu sinto muito! Tenho certeza de que ele foi um ótimo pai. Por isso estou aqui, para ajudar com essas respostas. Garanto que o título de maluco será meu depois que eu começar. Realmente queria que fosse diferente, que você descobrisse tudo aos poucos, seria menos traumático. Porém, o tempo não está a nosso favor.

Antoni tinha uma expressão de quem parecia confuso e não conseguia encontrar as palavras certas. Continuei olhando para ele com olhos curiosos, à espera de respostas. Era incrível, mas o cara sinistro parecia tão gentil em alguns momentos. Como se houvesse uma briga dentro dele, eu quase podia ver o anjinho e o diabinho se estapeando dentro de sua cabeça. Sorri um pouco com o pensamento e ele retribuiu sem saber o motivo. Com certeza, era a primeira vez que via em seu rosto um sorriso sincero, sem arrogância ou ironia.

— Alany? — Ouvi alguém me chamar. Aquela voz era muito familiar, impossível não reconhecer.

Seria mesmo possível tal coincidência? Eu jamais imaginaria encontrá-lo naquele fim de mundo, mal dava para acreditar.

Olhei na direção da voz.

— Santiago! — Fiquei parada, sem saber o que dizer.

— Você por aqui. Tudo bem, Alany? — perguntou ele, casualmente.

Nossa! Quase me esqueci de como era lindo aquele sorriso.

— Desculpe interromper! — disse Antoni.

San olhou para ele de modo estranho. Com raiva, eu diria. Será que se conheciam?

— Não está interrompendo nada — respondi.

Ele parecia nem ter ouvido o que eu tinha acabado de dizer, seu olhar estava fixo em Santiago, como se já o conhecesse. O clima ficou pesado, pensei que os dois fossem brigar a qualquer momento. Percebi que eram mesmo conhecidos e que, pelo jeito, não se davam bem.

— Estive naquele bar outro dia e não o vi. Você não canta mais lá? — perguntei a primeira coisa que me veio à cabeça para tentar aliviar a tensão do momento entre os dois, mas me arrependi na mesma hora. Que droga!

Minha vontade era dizer: eu o procurei por quase toda cidade. Por que você sumiu daquele jeito depois de ser tão gentil e me fazer acreditar que estava rolando alguma coisa legal entre a gente?

Ah, meu Deus! E se ele puder ouvir meus pensamentos, igual ao Will? Foram segundos de angústia, mas pelo seu semblante surpreso, concluí que ele não estava na minha cabeça. Caso contrário, já estaria rindo da minha cara. Sim, eu estava ficando paranoica, mas àquela altura, nada mais seria impossível.

— Você voltou mesmo naquele bar? — perguntou Santiago.

— Voltei com uma amiga e me disseram que você não cantava mais lá — respondi, sorrindo, tentando passar naturalidade.

O olhar dele agora parecia indeciso, no entanto, sereno.

— No dia em que você foi embora, pensei que não a veria de novo... — ele tentou finalizar a frase, mas apressei-me em interromper:

— Eu tive uma emergência e precisei sair bem rápido. Você estava no meio de uma música, não dava para falar com você, era urgente. Eu não podia esperar. — Percebi que estava falando rápido demais e sorrindo exageradamente, o que me deixou constrangida, já que ele não retribuía meu entusiasmo ao esclarecer o episódio daquele dia fatídico.

— É! Eu soube de sua emergência — respondeu, simplesmente.

Santiago voltou a olhar para o Antoni como se fossem inimigos. Então, foi Antoni quem quebrou o clima tenso ao dizer, arqueando as sobrancelhas:

— Santiago é o seu nome, não é? Se não se importar, estamos em meio a uma conversa muito importante. — Nas entrelinhas, era como se dissesse: você está nos atrapalhando.

— Bem, tenho mesmo de trabalhar — disse San, saindo de perto da mesa, carregando um violão a tiracolo. — Bom rever você, Any.

Santiago entendeu perfeitamente a mensagem do Antoni e, olhando-me meio sem graça, ele se afastou. Não pude desviar o olhar até que ele chegasse perto do piano, nos fundos do bar. Quando se virou, desviei o mais rápido que pude. Olhando de soslaio, constatei que San ainda ele olhava em nossa direção, mas seu alvo não era eu. Ele fuzilava Antoni com um olhar audacioso.

Percebendo meu nervosismo após o reencontro inesperado, o meu novo amigo sinistro, agora mal-humorado, não deixou passar a situação em branco.

— Você pretende continuar nossa conversa ou prefere ouvir uma musiquinha? — A frase estava impregnada de escárnio. Ele parecia ainda mais sinistro do que antes. Não pude evitar e senti a sua energia, que estava mais pesada e escura.

— Qual é o seu problema com ele? — perguntei.

— Lembra-se de quando eu disse que estava paciente hoje? — perguntou. — Adivinhe? A paciência acabou.

— Não, por favor! Precisa continuar. Se você quiser, podemos sair daqui e ir a outro lugar, mas quero muito que continue. — Meu tom era quase desesperado.

— Apesar de ser mal frequentado, este é o único lugar seguro no momento. Não temos outra opção.

Capítulo 9

— Seguro? — Olhei em volta com incredulidade.

— Você não entenderia, não ainda. O mundo que você conhece é uma mentira. Existem várias formas de vida, além dos prepotentes seres humanos.

Estava ouvindo, mas achava que não gostaria do que viria a seguir. Respirei fundo e fiz um sinal com a mão, indicando que continuasse.

— É agora que fica estranho. As figuras que você só viu em filmes, quase sempre são baseadas em personagens reais. Isso inclui: vampiros, bruxas, feiticeiras, elementais, fadas, licantropos, metamorfos e tantos outros. Eu sei que parece loucura. Contudo, é importante que se apresse a compreender e acreditar. — Antoni me observava fixamente, parecia atento a qualquer mínima reação. Diante da minha neutralidade, ele relaxou. Pegou um chiclete do bolso e colocou na boca. Mexeu a cabeça e esticou as costas, talvez para aliviar a tensão antes de continuar. — Coisas estranhas estão acontecendo pelo mundo e elas afetarão a todos, não importa a espécie. Você foi criada a vida toda como humana, e por isso, vai achar tudo surreal.

Antoni parou de falar ao perceber um sorriso se formando em meu rosto. Quase tive uma crise de riso bem ali na sua frente. Ele me olhou com raiva ao notar que eu segurava uma gargalhada. Na verdade, seu tom mudara completamente desde que Santiago apareceu. Tornou-se frio e sério, e minha reação só piorou as coisas. Em seus olhos eu só conseguia enxergar escuridão, toda aquela compaixão que demonstrava há alguns minutos, tinha desaparecido. Não pude deixar de pensar que o diabinho havia vencido a batalha.

Antoni passou a mão no cabelo e se ajeitou na cadeira. Mascou o chiclete por alguns segundos e respirou fundo.

— Você ainda não acredita, não é? — Aquele sorriso malicioso e torto estava de volta.

— Como pode insinuar que eu não seja humana? Desculpe, mas percebe o quanto isso não faz o menor sentido? — perguntei.

Eu sempre gostei de mitologia, fábulas e até histórias de dragões, mas estar dentro de uma delas e ainda fazer parte do elenco, já era demais.

Mesmo curiosa, eu não conseguia mais me concentrar na conversa. San e a nova abordagem de Antoni me tiraram totalmente o foco, precisaria de muita paciência. Mas ele era muito esperto e tentou chamar minha atenção de forma muito eficiente, como se apertasse uma ferida que pensei estar cicatrizada.

— Sim, eu percebo. É exatamente essa a verdade. Você não é humana assim como sua mãe também não é. Ela é uma Elemental, o que faz de você... — Ele fez uma pausa dramática e, claro, sorriu. — Um ser do mundo oculto, assim como eu.

— O que é um Elemental? — perguntei, deixando o sorriso de lado. A curiosidade foi mais forte.

— Elementais são seres protetores da natureza e do equilíbrio das energias do mundo, seja ele qual for. Esses seres têm uma conexão única com os elementos da natureza, geralmente podem se comunicar com alguns deles. Você é uma híbrida, porque é filha de uma celsu com um humano. Por isso, não sei a extensão dessa conexão em você. Híbridos são extremamente raros, por várias razões. Uma delas, talvez a mais importante, é que os celsus são proibidos, total e incondicionalmente, de se revelar a um humano, o que inclui se relacionar com humanos. — Ele fez uma pausa e pediu uma água, voltando a falar em seguida, como se contasse a história de um filme. — É claro que existem humanos que conhecem a existência desses seres, mas apenas porque estiveram envolvidos em episódios onde viram ou ouviram demais. Enfim, sempre que o Ministério descobre que um humano conhece o nosso mundo, é aberta uma investigação para desvendar como isso aconteceu. Na maioria das vezes, o humano em questão desaparece, em outras é exposto a um tratamento para esquecer o que viu.

— Saquei! — respondi sem nenhuma convicção.

— Você ouviu mesmo tudo que eu disse até agora?

— Ouvi. Por isso eu digo que não faz sentido nenhum. Eu não tenho nada de diferente e minha mãe sempre foi uma pessoa normal. Como ela desapareceu e o meu pai está morto, não posso perguntar para eles, então você se senta aí e me diz um monte de absurdos e espera que eu acredite? Não é simples assim. Sinto muito.

Antoni me observou, sem esboçar reação alguma além de mascar seu chiclete; sem sorriso ou olhar de raiva. Apenas o silêncio. Então, ele se curvou, apoiou os braços sobre a mesa e continuou:

— Acabei de dizer que um Elemental é responsável pelo equilíbrio e a ordem dos elementos naturais e pelas energias do mundo. Você acha normal sentir ou ver coisas que outras pessoas não conseguem ver, sombras, cores ou sei lá o que mais você vê?

Encolhi-me como se estivesse sendo despida no meio da rua. Ele sabia mais do que eu pensava, mas isso ainda não provava nada.

— Como você sabe disso? — perguntei, envergonhada.

— Isso não é importante agora. Por onde anda aquele sorrisinho? — alfinetou. — Não adianta se enganar, Alany. No fundo, você compreende que essa conexão existe, e tenho certeza de que não é o único tipo de afinidade com a natureza que você é capaz de ter.

Acho que sua intenção era me dar um tempo para absorver o que disse, por isso ficou, novamente, em silêncio. Com os olhos colados em mim.

Apesar de fazer algum sentido o que dizia, não dava para simplesmente aceitar que eu era um ser sobrenatural. Isso era insano. Ah vá!

Respirei fundo. Eu não era nada daquilo, era apenas uma garota tonta buscando resposta para o que não existe, pensei.

— Desculpe, Antoni! Isso é muita loucura para mim. Eu sei que algumas pessoas têm habilidades diferentes, uns são médiuns, outros, gênios. Não é incomum que alguns seres humanos sejam um pouco diferentes dos demais. Pensei que você me ajudaria a entender os mistérios dos últimos dias, mas agora não sei mais o que pensar.

— Tudo bem! Não pensei mesmo que entenderia tudo como se já fizesse parte da sua realidade. — Embora decepcionado, ele continuou. — Acho que já esperava por essa reação. Eu te conheço há muito tempo e venho tentando me comunicar com você de várias maneiras...

— Por que você me assombra e me persegue? — eu o interrompi. — E como pode me dizer isso assim, como se fosse uma coisa normal e nada perturbadora?

— Exatamente pelo que acabei de lhe contar, nada é o que parece. Carol a cerca por todos os lados, este é o único momento em que ela não está, ou que está longe o bastante. A comunicação por meio de sonhos é difícil, eles são sempre muito subjetivos. O sonho é uma ilusão criada pelo seu subconsciente, quem entra nessa ilusão pode acabar se perdendo.

Arqueando as costas e bebendo de sua água, ele fez uma pausa. Buscando paciência, talvez. Quando continuou, seu tom era mais tranquilo:

— Você, particularmente, tem os sonhos mais estranhos que já vi. Venho me arriscando nessa comunicação para marcar presença na sua vida, para que quando eu aparecesse, não fosse um completo estranho para você. Eu esperava conseguir abordá-la nesses sonhos, mas, mesmo que eu chegasse a isso, duvido que passaria de um pesadelo quando acordasse.

Ele tinha razão, não passaria de um sonho estranho.

— Não consigo entender porque você coloca Carol nessa posição de cão de guarda. Você entende que isso também não faz sentido para mim, não é? Ela é minha melhor amiga.

— Carol não está na sua vida por acaso, como acredita. Ela foi designada para cuidar de você e vigiá-la. — O homem adquiriu uma postura mais relaxada, recostado à cadeira. — Por causa daquela briga no bar, ela precisou ir atrás do infeliz que deu início ao entrave. Pelo que ouvi, trata-se de um metamorfo perigoso, que não desiste de um objetivo; um rastreador. E, se ele queria um de vocês, certamente, mais cedo ou mais tarde, encontraria o caminho. Pela reação de Carol, eu só posso pensar que ele queria você.

Em meio a tudo que ele acabara de me dizer, uma palavra gritava na minha cabeça, pela segunda vez, quase me fazendo ignorar todo o resto. Que diabos era um metamorfo? Será que era mesmo o que tinha visto em um filme?

— Defina metamorfo — pedi.

— São seres com a habilidade da transformação. São capazes de assumir a forma de um animal. Eu diria até que, hoje em dia, é uma espécie em extinção; há muito tempo não se ouvia falar de um deles por aqui. Eu mesmo nunca pensei que haveria algum tão perto, no meio da cidade. Posso garantir que para ele se mostrar daquela forma, queria algo muito importante, ao menos para ele.

— Se eu acreditar em tudo isso, o que ainda não fiz, poderia pensar que vieram dele aqueles urros guturais. Tinha um cara no bar com um jeito esquisito, mas não era a mim que ele queria e, sim, Nara. Pensei que ele estivesse apenas flertando, mas depois a Carol me disse que ele tentou levá-la embora.

Um milhão de coisas passavam pela minha cabeça. Há um mês eu diria que Antoni era louco e sairia dali correndo, mas hoje, depois da briga no bar, da conversa com Will e dos sonhos bizarros era diferente, eu sabia que existia alguma coisa escondida sob uma espécie de véu que ocultava a verdade do mundo, mas acreditar em tudo o que estava ouvindo me parecia meio insano.

— Minha cabeça está rodando. Eu preciso ir para casa, minha avó está lá e eu não posso deixá-la sozinha. — Lembrei-me de um fato importante e precisava tirar a limpo. — Por falar nisso, você esteve na minha casa há alguns dias e mexeu nos aparelhos de telefone? — perguntei, acreditando saber a resposta.

— Receio decepcioná-la. A primeira vez que estive dentro de sua casa foi ontem. Antes disso, visitei apenas os seus sonhos — disse com malícia, piscando de forma que me fez revirar os olhos.

Pela expressão em seu rosto e a consistência da sua energia, eu sabia que Antoni não estava mentindo. Quando alguém agia ou dizia coisas contrárias à verdade que conhecia, sua energia sofria uma espécie de alteração, como uma rachadura, além da mudança de cor. Era algo muito peculiar e fácil de identificar.

Que droga! Se não tinha sido ele, eu precisava voltar rápido para casa.

— Eu preciso descobrir o que aconteceu na minha casa! Estava certa de que tinha sido você, mas agora acho que a pessoa pode voltar. Pode, inclusive, estar lá em casa enquanto conversamos. Eu realmente não posso mais ficar aqui. — Meu tom expressou meu desespero. Parecia que eu tinha fechado o livro de ficção que estava lendo e acabava de retornar à realidade.

— Any, eu realmente não sei quem esteve em sua casa, mas vou tentar descobrir. Entendo que precise ir, porém, devo avisar que não sei se conseguiremos nos encontrar de novo. Carol já deve ter voltado e, com certeza, já deve estar à sua procura. Se ela desconfiar de alguma coisa, nunca mais sairá do seu encalço. — Ele parecia preocupado.

— Essa é mais uma parte absurda de toda essa história. Você tem medo da Carol?

— Carol é muito forte e treinada para esse tipo de trabalho. Não se pode brincar com ela ou subestimá-la. Eu não tenho medo, só não quero que ela saiba sobre minha proximidade. Ninguém pode saber que eu conheço você e que temos algum tipo de contato.

Eu estava confusa, mas precisava ouvir tudo, ainda que fossem absurdos, devaneios de um homem criativo e, talvez, maluco. Antoni não estava mentindo, eu saberia se estivesse. O que indicava sua certeza em toda aquela insanidade, isso explicaria tudo. Ele passaria fácil por um detector de mentiras.

Agora ele parecia calmo como se tivéssemos a vida toda para aquela conversa. Observava-me de maneira diferente, não tinha mais tanta pressa e estava satisfeito com alguma coisa, talvez pensasse que eu estava acreditando em tudo aquilo.

— Porque está me olhando assim? — questionei.

— Só estou esperando a sua próxima pergunta, é mais fácil assim. — Então, meneou a cabeça, incentivando-me a continuar, mas as questões eram tantas que eu não conseguia definir uma prioridade.

Meus pensamentos foram interrompidos por uma música maravilhosa. Ainda mais linda que a música, era a voz de quem a cantava. Antoni percebeu meu entusiasmo e pareceu incomodado.

— Desculpe-me, é que sempre fico um pouco boba quando o escuto cantar. Ele é muito bom, você não acha? — indaguei, sem saber que o irritaria.

— Já ouvi melhores. De onde vocês se conhecem?

— Eu o conheci em um bar. Quando o ouvi cantar fiquei meio hipnotizada, achei a voz dele incrível.

Eu comentava despretensiosamente, mas pela mudança no semblante de Antoni, percebi que falei alguma coisa errada. Antes que ele pudesse me dar uma resposta mal-educada, senti meu celular tocar. Olhei e vi o nome Carol no visor, ele também viu quem me ligava e logo me incentivou a atender.

— Atenda e diga que veio ver o seu amigo cantar. Avise que ela não precisa se preocupar. — O homem parecia preocupado quando finalizou: — Precisa ser muito convincente.

Foi o que fiz, mas senti que ela não se satisfez com as minhas palavras, então precisei colocar o celular na função viva voz para que ouvisse a música. Desconversei quando me perguntou onde eu estava e encerrei a ligação dizendo que logo iria embora.

— Se Carol é o problema e ela não sabe onde estou agora, isso quer dizer que podemos marcar aqui outro dia. Dou um jeito de despistá-la... — Fui interrompida por uma risada arrogante.

— Se acha mesmo que consegue despistar Carol, você é mais inocente do que eu imaginava. Sua amiga é esperta demais. Ela a manteve sob os seus "cuidados" até hoje. Como eu disse, com certeza, ela agora está alucinada atrás de você, ou acha que ela aceitou tranquilamente não saber onde você está? — Seu rosto mudou, de novo, ele não parecia mais irritado. Apenas me aconselhou: — Preste atenção! Não subestime Carol, ela é perigosa.

— Mas posso enganá-la se estiver comigo, posso reverter a situação. Serei eu quem estará de vigia desta vez. Ela nem imagina que eu sei de tudo isso. Primeiro, vou acabar com qualquer desconfiança, eu tenho o elemento surpresa a meu favor. Quando sentir que ela está confiante, eu dou fuga.

— Sou a favor de experiências. O problema é que se ela a seguir, tudo estará perdido. Precisamos nos prevenir, Alany.

— Eu confiei em você, agora é a sua vez, Antoni.

— Tudo bem, faremos assim então. Se conseguir despistá-la, você vai chegar aqui e se sentar em qualquer mesa sem olhar para os lados. Quando eu tiver certeza de que não há com o que se preocupar, eu me aproximo de você. Se eu não aparecer, saberá que Carol a seguiu. Então, vai ter que improvisar. Vou fazer um mapa para você conseguir chegar aqui, mas lembre-se: se conseguir chegar até essa rua, aqui... — Ele apontou para uma rua larga que acabava de desenhar em um guardanapo — Sem que ela te siga, então ela não vai mais conseguir encontrá-la. Esse é o limite da zona neutra.

— Zona o quê?

— Depois eu explico. Agora se atenha ao mapa.

— Ok, sem problemas. Caso ela me siga, verá o San e pensará que eu estava falando a verdade o tempo todo; se ele estiver por aqui é claro. E se ele não estiver eu pergunto por ele para alguém, o que com certeza ela também verá. É perfeito — disse, animada. Mais uma vez, estava me aventurando em algo que precisava esconder da minha amiga. O pior era que eu gostava disso, mesmo sabendo que no fundo eu ainda tinha esperança de que Carol me contasse toda verdade, afinal de contas, ela sempre foi minha amiga, ao contrário desse maluco na minha frente.

Levantei os olhos e alcancei os de Antoni, foi quando percebi seu desconforto. Ele era misterioso e tinha um ar de superioridade estampado nos olhos, mas naquele instante, parecia intimidado com alguma coisa ou com alguém. Imediatamente me veio uma pessoa à mente. Virei-me um pouco para confirmar minhas suspeitas e, bingo! Deparei-me com Santiago olhando para a mesa onde estávamos; acho que o termo mais adequado seria encarando.

Ele estava cantando, o que normalmente me deixaria um pouco enternecida, mas não dessa vez. A música saía de sua boca sem qualquer emoção. A voz ainda era linda, mas a interpretação era medíocre e sem vida. Mesmo eu, senti-me intimidada. Santiago nos olhava de um jeito estranho, inquisitório e duro como pedra. Senti meu coração se comprimir. Ele parecia estar com raiva, eu só não sabia se de mim ou do Antoni.

— Bom, vamos aos detalhes. — A voz do meu novo amigo sinistro me trouxe de volta ao plano.

Combinávamos o próximo encontro, quando Antoni levantou os olhos desviando a atenção para alguma coisa atrás de mim. Virei-me e vi que ele se comunicava com o homem atrás do balcão por gestos discretos.

— Preciso ir agora! Não podemos ser vistos juntos e não dá tempo de te explicar. Também não poderei leva-la de volta a sua casa, mas eu sei que você dirige, então pode ir embora com o meu carro. Porém, em hipótese alguma deixe que os homens que vão entrar por aquela porta a vejam entrar nele. Eu chamaria um táxi, mas nenhum chega até aqui.

Ele se levantou imediatamente e andou em direção aos fundos do café, no sentido contrário à porta por onde entramos. Fiquei parada com o cartão na mão sem entender nada. Por sorte, havíamos combinado o suficiente sobre os detalhes do próximo encontro.

Ainda tentava compreender a saída abrupta de Antoni quando senti o ar do Café ficar mais pesado, senti quando as pessoas, que antes pareciam relaxadas, ficarem angustiadas. O ambiente tranquilo e neutro se modificou para uma atmosfera de medo e insegurança. Eu não pretendia absorver nada, mas minha barreira não suportou o peso de tudo aquilo.

Quando me levantei para ir embora, vi dois homens parados em frente ao balcão. Eles eram engraçados juntos. Um deles era grande e gordo, o outro, pequeno e franzino. Tinham qualquer coisa de muito ruim, a energia fluía deles como um gás tóxico que contaminava o ambiente. Tive certeza que eram os responsáveis pela saída emergencial de Antoni. Os dois possuíam uma aparência no mínimo suspeita: usavam ternos alinhados com gravatas azuis e sapatos pretos de verniz. O traje não combinava em nada com o lugar. Aliás, eles não combinavam com lugar nenhum.

As pessoas se esforçavam em fingir que não os percebiam, ou pelo menos, que não se incomodavam com a presença deles. Eu me recompus, respirei fundo e busquei força na minha querida barreira de proteção.

Decidi ir embora antes que eles fossem, assim não correria o risco de cruzar com eles do lado de fora. Caminhei em direção à saída, mas ao passar por eles, vi quando o homem mal-encarado atrás do balcão fez um sinal negativo com a cabeça. O homem franzino enfiou as mãos nos bolsos e deu uma fiscalizada geral no lugar. Pensei que passaria por eles e seguiria o meu caminho sem problemas, mas esse pensamento mudou quando senti que eles também se dirigiam à saída. Pelo jeito, não acharam o que vieram buscar.

Eu não podia escolher momento pior para sair. Se tivesse esperado mais dois minutos, provavelmente, não os encontraria do lado de fora e evitaria o momento constrangedor de ficar parada na frente do Café como se estivesse esperando alguém, quando, na verdade, eu estava pensando no que fazer. Não podia pedir o carro do Antoni na frente dos dois sujeitos.

Fiquei parada por um tempo, esperando que fossem embora antes de mim, mas o carinha que buscava os carros não estava ali, só nos restava esperar. Pensei em voltar para dentro do estabelecimento, o que levantaria suspeita, mas abandonei a ideia por imaginar que logo eles iriam embora.

Tentei mudar o foco e observei o quanto aquele lugar era incomum. Do outro lado da rua havia um certo movimento, tudo indicava que uma balada acontecia ali. Parecia um galpão comum. Na porta do lugar algumas pessoas pareciam esperar por alguma coisa, assim como nós três.

Vi uma menina de cabelo azul parada ao lado de um homem com ar sombrio; quando ele sorriu, pude ver seus dentes serrilhados e dei um passo para trás, instintivamente. Senti-me tentada a baixar a guarda e sentir as energias daquelas pessoas, mas me arrependi antes mesmo de tentar. Isso só podia ser roubada. Além do mais, os dois homens ainda estavam do meu lado e eu já sabia que a energia deles era péssima.

Observei-os de soslaio e percebi que eles me olhavam com curiosidade. Desde que saí do Café, fingia não me importar com a presença deles, mas só depois de alguns segundos percebi que isso foi justamente o que levantou suspeita, afinal, todos lá dentro pareciam ter medo deles, porque eu não teria?

Eles aguardavam o *vallet* chegar para pedir o carro, enquanto isso, aproveitaram para me observar e até cochichar. Percebi o cara gordo andar na minha direção e foi difícil conter o tremor nas mãos que segurava o celular na tentativa de disfarçar. Eu fingia que estava ligando para alguém, até coloquei o celular no ouvido, comecei a dar passos para frente em direção à rua como se estivesse esperando por uma carona, mas a cada passo, sentia que o homem se aproximava mais. Na verdade, o meu celular não tinha sinal nenhum naquele lugar. Talvez nenhum tivesse, e nesse caso eu estaria mesmo ferrada, porque eles saberiam que eu estava encenando.

Meu coração batia mais forte, e com certeza, se ele me abordasse, minha respiração ofegante me entregaria. Não seria possível fingir que não estava nervosa ou com medo. E, se isso não fosse um problema, com certeza tentar explicar o que eu fazia ali parada na calçada fingindo ligar para alguém, seria um dos grandes. Pensei novamente em voltar ao Café, fingir que havia esquecido alguma coisa lá dentro, mas para isso eu teria que passar por eles. E chegar perto não era uma opção. O *vallet* chegou e suspirei aliviada. Infelizmente, logo percebi que não tinha calculado muito bem os próximos passos.

— Desculpem-me a demora. Quem chegou aqui primeiro? — perguntou o rapaz com algumas chaves de carros nas mãos.

— Ela! — responderam os dois juntos.

O menino magrelo e alto veio em minha direção para pegar o cartão do estacionamento.

Eu já ouvia o som do meu coração tão alto que quase não escutei a buzina de um carro enorme, parado bem à minha frente. O vidro da janela baixou e a visão daquele sorriso foi a melhor coisa que podia acontecer naquele momento. Agi naturalmente, como se o estivesse esperando.

— Minha carona chegou, obrigada — falei para o *vallet* e segui para o carro, aliviada.

Capítulo 10

O alívio tomou conta de mim ao entrar no carro. Por um segundo, não me importei em estar dentro do automóvel de um cara que não conhecia muito bem, mesmo que há alguns dias eu tenha tentado conhecer melhor. Mal podia acreditar que justo o Santiago me salvaria daquela roubada.

— Obrigada! Eu estava com um pouco de medo daqueles dois. Não sei por que, mas eles me pareciam tão estranhos... — Foi quando eu percebi minha voz trêmula.

— E são mesmo. Não aconselharia ninguém a ter contato com eles, é melhor evitar. Mas, por que você estava aqui sozinha?

— Bem, tenho quase certeza que aqueles caras espantaram o Antoni. Porque segundos antes de chegarem, ele foi embora como se fugisse de alguma coisa, ou de alguém.

— Típico — disse Santiago, parecendo falar consigo mesmo. — Alany, esse lugar é muito mais perigoso do que qualquer outro por onde você tenha andado. Nenhum táxi vem até aqui, o seu telefone não tem sinal, com certeza, ninguém a resgataria. Ele não devia ter deixado você aqui sozinha, ainda mais com esses dois por perto. Devia ter levado você com ele – disse Santiago, meio irritado, e completou: — Mas isso não é problema meu.

— Ele me deixou o cartão do estacionamento. O problema foi eu ter saído no mesmo momento em que os dois homens, pois não podia deixar que me vissem entrar no carro de Antoni. Só estava esperando que fossem embora antes de mim.

— E porque estava tão assustada quando entrou no carro? — San me perguntou de uma forma preocupada. — Aconteceu mais alguma coisa?

— Eu não estava assustada — respondi mais rápido do que deveria e ele sorriu. — Tudo bem, eu estava um pouquinho assustada, mas só porque tive receio de que eles me perguntassem alguma coisa; tipo se estava esperando alguém ou o meu carro. Eu não sou boa com mentiras. E aquele mais gordinho estava chegando mais perto de mim de propósito. Foi se aproximando aos poucos, fiquei um pouco com medo, não tinha mais ninguém ali.

San percebeu que eu escondia alguma coisa, mas eu não podia dizer que me assustava eles possuírem uma energia tão pesada e nem que podia sentir como todos no Café ficaram tensos com a chegada deles. Como explicar que eu senti até a mudança no clima, como se uma tempestade estivesse sendo anunciada. Arrepiei-me só de lembrar.

— Eu posso sentir o medo nas pessoas e senti que você estava apavorada quando entrou no carro. Não devia mais vir aqui sozinha, ou mesmo acompanhada. Principalmente, se o seu acompanhante é capaz de deixá-la desse jeito. Não volte aqui com ou sem ele — enfatizou.

Será que San queria que eu me mantivesse afastada por sua causa? Ele podia achar que eu tinha ido até o Café atrás dele. O pensamento me fez lembrar que, na verdade, eu devia ter hesitado, ou melhor, devia ter me recusado a entrar em seu carro. Em uma situação normal eu teria negado a oferta, afinal, ele havia sumido sem deixar rastros. Mas agora era tarde para arrependimentos, então, decidi aproveitar o momento para entender o que tinha acontecido. Além do que, ele foi minha salvação.

— Se eu não te encontrasse aqui hoje, provavelmente nunca mais nos veríamos — falei num tom casual.

— Provavelmente — respondeu sem sequer olhar para mim.

A resposta foi tão seca que não consegui dizer mais nada. Fiquei decepcionada. Afinal, eu tinha procurado por ele em vários lugares e era isso que Santiago tinha para me dizer? Era óbvio que enquanto eu tentava iniciar uma conversa amigável sobre o que houve, ele se fechava para o assunto. O silêncio gritava dentro daquele carro.

Eu o observei de soslaio e só vi um olhar compenetrado na estrada, como se não conhecesse o caminho e tivesse medo de se perder. Ele parecia pensativo, mas também podia ser pura indiferença. O desconforto era tanto que comecei a senti-lo fisicamente. Mexi o pescoço, cocei a cabeça, as costas e então não pude mais suportar.

— Santiago, por que você saiu daquele bar, onde eu o conheci? Aconteceu alguma coisa? — Tentei perguntar sem dar muita importância, como se eu só estivesse puxando assunto, mas o fato era que realmente queria saber, eu precisava saber.

Então ele franziu a testa ao me olhar, muito sério. Num movimento leve, pendeu a cabeça para o lado, demonstrando indecisão. Não pude evitar o frio na barriga que senti ao vê-lo com o semblante fechado e um olhar profundo, parecia bravo. Não entendi na hora o que representavam aquelas borboletas voando no meu estômago, mas logo percebi o quanto San ficava *sexy* com aquela expressão rude. Seu olhar era de alguém que acabara de ser confrontado e seus olhos procuravam alguma coisa que eu não sabia o que era.

O sinal abriu e ele precisou voltar os olhos para a estrada. A resposta veio seca e determinada.

— Porque não tinha nada que me prendesse lá. Estou sempre mudando de lugar, sou quase um cigano; vida de músico é assim.

Não era o que eu esperava ouvir. Como se não bastasse, sua voz transbordava indiferença. Ouvir isso foi como um soco no estômago, um balde de água fria e uma facada nas costas, tudo ao mesmo tempo.

Como eu fui estúpida! Quando, no mundo real, alguém como o Santiago se interessaria por alguém como eu? Achei que eu finalmente tivesse encontrado um cara legal, diferente dos rapazes idiotas que tem por aí. Cheguei a acreditar que tinha esperado por ele a minha vida toda. Nossa! Como eu era idiota!

A sensação era horrível, senti-me tão frustrada que tive vontade de descer do carro em movimento, mas eu não fazia ideia de onde estava e precisava mesmo chegar logo em casa.

O silêncio se instalou mais uma vez, e o constrangimento piorou. Liguei o rádio mesmo sem pedir permissão, era isso ou bater nele.

A música que tocava era a mesma que Santiago cantou no bar, em uma das vezes que nos vimos. No início, ele permaneceu em silêncio até que não conseguiu mais se controlar. A cena me fez lembrar *Roger Rabbit* no filme, na parte em que é descoberto por não conseguir se controlar ao toc-toc. Seria cômico em outras circunstâncias. San não se aguentou e cantou o refrão da música:

That I should've bought you flowers And held your hand
Should've gave you all my hours When I had the chance
Take you to every party
Cause all you wanted to do was dance Now my baby is dancing
But she's dancing with another man

Uma coisa era vê-lo cantar num lugar aberto, com várias pessoas; outra era ouvi-lo cantar ali no carro, ao meu lado. Estávamos tão próximos que, mesmo se controlando um pouco e mantendo a voz baixa, era tão intenso que parecia cantar para mim.

Após o refrão, ele desligou o rádio, parecendo bravo e envergonhado ao mesmo tempo.

— Desculpe! — pediu.

— Você sabe que gosto de ouvi-lo cantar. Não precisa se desculpar. E também não precisa desligar o rádio, eu adoro essa música. — Aquilo tudo me incomodou, principalmente a forma seca com que ele estava me tratando. Minha resposta foi igualmente seca e sem pensar. Não dissemos mais nenhuma palavra até a minha casa, com exceção das indicações do trajeto até chegar ao destino.

— Minha casa é essa azul à direita. — Quando o carro parou, abri a porta e saí o mais rápido que pude. — Obrigada — foi tudo que consegui dizer ao fechar a porta com mais força do que o necessário.

Segui a passos rápidos em direção à entrada, enquanto subia os quatro degraus da pequena escada de acesso à minha porta. Pensei que ouviria a partida do carro, talvez até o cantar dos pneus, mas nada aconteceu.

Enquanto procurava a chave na minha bolsa, dei uma olhada para trás e lá estava ele com as mãos ao volante, olhando-me fixamente com um semblante inexpressivo. Balancei a cabeça e voltei a minha busca pelo vale perdido que existe dentro da minha bolsa. Quando finalmente a encontrei, abri a porta e entrei. Depois a fechei sem olhar para fora. Aguardei mais um pouco e nada, não ouvi nenhum barulho de carro. Seria possível que um carro fosse tão silencioso assim?

Subi direto para o quarto da minha avó. Abri a porta devagar e a encontrei dormindo. Depois de um beijo em sua testa, fui para meu quarto. Abri a porta e acendi a luz. Assustei-me com o barulho que ouvi, praticamente ao mesmo tempo em que toquei no interruptor. Finalmente, San estava indo embora.

Fui dormir lembrando-me da voz deliciosa de Santiago. Apesar de sentir uma espécie de mágoa naquele refrão, ainda assim, foi muito bonito. Mas eu não podia ficar pensando nele, como se ainda pudesse rolar alguma coisa, no fim, ele era um cretino como qualquer outro homem. Só que muito mais encantador e lindo.

Não queria mais vê-lo e torceria para que não estivesse no Café quando eu voltasse lá para encontrar o Antoni.

No dia seguinte tivemos aula e eu mal podia esperar para encontrar Carol. Cheguei mais cedo na faculdade, não tinha dormido bem e estava uma pilha. Pudera, depois de tanta novidade.

Abri alguns cadernos, tentando demonstrar interesse pela aula que começaria em alguns minutos. Não demorou muito e pude ouvir a risada de Carol, que se aproximava pelo corredor.

— Olá, Any! Tudo bem? Como foi seu encontro ontem? — ela parecia tão ansiosa quanto eu.

— Nada bom. — Minha cara de desânimo fez com que se animasse. Mesmo contida, eu pude perceber.

— Sei. E o que foi que ele disse? Algum motivo especial para ter sumido? — perguntou Carol.

Senti algo estranho nela. Pela primeira vez, parecia nervosa e sua energia tomou forma e ganhou uma cor que eu nunca tinha visto antes. Carol estava vacilante, insegura e um pouco constrangida; o que não condizia em nada com o seu perfil.

Eu estava mesmo ficando ousada, acho que nunca tinha me aproveitado dessas minhas habilidades antes.

— Nada. Ele não me disse nada sobre ter sumido, apenas que precisou mudar de lugar. — Pude ver sua energia se acalmar e sua expressão se suavizou imediatamente. Eu não estava gostando daquela reação. Estava muito claro que ela estava tensa, e tinha alguma coisa a ver com o Santiago. — Não sei exatamente como dizer isso, mas acho que está escondendo alguma coisa de mim, não está?

— Eu? Pelos anjos caídos, o que eu poderia esconder de você? Mudando de assunto, precisamos conversar sobre outra coisa. Você está sendo muito irresponsável, baixando a guarda desse jeito. Nem sempre vou estar por perto para ajudar – disse ela, assumindo as rédeas da conversa como sempre fazia. — Você está sentindo alguma coisa diferente? Essa sua habilidade está, de alguma maneira, mais forte?

— Não. Está tudo normal. — Pelo visto, mentir para Carol estava se tornando um hábito.

Ela foi andando em direção a sua mesa e, ao se sentar, olhou-me de soslaio, balançou a cabeça e com a mão esquerda fez um sinal que indicava que eu estava ficando maluca. Mas novamente sua energia estava totalmente vacilante e eu me sentia disposta a tirar algum proveito disso. Nunca tinha visto Carol na defensiva. O professor entrou na sala e começou a tagarelar o que para mim, não passou de uma sopa de letrinhas. Fiquei o tempo todo refletindo sobre os acontecimentos e buscando brechas e armadilhas em que ela pudesse cair.

Ao final do tempo, saímos para o intervalo e Carol andou tão rápido que quase a perdi de vista; estava nitidamente me evitando. Deixei que pensasse que eu estava ocupada conversando com um amigo e quando percebi que tinha relaxado, segui em sua direção.

— Oi! Está tudo bem? Você saiu tão rápido que parecia estar indo embora ou fugindo.

— Embora? Ainda não. Vamos sentar um pouco para conversar. Que história é essa de você dizer que estou escondendo alguma coisa de você? — Carol sendo Carol.

Ela se esforçava para parecer segura com aquela pergunta, mas eu sabia bem qual era o seu jogo.

—Naquele dia da briga, nada que aconteceu me pareceu normal. E você, que é minha melhor amiga, não teve nada para me dizer a respeito. Eu realmente acredito que aconteceu algo muito sério e vocês estão me escondendo a verdade. Só não sei por quê.

— Ainda isso? Ah Any! Eu sou sua amiga sim, não duvide disso. Não aconteceu nada demais naquele bar, além de uma briga feia entre uns trogloditas. E aquele maluco que quis sair do bar com a Nara. É claro que eu não podia deixar. Ele ficou alterado, mas por fim, entendeu que ela não queria ir com ele. Foi um tumulto tão grande que as coisas ficaram confusas. Você não viu como a Nara ficou? — Naquele momento, percebi que ela jamais me diria a verdade.

— Da próxima vez, gostaria que não me deixassem de fora. Fiquei atormentada sem saber o que estava acontecendo. — eu disse, entrando no jogo.

— Claro, Any. Desculpe por isso, achamos que era melhor ficar lá fora, menos uma para correr riscos perto daqueles malucos.

Nós duas nos abraçamos e pensei que talvez fosse a última vez que isso aconteceria. Naquele momento, eu tomei uma decisão. Encontraria com Antoni na data marcada. Começava finalmente a acreditar que só ele poderia me ajudar.

— Agora preciso dizer que você está sendo inconsequente e teimosa, brincando com esse seu dom. Você não sabe até onde pode chegar com isso, e muito menos o quanto isso pode afetá-la. Como sua amiga, peço que seja mais prudente. Se eu não estivesse com vocês aquele dia no bar nem sei o que aconteceria. — Ela estava sendo sincera quanto a isso.

Baixei a cabeça sem saber o que dizer, por que ela tinha razão. Fui mesmo inconsequente. Mas, e quanto a todo o resto? Ainda bem que nossa amiga atrasada chegou e me tirou de uma situação embaraçosa. Nara se aproximou, estava atrasada como sempre, e só pegaria o último período de aula.

— Que bom que você chegou, quero aproveitar para dizer que na quarta vamos ao cinema depois da aula — anunciei.

— Combinado! — Elas disseram em uníssono.

Estávamos voltando para sala quando Carol resolveu perguntar mais sobre o San. Ela ainda não estava satisfeita.

— E então, não vai contar para a Nara como foi seu encontro com o tal cantor?

Nara não entendeu nada e imaginei o que devia estar passando por sua cabeça. No dia anterior nos falamos por telefone e as coisas estavam muito esquisitas, e agora parecia tudo normal. Olhei para a minha amiga atrasada e abri um sorriso sem graça. Esperava que ela entendesse minha tosca linguagem de sinais para entrar no meu ritmo.

— Nem quero falar sobre isso. Ele foi tão frio comigo. Como se eu fosse uma garotinha mimada, correndo atrás da atenção do menino popular da escola. Fiquei tão magoada e tão irritada que tive até vontade de bater nele. Nunca mais quero vê-lo — eu disse, dando ênfase à última frase.

Carol me conhecia bem, ela podia ver que eu estava falando a verdade e parecia ter um sorrisinho de satisfação velado no rosto. E isso me irritava.

— Sinto muito, Any. Não que eu queira me aproveitar da situação, mas eu falei que ele não podia ser coisa boa. Você merece alguém melhor — disse Carol, animada demais para o meu gosto.

— Não acredito, Any! — Espantou-se Nara — Não é possível que aquele olhar apaixonado para você não fosse real. Ninguém é tão dissimulado. Ou será que é? Não sei não... deve ter acontecido alguma coisa. Não posso aceitar que ele simplesmente estava fingindo. — Ela estava inconformada.

— Narinha, ele me disse que mudou de bar porque não tinha nada que o prendesse ao anterior e que a vida de cantor é assim mesmo. Mas falou de uma forma que parecia querer mostrar que ele é mesmo um cafajeste e não está nem aí para ninguém.

E essa parte era mesmo verdade. Mas aconteceram tantas outras coisas que eu não podia contar... esses segredos estavam me deixando maluca.

Capítulo 11

No dia e horário marcado estávamos no shopping. O filme ainda demoraria uma hora para começar e decidimos circular para avaliar as vitrines e, quem sabe, teríamos tempo suficiente para comer alguma coisa.

— Ah não, Alany. Nós não vamos entrar aí — Carol reclamou quando paramos em frente a uma livraria. Odiava me acompanhar em lojas como aquela porque eu não conseguia sair sem antes folhear alguns livros e, comprar, pelo menos dois. — Vamos perder o horário do filme. Esquece!

— Por favor! Eu prometo que não vou demorar. Ainda temos uma hora para procurar o que fazer — insisti.

Nara me olhava com um olhar desconfiado, desta vez, era ela quem estava observadora.

— Eu só preciso ver se tem um livro, juro que vai ser só um. — Minha cara de cachorro carente as convenceu.

Entramos e nos separamos pelos corredores. Já era quase um ritual, sem precisar de qualquer comunicação, nossos caminhos se cruzam ao longo dos corredores. Eu sigo para a fileira de ficção; Nara, para a ala de romance e Carol sempre olha um pouco de tudo, mas os eletrônicos a ocupam por mais tempo.

Peguei um livro e comecei a folhear sem prestar muita atenção nele, percebi que estava tremendo, então o larguei e circulei um pouco pela loja em busca de uma oportunidade; foi quando avistei Carol com fones de ouvido curtindo uma música, que, pelo movimento de seu corpo, só podia ser eletrônica. Mudei imediatamente de direção e andei em direção à saída da loja, eu não podia hesitar.

Já perto da porta, olhei para trás para ver se ela ainda estava no mesmo lugar. Aliviada, voltei os olhos para a saída e segui. Quase derrubei Nara que estava parada na minha frente. Ela me lançava um sorriso de quem acabara de surpreender alguém cometendo um ato ilícito.

— Credo, Nara! Que susto!

— Já percebi o que está tentando fazer. Porque quer nos despistar?

— Despistar vocês? Não, só a Carol. Aliás, que bom que está aqui, você precisa me ajudar. Eu vou ao bar onde Santiago está cantando, mas não quero que Carol saiba e muito menos que ela descubra onde é. Por favor, me ajuda. — Fechei as mãos como se estivesse rezando para que ela compreendesse minha angústia.

— Depois eu prometo que conto tudo para você. Se eu não sair agora, vou me atrasar e corro o risco de ter a Carol na minha cola. Você precisa segurar ela aqui por um tempo, até eu me afastar o suficiente para que ela não me encontre.

Depois de pensar dois segundos, Nara sorriu e eu sabia o que aquele sorriso dizia. Tudo por uma boa história de amor e mistério.

— Tudo bem, mas amanhã quero saber de tudo, com todos os detalhes. Se quiser me contar, é claro. Mas acho que vai querer. Ah vai logo!

Dei-lhe um beijo e sai o mais rápido que pude.

Seguindo o mapa, não teve erro. Quando cheguei ao Café, logo ouvi a voz inconfundível, a mais bela de todas. Avistei Santiago, que cantava com muito mais alma e vontade do que da última vez. Ele estava de olhos fechados e cantava uma canção que retratava uma despedida. Era tão perfeita que me esqueci, por um momento, à forma fria com que me tratou da última vez que nos vimos.

Escolhi uma mesa no canto oposto, a mais afastada possível. Olhei em volta e não vi Antoni. Aguardei, conforme suas instruções.

Se pudesse ficar invisível, seria o melhor dos mundos naquele momento, arrependi-me de ter marcado o encontro ali. Tudo o que eu não precisava era encontrar com San, olhar para ele e muito menos, ser vista por ele. Eu precisava me concentrar na conversa que teria com o cara do lado negro da força. Sentia que essa conversa seria ainda mais reveladora, se é que era possível.

Pedi um refrigerante já que eu não podia fazer nada além de ficar ali, parada, contemplando a apresentação perfeita de San. Tudo bem que eu não precisava, necessariamente, ficar hipnotizada daquele jeito... Só que não. Eu não podia evitar, alguma coisa fervilhava dentro de mim sempre que ouvia a voz dele.

Quando a música terminou, San abriu os olhos e sorriu em agradecimento aos aplausos, girando suavemente a cabeça, fazendo seu olhar circular entre as pessoas. Não demorou muito até nos encontrarmos novamente. Nossos olhares se fundiram e me vi retribuindo o sorriso enorme que ele abriu ao me ver. Porque diabos eu estava sorrindo para ele? Simplesmente, sorri como uma idiota. Eu podia ter desviado o olhar, mas não o fiz, podia não ter sorrido de volta, mas não o fiz. Não fiz porque não conseguia evitar, era impossível não admirar aquele homem por sua beleza e por seu, inegável, talento.

Ele parou de cantar e percebi que devia ser um intervalo ou algo parecido. Concentrei-me em ver meus e-mails pelo celular para parecer desinteressada e reconquistar um pouco de dignidade. Prometi a mim mesma que sairia daquele bar em no máximo vinte minutos, caso Antoni não aparecesse.

— Você por aqui de novo? — Dei um pulo da cadeira e bati o joelho na mesa.

— Desculpe. Não queria assustá-la. É que fiquei surpreso em vê-la aqui hoje. — Ele fez uma pausa, apontou para a cadeira vazia à minha frente, e completou: — E sozinha!

Nem tive tempo de responder.

— Não tão depressa, amigo. Essa moça aí nunca está sozinha.

Antoni surgiu do nada, com certeza, já estava por perto esperando o momento certo para aparecer e não podia ter escolhido um mais oportuno. Apesar de inconveniente, ele acabou me salvando. Eu não sabia mesmo o que responder, pelo menos, não como ele merecia. San elevou os ombros e levantou as mãos em sinal de rendição.

— Desculpe. Até mais, Any. — Em seguida, lançou um olhar furioso para o meu suposto acompanhante e saiu em direção à parte externa do bar.

— Devíamos ter marcado esse encontro em outro lugar — disse Antoni, com cara de poucos amigos.

— Qual é o problema com vocês dois? Parecem se odiar.

— Isso é verdade, mas não vem ao caso. Vamos ao que interessa. Em primeiro lugar, preciso cumprimentá-la. Conseguiu dissuadir uma das criaturas mais ardilosas do mundo oculto, muito bem. Parabéns, Alany Green!

— Devia confiar mais em mim. Ela não esperava por isso, o elemento surpresa sempre funciona. — Dei uma piscada a fim de parecer mais confiante do que eu realmente estava. — Agora você pode começar, mas vamos tentar seguir alguma lógica, por que até agora não existiu nenhuma. Por exemplo, podemos começar com: O que sabe sobre a minha mãe?

— Como já lhe disse, sua mãe é uma Elemental, mas não uma qualquer. Sua mãe foi a mais poderosa Elemental do nosso mundo por muitos anos, sua linhagem vem de grandes reis e rainhas de sua espécie. Há muito tempo que esses títulos foram extintos e acabaram se perdendo ao longo das eras. Por isso, não posso dizer que você é uma princesa, embora seja e se pareça com uma. Sua mãe cometeu uma claudicação grave quando se envolveu com um humano e você foi resultado dessa falha. No entanto, apesar de estarem apaixonados e viverem em comunhão por anos, não há qualquer comprovação de que ela tenha se revelado ao seu pai. Ela seria aprisionada e perderia totalmente o contato com os elementos caso isso fosse comprovado e, por consequência, acabaria sucumbindo. Nenhum Elemental suporta perder por completo sua conexão por muito tempo.

— Quem faria uma coisa dessas? Se não existem reis, quem é a lei maior deste mundo oculto?

— Existe organização no mundo oculto assim como no mundo livre. O que governa neste mundo é um sistema conhecido por Ministério Gênese, composto pelos mais poderosos de cada espécie, ou quase todas. Como eu disse antes: algumas espécies estão praticamente em extinção ou já extintas, portanto, sem um representante. O Ministério é o que determina as regras que devemos seguir e a punição para quem as infringe. Essas punições nunca são brandas como as dos humanos, na maioria dos casos é a morte, mesmo que velada.

Antoni me observava atentamente, enquanto estava boquiaberta. Era como se me contasse um filme ou uma história fantástica, muito interessante, por sinal.

— Mas voltando à sua mãe... — ele continuou. — O Ministério tem observadores em todos os cantos do mundo. Sempre existe alguém à espreita para constatar algo fora das determinações. Eles observaram a vida fora dos padrões que sua mãe resolveu levar durante anos e, certamente, não acreditavam que ela conseguiria manter um relacionamento com um humano sem se revelar. Por muito tempo, um espião se infiltrou e observou todos os passos da sua família, mas ele nunca descobriu qualquer deslize, nenhum indício de que ela quebraria a principal regra do Ministério. — Ele deu um longo suspiro, parecia difícil ter de me contar essa parte da história. Talvez estivesse, neste momento, infringindo alguma regra.

— Se eles são tão poderosos, porque simplesmente deixaram a minha mãe viver tanto tempo com um humano?

— Sua mãe sempre foi muito poderosa e somente por isso o Ministério fingia deixá-la viver em paz. Era a única do seu tempo que possuía uma conexão profunda com os quatro elementos. Por mais que eles se negassem a assumir, a verdade é que a maioria dos membros do Ministério sempre teve medo do que ela era capaz de fazer. E a outra pequena parte, era a favor de que vivesse a vida que escolheu, desde que não quebrasse as regras. Essa divisão a manteve segura até que um membro, muito influente, não suportou a ideia de um ser místico se limitar a uma vida comum. — Ele arqueou as sobrancelhas, parecendo me preparar para o que viria a seguir. — Sua mãe abriu mão da própria natureza, deixou para trás seus poderes para viver como uma humana. Ela deveria ser a rainha do seu povo, mas o amor foi mais forte do que o seu legado.

Não pude dizer nada, estava pensando em como a história era impressionante. Não parecia real, muito menos a história da minha família.

— Esse tal membro, que se chama Handall, considerou ultrajante demais para um ser superior se limitar a isso por amor. Ele não podia simplesmente deixar acontecer. Desconfio que tenha motivos particulares, mas sempre defendeu o argumento de que, em algum momento, Twylla perderia o controle e se revelaria aos humanos. Em consequência, eles teriam que limpar a sua bagunça. Os mais antigos do Conselho lhe davam ouvidos porque tinham medo que outros celsus seguissem o mesmo caminho, e, aos poucos, as raças acabassem se misturando em uma proporção impossível de controlar. Ou pior, que o seu ato levasse o mundo a novas batalhas entre as espécies.

Minha mente estava flutuando, tentando captar todas aquelas informações. Eu queria muito achar tudo aquilo um desatino, mas não era o que sentia.

— Alguma pergunta? Vejo muita incerteza em seus solhos. — Antoni me viu perdida em meus pensamentos. Talvez tenha se perguntado se tinha ido longe demais.

— O que esperava? Você não está me contando o final da novela. Mas vamos lá, pode continuar... na verdade, tenho uma pergunta. Você sabe por que ela foi embora?

— Para proteger você. Não me pergunte como, mas Twylla descobriu que Handall armou uma cilada e a consequência disso seria sua exposição de um jeito ou de outro. Claro que ela seria levada a julgamento por traição, cuja pena é exatamente aquela que lhe contei há pouco. Sua mãe é um ser de imensa bondade e astúcia, mas a possibilidade de nunca mais vê-la, ou ainda pior, de deixá-la sem proteção, era apavorante demais. Naquele momento, ainda não era possível determinar a extensão da sua conexão, já que você não é uma concepção comum para o mundo oculto.

— Você não se refere a ela no passado, o que me diz que ela está viva. Você sabe onde ela está?

— Ninguém sabe. Esse foi o único jeito que ela encontrou de garantir que cresceria sem interferência do Ministério. Ela está desaparecida, o que deixa Handall de mãos atadas. Ele teme que ela possa se vingar caso alguma coisa aconteça com você.

— E como você sabe de tudo isso? — Eu estava em dúvida sobre tudo o que ouvia. Será que era mesmo possível minha mãe estar escondida em algum lugar? E será que ela realmente tinha me abandonado para me proteger? Quem, afinal, era esse Antoni, que já me parecia tão familiar?

— Quando sua mãe decidiu desaparecer, ela me procurou e me pediu para cuidar de você. Sei que é difícil de acreditar e não posso fazer muito para tornar tudo isso mais simples ou mais verdadeiro. — Ele se calou por um segundo, deixou o olhar perdido, provavelmente em alguma lembrança, e sorrindo, continuou. — Twylla queria que eu ficasse de olho em você já que ela estaria completamente impossibilitada de estar por perto. Posso garantir que sempre estive próximo, esperando o momento certo de me aproximar, observando o seu desenvolvimento. Depois que Carol apareceu, minha empreitada se tornou complexa. Eu estava perto quando você perdeu o seu pai, quando se formou, quando entrou para faculdade e até quando conheceu Carol. Eu só não podia me aproximar demais.

Estreitei os olhos e depois os fechei. Como formular as perguntas certas em uma situação como essa?

— Porque não se aproximou antes? Eu só conheci Carol há quatro anos e se você me acompanha desde quando a minha mãe desapareceu, teve muito tempo para isso.

Antoni não parecia confortável com aquela conversa.

— Olhe para mim! Pareço uma pessoa normal? — O sorriso torto estava de volta. — Eu nunca consegui pensar em uma forma de me aproximar sem causar um choque. Você era apenas uma garota que acreditava ser humana e que seres sobrenaturais só existiam em livros e filmes. Além disso, Twylla queria que você tivesse uma vida normal. Onde eu me encaixaria nisso?

Como no outro dia, Antoni pediu água, duas dessa vez.

— Quanto a sua "amiga", você a conhece há quatro, o inverso não é reciproco. Ela não podia e ainda não pode saber que estamos em contato. Não foi à toa Carol que entrou na sua vida, existe um propósito maior.

— Não entendo porque essa cisma com ela. Carol é minha amiga sim. Graças a ela tenho uma vida normal ou quase normal. Não sei se teve uma razão para ela entrar na minha vida, o fato é que ela só me ajudou.

— Carol é um membro do Ministério — ele falou como se estivesse soltando uma notícia bombástica, só que eu não sabia muito bem o que significava. Então, apenas dei um gole na água que estava na minha frente. Não vi quando ela chegou, mas só de ver a garrafa me deu sede.

Antoni também aproveitou para esvaziar seu copo de uma vez só sem deixar de me olhar. Ele, claramente, ponderava alguma coisa enquanto me observava.

— O que foi? — perguntei.

— Ainda não sei o que eles querem com você. Fiquei atento no início e logo percebi que ela só queria observá-la e não deixar ninguém se aproximar demais, ou ter conhecimento sobre a sua conexão. Mas é certo que tem mais algum interesse por trás dessa "amizade".

Antoni parecia falar com ele mesmo, e eu sentia meu coração se apertar a cada palavra. Carol era como uma irmã para mim, fazíamos quase tudo juntas e com exceção dele, não tínhamos segredos. Como era difícil acreditar em tudo que dizia. Ainda mais difícil era ignorar.

— Como você sabe que Carol é essa "agente secreta"? — perguntei.

— Digamos que eu tenho meus contatos dentro do Ministério.

Minha cabeça fervia, não sabia o que pensar. Sentia como se tivesse passado um furacão na minha vida e levado tudo que eu tinha.

— Nunca tive muita certeza sobre várias coisas, mas o pouco que eu conhecia como verdade, acaba de desaparecer. Não sei mais em que acreditar.

— Eu imagino que seja muita coisa para você. Mas como já disse antes: é importante que saiba de tudo. A conexão de um Elemental se torna mais forte e, às vezes, incontrolável com a chegada da maturidade. Isso pode causar muitos danos. Alguns celsus, que não tinham conhecimento do que eram, acabaram se expondo sem saber, muitos se machucaram ou feriram alguém inocente. Você percebeu alguma diferença nos últimos meses?

— Sim. Sinto que essa habilidade ou conexão, sei lá, está ficando mais forte. Aprendi há algum tempo, com a Carol, como me proteger da sensação que sempre tive quando sinto a energia das pessoas, e essa proteção funcionou bem até agora. Ultimamente, sinto vontade de me libertar dessa barreira, como se precisasse deixá-la fluir. Mas, ao mesmo tempo, quando sinto energias muito negativas e elas me atingem, sinto-me fraca e entorpecida. Também percebo que a barreira não está mais tão impenetrável, tenho medo de não conseguir sustentá-la quando realmente precisar. — A lembrança daqueles dois homens no outro dia, naquele mesmo Café, foi inevitável.

— Você não vai conseguir conter por muito tempo, sua conexão vai se expandir. Eu sei sobre essas coisas porque a Twylla me contou. Carol não sabe com o que está lidando, ela não conhece a força de um Elemental e, principalmente, não conhece a sua força. Você é híbrida, o que nos leva a uma incógnita histórica. Não sabemos como a conexão vai se comportar no seu caso. Você é a primeira Elemental híbrida que já nasceu. Eu sei, e Carol também sabe que existe algo mais em você, que você herdou alguma habilidade forte da sua mãe. Mas o Ministério não sabe, eles acreditam que você tenha puxado ao seu pai e seja apenas uma híbrida com capacidades que não vão além de gostar e proteger a natureza. — Antoni balançou a cabeça como se pensasse em voz alta. — E isso é o que mais me intriga na aproximação de Carol. Ainda não sei por que ela não relatou os detalhes aos altivos do Ministério. Por algum motivo, escondeu isso deles, talvez esteja curiosa em saber até onde pode ir ou tenha algum interesse pessoal em você.

— Ou tenha se tornado minha amiga de verdade e esteja me protegendo. — Era nisso que eu queria acreditar.

— Desculpe, mas duvido muito.

Capítulo 12

Num rompante, Antoni me estendeu a mão e se levantou.

— Vamos, quero mostrar uma coisa, preciso ser mais convincente do que isso. É importante que você aceite logo, para começar a organizar as informações com mais clareza.

Eu o segui em direção à saída do café e, ao passar por entre as mesas, tive uma estranha sensação, como se alguém me observasse. Busquei em volta e avistei um corpo recostado no bar, uma pessoa que eu conhecia bem, mas não tão bem quanto eu gostaria. Santiago me seguia com os olhos e continuou assim até que alcançamos a porta de saída. Já do lado de fora, Antoni apontou discretamente para o outro lado da rua.

— Vê aquelas pessoas na fila?

— Vejo. São bastante exóticas, por sinal.

— Isso porque não são pessoas comuns. Ninguém ali é humano. Aquele é o lugar mais sinistro que existe nesta cidade. Você jamais deve entrar ali quando estiver sozinha. — Olhando para o outro lado da rua, ele continuou: — Esse lugar é conhecido como Submundo, qualquer tipo de ser pode frequentar, exceto humanos. A entrada é restrita e, apesar da fila, só consegue entrar quem tem um convite especial.

As pessoas, os seres, ou o que quer que fossem, eram mesmo estranhas. Eu diria que bizarras era o termo mais adequado. Havia uma fila com aproximadamente trinta deles, cada um mais esquisito do que o outro. A começar pelo segurança parado em frente ao que devia ser a entrada principal, apesar de não ter nome nem porta aparente. Ele estava avaliando o que parecia ser um cartão na mão de quem podia entrar. O homem era enorme e mal-encarado. Muito clichê, eu sei. No entanto, ele com certeza tinha mais de dois metros e ainda era muito, muito forte; até parecia ter saído de um jogo de vídeo game.

Destacava-se na fila um casal, ambos vestidos com roupas de couro pretas, o que seria normal não fosse por seus cabelos estranhamente prateados. O da garota era curto e arrepiado, já seu acompanhante, tinha fios que alcançavam a cintura.

Logo atrás deles, uma mulher com o corpo completamente tatuado e o rosto coberto por piercings, parecia querer muito ser notada; ela usava uma roupa azul turquesa muito decotada e sensual, a saia era tão curta quanto possível, o sapato prata tinha saltos tão altos, que eu nunca podia imaginar que alguém conseguiria se equilibrar sobre eles.

— Ok, eles são estranhos, mas isso não os coloca na categoria de "não humanos". Os humanos sabem ser bizarros quando querem, sabia?

— Não tenho dúvidas quanto a isso. Pelo que entendi, você tem uma conexão com a energia do mundo. Que tipo de energia você sente ou vê nesses seres? Eles parecem apenas pessoas excêntricas para você? — Antoni parecia querer me provocar.

— Eu não fico utilizando essa conexão a toda hora — respondi.

Imediatamente recordei a última vez em que deixei o bloqueio de lado, lembrei-me de como fiquei zonza, atordoada como se algo tivesse me atingido. Senti arrepios ao imaginar passar por aquilo de novo, ainda mais naquele lugar.

— Você mesmo disse que não sabe como minha habilidade funciona. Posso garantir que não é tão simples assim — assegurei.

— Eu conheci um celsu que suprimiu sua habilidade por muito tempo. Existem consequências para isso, não é algo natural — disse Antoni, mexendo a cabeça em sinal de reprovação.

— Há algum tempo essa "conexão", como você chama, tornou-se tão intensa que passei a me sentir mal. As energias me afetavam de uma forma horrível, como se eu as absorvesse. Não demorou até que eu começasse a evitar todas as pessoas, não saía de casa e até parei de estudar. Se não fosse a Carol, talvez ainda estivesse isolada e sozinha dentro de casa. — Depois de uma pequena pausa dramática, concluí: — Você deveria saber disso.

— Eu disse que Carol já estava em sua vida muito antes de conhecê-la, não foi? Antes de se aproximar de você, ela ficava por perto, esperando uma oportunidade de se tornar alguém importante, alguém que fizesse diferença em sua vida. Não me surpreenderia se estivesse envolvida nesses acontecimentos que a deixaram com tanto receio das suas próprias habilidades. Eu sempre soube que você era diferente e percebia sua dificuldade em se ajustar. Mas toda garota passa por um período complicado, então pensei que logo você se encontraria. Para mim, você sempre teve consciência de ser diferente das outras pessoas, apenas nunca soube por quê.

Conversávamos como se fôssemos amigos há muito tempo. Tive dúvidas se já havíamos nos encontrado antes, talvez eu tenha me esquecido de seu rosto ou... Não, eu não tinha explicação para aquela sensação.

— Eu sempre consegui enxergar a energia ao redor das pessoas. Quando criança, pensava que eram apenas sombras sem importância. Descobri, da pior maneira, aos sete anos, que ninguém mais podia ver o que eu via. Fui considerada uma aberração por uns e psicótica por outros. Com o passar dos anos, fui descobrindo e aprendendo a distinguir as pessoas por essa energia. Consegui compreender que aquilo era a essência de cada indivíduo. Posso enxergar a bondade e a maldade em qualquer um, ou mesmo a dúvida na escolha entre esses dois.

Eu estava mesmo contando tudo isso para ele? Nunca falei tão abertamente com alguém antes.

— No início, eu precisava me concentrar muito para chegar a uma conclusão sobre o que estava vendo, mas depois... bastava estar próximo e a conexão se estabelecia de uma forma muito fácil. Aos poucos, evoluí até que nada disso fosse mais necessário; bastava passar perto ou olhar alguém do outro lado da rua. Quase surtei quando comecei a enxergar a verdadeira face das pessoas, além de sentir o que elas sentiam. Eu posso perceber a maldade crescendo dentro delas, e dessa forma, descobri que o mal consome e corrói qualquer um. Você precisa se livrar dele antes que acabe com tudo que existe de bom dentro de você. É um tipo de parasita.

— Sei exatamente como é isso! — concordou Antoni, observando-me atentamente.

— Percebi que o mal assume diversas formas e nuances. Muitas vezes é fácil perceber que uma pessoa tem uma essência boa, mas está sendo influenciada. Um pouquinho mais a cada dia. A maldade leva à rejeição de seus valores e de sua integridade. É triste ver quando não tem mais volta, ver que a humanidade morreu dentro dela. — Senti um peso sair das minhas costas, eu não costumava dizer essas coisas para ninguém. — Percebe como é difícil andar na rua sentindo as energias das pessoas?

— Eu não podia imaginar que sua conexão fosse tão intensa. Mas entendo exatamente o que está dizendo. Às vezes, a habilidade pode ser um fardo muito pesado. — Antoni parecia surpreso com a amplitude da descoberta, e solidário também. Pensei em qual seria a habilidade dele, além de invadir os meus sonhos.

— Carol me ajudou a criar uma barreira para me proteger. Depois de muito treino, eu posso andar por aí sem sentir absolutamente nada, sem ver nada além do que todos veem, a menos que eu queira.

— Muito interessante! Impressionante, eu diria.

— Eu já baixei a guarda com você — confessei.

Antoni cerrou os olhos e perguntou:

— E o que você viu?

— Uma energia enevoada, confusa. Diferente do que eu esperava e diferente da maioria das pessoas. Não me lembro de ter conhecido ninguém assim.

— Isso é bom ou ruim? — perguntou, franzindo a testa.

— Não é simples assim. Carol, por exemplo, tem uma energia forte, e completamente comprometida por uma nuvem esfumaçada cor de ébano, mas, ao contrário do que você me diz sobre ela, sei que tem uma essência boa. — Olhei para o seu rosto e não havia mais aquele ser sinistro na minha frente, o seu interesse pelo o que eu estava falando o deixou vulnerável, amigável. Então continuei: — Will, por exemplo, tem uma energia opaca, fraca e quase transparente, só que eu consigo ver um ponto de luz que me mostra sua fragilidade.

Antoni me observava como se eu estivesse narrando uma história muito interessante, seus olhos brilhavam. E mais uma vez, sua mente trabalhava, deixando-o com o olhar perdido.

— Será mesmo possível que você consiga distinguir as espécies? — ele disse, sorrindo. Parecia ter feito a descoberta do século. A pergunta parecia ter sido feita a si mesmo, ainda assim respondi.

— Sei lá. Nem mesmo eu sei direito o que você quer dizer com espécies. Eu estou falando de pessoas.

— E eu estou falando do mundo. De todas as criaturas. Não importa se são humanos ou celsus. Acho que você é capaz de diferenciá-las e isso a torna... única. — Sua expressão passou de surpreso para preocupado — Uma preciosidade e uma ameaça.

— Por que uma ameaça?

— Explicarei com mais calma. Por hora, não relate suas habilidades para mais ninguém, nunca. Pode ser perigoso.

Ele começou a andar de um lado para o outro. Quando parou, vi em seu rosto a excitação de um garoto que acaba de ganhar um brinquedo novo.

— Se é mesmo tão intenso, realmente não aconselho a baixar a guarda por aqui, com certeza não seria nada agradável. Mas eu preciso lhe dizer que não devia bloquear sua conexão, o que você precisa é se fortalecer. Doutrinar-se a não deixar que as energias lhe atinjam. Vou pensar em como ajudá-la com isso – disse ele, com ar de professor.

— Até agora você não provou nada do que me disse. Por mais que eu acredite que exista algo maior que os humanos não conheçam, minha imaginação nunca chegou nem perto de tudo que me contou hoje. Parece mais um filme de ficção, só que sem os efeitos especiais.

— Ver esses seres não é suficiente para você? Olhe bem para eles, não lhe parece nada incomum a existência de um lugar desconhecido pelos humanos, em um bairro não menos desconhecido no meio do nada? Esse bairro sequer está no mapa, Any.

Erguendo as sobrancelhas, Antoni estava com as mãos paradas no ar, indicando a redondeza. Eu devia olhar à minha volta e reconhecer que o lugar todo deveria provar o seu ponto.

— Desculpe, mas isso não me diz nada. Ou pelo menos não prova nada.

— Tudo bem! São efeitos especiais o que você quer? — indagou Antoni, antes de segurar a minha mão e me puxar de leve para que o acompanhasse.

Atravessamos a larga rua que nos separava do tal lugar. Aqueles seres pareciam não nos notar.

— Você disse que para entrar é preciso um convite. Por acaso, você sempre anda com um no bolso? — Ele sequer respondeu, apenas esboçou aquele mesmo sorriso arrogante. — Antoni, esse lugar é tipo uma balada? Porque eu não tenho idade para entrar. Eu até entro, mas só com Will. Ele diz que é o senhor da noite e que não preciso me preocupar com essas coisas, com ele está tudo liberado. Nunca entrei em nenhum lugar assim antes. Bem, acho que nunca nem bebi uma cerveja sem ele estar junto. Nem para isso tenho idade.

Antoni, mais uma vez, não respondeu, apenas piscou para mim.

Paramos em frente a uma imensa porta de madeira. Só então, percebi o quanto ela era grande, ainda maior que o grandalhão parado à sua frente.

Olhei para o outro lado da rua, para onde estávamos há cerca de cinco segundos, e constatei que a distância não justificava o que estava acontecendo. Quando estávamos em frente ao Café não dava para ver a entrada do tal Submundo e, agora, havia uma porta de três metros de altura e um letreiro com cores vivas e fortes logo acima, onde se lia o nome do local. Como eu não vi isso do outro lado?

— Com licença, senhores. — Alguns se deram ao trabalho de olhar em direção à voz forte que os incomodava, no entanto, a maioria ignorou completamente.

O segurança corpulento fez apenas um sinal com uma das mãos para que dessem passagem e, em seguida, balançou a cabeça para que Antoni furasse a enorme fila e, sem qualquer cerimônia ou convite, deu passagem para nós dois.

Já do lado de dentro, senti-me numa festa mil vezes mais descolada que uma *rave* dessas supermodernas. Ao passar pela opulenta porta de entrada, havia um pequeno hall que dava acesso para uma enorme pista de dança, por meio de uma escada de quatro degraus mal iluminados, totalmente fora de qualquer padrão de segurança.

Ah, Deus! Será que mais alguém, além de mim, pensaria em normas de segurança num lugar como aquele? Provavelmente não.

A iluminação era tão precária que precisei me segurar em Antoni para não cair, a única luz decente vinha do bar que ficava ao fundo da pista de dança. Cores *neons* estavam por todos os lados, inclusive nas bebidas, nos copos e na roupa do *barman*. O efeito era bacana porque contrastava com a baixa iluminação do lugar. Havia apenas algumas luzes embutidas nas paredes.

A música era alta e agitada, mas não era pior do que algumas baladas "normais" que existem por aí. Antoni me puxava pelo braço como se eu fosse uma criança; eu o agradeceria por isso depois, pois se me soltasse eu me perderia em menos de um minuto.

Passamos por algumas pessoas dançando, outras se beijando. Enfim, nada de anormal. Fui pega de surpresa quando senti um puxão pelo braço me forçando a sentar em um banco alto na frente do bar, um movimento tão rápido que demorei alguns segundos até entender o que estava acontecendo. Olhei no banco ao lado e lá estava ele, com aquele sorriso arrogante no rosto.

— O que vão querer? — perguntou um homem atrás do balcão.

Eu ainda lançava um olhar de censura ao Antoni quando percebi que a pergunta estava sendo direcionada a nós.

— Água, por favor — ele respondeu com uma seriedade desnecessária.

Encarei-o com desconfiança.

— Água?

O homem com cara de mal, que não precisava de convite para entrar na balada das criaturas mais sinistras do mundo, bebia água? Quem diria?!

— Para mim, uma coca, por favor. — O *barman* me olhou com estranheza, como se eu tivesse pedido um terço para fazer uma oração. — Ah, qual é? Ele acabou de pedir água e você não fez cara de espanto.

O homem soltou um sorriso de canto de boca e saiu, balançando a cabeça. Quando se afastou, Antoni se curvou para meu lado e disse ao pé do ouvido, sorrindo.

— Preste atenção nas "pessoas", mas não dê confiança a ninguém, não fale com ninguém e não as encare. Se vir alguma coisa muito bizarra, não demonstre espanto. Precisamos ser invisíveis.

— Ok! Mas não se afaste, por favor — supliquei.

Eu já estava ficando com um pouco de medo. Senti sua mão segurar firme a minha e liberar uma pequena corrente elétrica quando me respondeu:

— Eu nunca vou me afastar de você.

Ele soltou a minha mão em seguida, foi bem rápido, mas senti uma espécie de choque com o toque. Nem vimos quando uma mulher se aproximou. Ela era simplesmente linda: cabelo negro e comprido até a cintura, com perfeitas mechas onduladas, olhos que pareciam o próprio oceano. Tinha certeza que se alguém olhasse dentro daquelas pedras azuis por mais de cinco minutos, se perderia completamente. A moça andou decidida em nossa direção e, apesar de ter me fitado por um segundo, ela tinha o olhar firme em Antoni.

— Olá, *mi amore!* Não o vejo há muito tempo, senti saudades — disse a mulher para ele.

Ela não era apenas linda, mas também muito sensual. Tudo nela era exótico, seu cabelo, seu olhar, o jeito de andar e até sua voz que carregava um timbre rouco que combinava perfeitamente com o conjunto. Usava um vestido preto justo, porém não era deselegante, ao contrário. As sandálias eram deslumbrantes, um salto dezoito, no mínimo, e não do estilo plataforma cafona, era puro luxo em tiras vermelho Ferrari.

— Boa noite, Mia! Estive muito ocupado conquistando uma garota. — Ele me olhou ao mesmo tempo, o que deixou claro que era eu a sua conquista — Esta é Any, meu novo amor. E esta é Mia, uma velha amiga.

Mia me olhou de cima a baixo, inspecionando-me brevemente. Deve ter se perguntado o que Antoni havia visto em mim, uma garota de estatura mediana, com cabelo castanho de cachos grandes e sem qualquer *glamour*. Ela sorriu e soltou seu veneno.

— Ao menos o cheiro dela é bom — disse, mostrando dentes perfeitos.

— Obrigada! O seu também não é tão ruim — respondi.

— Mia, como pode ver, estou acompanhado. Sinto muito não poder satisfazer seus desejos hoje — Antoni a dispensou, sorrindo e piscando para a mulher.

Ele piscou para ela na minha frente? Não que eu me importasse de verdade, mas se eu fosse mesmo a acompanhante dele isso seria um desrespeito, não?

— Ei! Eu ainda estou aqui! — Quis fazer uma ceninha para entrar no jogo dele.

— Desculpe, querida! Não precisa ter ciúmes, nós somos amigos há muito tempo, só isso. Hoje são somente os seus desejos que eu quero satisfazer. — Antoni se inclinou e quase me beijou, precisei ser rápida no desvio.

— Até que vocês ficam bem juntos. Se quiserem companhia, sabe onde me achar. — Antes que se afastasse, ela piscou para mim e saiu com o andar de uma deusa. Alguns homens paravam de falar quando ela passava e a acompanhavam com os olhos; algumas mulheres faziam o mesmo.

— Nossa! Ela é linda, por que a dispensou? Podia ter falado que eu era sua prima ou qualquer outra coisa que não o atrapalhasse.

— Mia não me interessa. E além do mais, se você a conhecesse melhor, perceberia que é exatamente o tipo de ser do qual se deve manter distância.

— E que tipo seria esse?

— Não vamos falar sobre isso. Não aqui.

Entendi o recado e me virei para o balcão. Nossas bebidas estavam lá e confesso que não vi quando o *barman* as trouxe. Ficamos parados por um instante, observando o movimento. A noite estava animada e me dei conta de que ainda era cedo, cedo demais para uma balada estar tão apinhada e, visivelmente, com muitas pessoas alcoolizadas. Meu relógio marcava apenas nove horas.

— Antoni, por que esse lugar está tão cheio a essa hora? Normalmente, as baladas começam a "bombar" depois das onze da noite.

— Bem-vinda ao mundo oculto. Esta balada não tem hora, porque ela nunca acaba. Você vai embora se quiser e quando quiser. Muitos estão aqui há dias.

Nossa! Isso sim era muito curioso, de um jeito quase legal. Olhei mais uma vez ao nosso redor e percebi o clima esquentando entre um casal no meio da pista. Eles dançavam e se esfregavam muito mais do que o tolerado para um local público, pelo menos, nos locais que eu conhecia. O rapaz passou a mão pelo cabelo louro da garota e seguiu até a sua cintura, onde deu um forte tranco, a fim de se aproximarem ainda mais, se é que era possível. Eles dançavam de um jeito descompassado e sem ritmo, pareciam alucinados. Talvez tivessem bebido demais.

Eu tentava olhar para o outro lado, concentrar-me em outras pessoas, mas o meu olhar sempre voltava para eles. Em uma dessas passadas de olho, flagrei-os em um beijo ardente e intenso. Ele levantou a coxa da garota e a pressionou contra o seu quadril, era possível ver a expressão de prazer e desejo em seus rostos, assim como era visível ver que esse desejo crescia a cada compressão de seus corpos. Eu estava constrangida, sentia-me espionando um casal em um ato íntimo, mas o estranho era que apenas eu parecia percebê-los. A garota estava extasiada, iniciou uma sucessão de beijos no pescoço e na parte onde a camisa do rapaz deixava à mostra parte do seu peitoral.

Pensei, nesse momento, em olhar noutra direção, mas antes disso vi quando, em um movimento rápido, ela cravou os dentes na pele alva do pescoço do rapaz. No início fiquei confusa, talvez estivesse vendo demais, porém, vi quando fios de sangue desceram pelo pescoço dele. Oscilei entre o choque e a curiosidade, enquanto ele sorria de puro prazer. Senti duas mãos firmes sobre os meus ombros e me lembrei de Antoni dizendo para eu não demonstrar espanto.

— Está tudo bem. Sorria, Alany. — Engoli em seco e abri um sorriso sem graça. — Agora, olhe para mim — pediu Antoni.

Virei o rosto em sua direção e o vi sorrindo, mas não aquele sorriso arrogante; este novo sorriso me dizia várias coisas, dentre elas, com muita certeza, havia um sentimento de proteção. Foi como se ele me dissesse "estou aqui com você, não precisa se preocupar". Respirei fundo e tentei parecer natural, mas não pude evitar e olhei o casal novamente. Eles estavam rindo como adolescentes que acabaram de tomar o primeiro porre.

Eu tremia, sentia um misto de excitação e medo. Antoni se aproximou do meu ouvido e disse com tranquilidade:

— Acho que já podemos ir embora.

— Acho que sim. Mas preciso ir ao banheiro antes. Tudo bem? — perguntei, insegura.

— É por ali. — Ele apontou para o fundo do salão, o que quase me fez desistir, teria que passar por tanta gente até chegar lá.

— Não se preocupe, vou acompanhá-la até a porta e aguardarei do lado de fora. Você vai continuar sem falar com ninguém — disse calmamente.

Caminhamos entre as pessoas e era bem difícil passar, elas pareciam não nos ver. Estávamos chegando perto, eu sabia por que podia ver a luz que vinha de dentro do banheiro. Então, senti uma mão quente tocar meu braço esquerdo e como Antoni me segurava pelo lado oposto, virei-me por instinto em direção ao desconhecido. Uma mulher de pele clara e cabelo negro, rebelde e esvoaçante, segurava-me com dedos longos e finos. Meu coração quase saiu pela boca quando vi os seus olhos, eram vermelhos como sangue.

— Sinto cheiro de humanidade — ralhou, mexendo o nariz como um cão perdigueiro.

— O que disse, bruxa? — Antoni interviu.

— Desculpe, Antoni! Acontece que essa criatura me parece estar no lugar errado. Não imagino o que você poderia estar fazendo com uma garota humana aqui no Submundo. — ela falava com ele, mas ainda me observava com aqueles olhos horríveis.

A risada de Antoni foi de quem acabara de ouvir uma boa piada.

— Humana? Está me confundindo ou está me subestimando? — ele ironizou, colocando-se à minha frente.

Os dois se entreolharam por alguns segundos, como se fossem lobos em combate.

— Não tive a intenção de incomodar. Apenas tive a sensação de que ela...

— Sensação? — Ele não a deixou concluir. — Está me fazendo perder tempo por causa de uma sensação?

Com uma expressão raivosa, Antoni assumiu uma postura bruta, sua voz saiu forte e intimidadora. Seus olhos pareciam ainda mais negros e sombrios. Era visível a transformação em seu rosto, ele estava quase rosnando para ela.

— Saia da minha frente, Margo! Ou perderá sua fama de bruxa maldita.

A mulher se afastou sem tirar os olhos dele. Se Antoni algum dia me olhasse como olhou para ela, acho que, no mínimo, eu iria chorar. Mas não foi só a mim que ele assustou, pude ver o temor naqueles olhos vermelhos.

Deixei por um segundo a conexão fluir, queria ver mais daquela figura e, no mesmo instante, uma sombra negra tentou me envolver. Fiz o possível para me libertar e subi a barreira novamente, sentindo-me tonta. Por alguma razão, Antoni segurou o meu braço e impediu que eu perdesse o equilíbrio.

Eu queria muito ir embora daquele lugar, não fazia ideia de quem era aquela mulher, mas ela conseguiu me aterrorizar. Eu estava em choque e percebi que não precisava ir ao banheiro mais do que queria sair do Submundo. Tentei dar meia volta, mas Antoni me puxou para um abraço e fingiu dançar comigo, aproximando a boca do meu ouvido.

— Relaxa! — sussurrou ele, tirando-me um pouco do medo. — Respire e me acompanhe, se não quiser chamar a atenção de mais algum intrometido. Podemos não ter tanta sorte da próxima vez. Com o rosto encostado ao meu, senti sua pele se repuxar em um sorriso. — Essa bruxa ainda deve estar nos observando, e com certeza, ela vai perceber que conseguiu deixá-la com medo.

Senti subir um arrepio só de pensar em ter que encarar novamente uma situação como aquela. Nunca esqueceria os olhos vermelhos e as sombras que saíam dela como tentáculos. Acompanhei Antoni na dança e percebi que ele me abraçou mais forte. Tocava uma música da qual eu gostava e agradeci por, pelo menos, ser uma canção familiar, do Nickelback.

— O que ela era? — perguntei, aproveitando a proximidade dele. — Porque disse que sentiu cheiro de humanidade? O que isso quer dizer?

— Ela é uma bruxa, não provém de uma linhagem muito poderosa, mas se esforça bastante. Ela me conhece bem e por isso se submeteu, mas não faria o mesmo se fosse outro aqui com você. Constantemente, presta alguns serviços encomendados pelo Ministério, por isso, pode ser perigosa caso não a convençamos de que estamos juntos e de que você é um ser como qualquer outro aqui dentro. Ela deve ter desenvolvido alguma forma de identificar humanidade, o que não quer dizer que seja proveniente de um humano. Dizem que todos nós temos um pouco de humanidade. — Às vezes, ele me olhava e sorria enquanto falava, para despistar quem pudesse estar de olho em nós. — Não se preocupe, ela não vai fazer mal algum a você. O perigo maior, neste caso, são as informações que pode levar ao Ministério. Enquanto ela não souber quem é você, estará tudo bem.

Estávamos dançando sem realmente querer. O ritmo era um pouco lento, forçando-nos a um balanço leve e compassado. Antoni encostou a testa na minha, fechou os olhos e segurou meu rosto com as duas mãos. Continuávamos no ritmo da música e me dei conta de que ele queria mesmo convencer a quem nos via sobre a nossa condição de casal. Então, voltou os lábios para perto do meu ouvido. Senti uma espécie de formigamento no rosto enquanto ele me segurava, mas só pensava em sair daquele lugar o quanto antes, se fazer esse teatro era necessário, que assim fosse.

— Não devia ter trazido você aqui. Às vezes, sou irresponsável e inconsequente. Estas são as minhas maiores habilidades. Mas agora é tarde para arrependimentos. Como eu disse antes, não se espante com nada. — Voltando a fixar os olhos nos meus, ele foi chegando mais perto e me beijou.

O ar me faltou completamente, eu não esperava por essa atitude. Senti pequenos choques na pele e nos lábios, mas o que eu podia fazer para afastá-lo sem demonstrar espanto ou raiva? O beijo não foi muito longo, porém, intenso demais para uma encenação. Ao me soltar, Antoni exibia aquele sorriso arrogante no rosto. Tive vontade de bater nele.

— Espero que não se acostume — sussurrou em meu ouvido.

— E por que não deveria? Pelo que eu sei sou seu novo amor. Se não se importa, vou ao banheiro agora — afastei-me assim que falei. Ele não conseguia evitar o sorriso, simplesmente não saía do seu rosto. Sua mão apontou para o banheiro e, quando saí em direção ao meu destino, percebi que ele me seguia. Mal dei dois passos e senti quando me puxou pelo braço, fazendo-me virar e quase cair, chocando-me contra o corpo dele.

— Estarei esperando aqui fora. Ninguém neste lugar pode saber o seu nome. Nossas vidas dependem disso.

— Você não tinha me dito isso antes.

— Desculpe! Devo ter me esquecido, mas estou dizendo agora e eu preciso que entenda a importância do assunto. Não deve dizer a ninguém o seu nome ou qualquer outra informação a seu respeito, principalmente sobre quem é sua mãe. — Ele me segurava com força e estávamos tão próximos que tive medo que me beijasse de novo, mas a intensidade com que me olhava só mostrava que o assunto era muito sério e não era momento para brincadeiras.

— Tudo bem. Fica tranquilo, não vou dizer nada a ninguém. Por que eu diria? — Ele me soltou e segui para dentro do toalete feminino.

Capítulo 13

Entrei no banheiro e logo tive uma sensação muito ruim. A iluminação ali era um pouco mais forte e, por isso, estreitei os olhos ao entrar. Parecia tudo normal, como qualquer outro banheiro de bar. Ainda assim, eu só conseguia pensar que estava em um lugar completamente estranho e cheio de coisas ou seres nada normais, o que sugeria que era possível e, até mesmo provável, deparar-me com algo esquisito. Estremeci ao pensar nisso, o medo era inevitável.

Dei de cara com uma garota de cabelo vermelho retocando a maquiagem diante do espelho, que por sinal estava extremamente carregada; em outra ocasião eu até lhe daria alguns conselhos. Apenas uma das quatro cabines estava fechada, o que me deixou aliviada, pois tive medo de encontrar o banheiro apinhado de seres estranhos e não conseguir controlar o medo dentro de mim.

A porta da cabine ocupada foi aberta no momento em que eu passava por ela e olhei para ver quem estava saindo, mais por reflexo do que curiosidade. Tive receio de me deparar com um par de olhos vermelhos. Só de lembrar, senti um arrepio que me subiu pela espinha e seguiu até as orelhas.

Para minha surpresa, duas mulheres saíram da cabine. Uma delas usava um vestido azul muito curto e muito vulgar; a outra vestia um longo branco, discreto demais para aquela atmosfera. Esta era alta, loira e muito bonita, mas alguma coisa não fazia muito sentido naquela cena. A garota de azul parecia se ajeitar de uma forma comum, como qualquer mulher faz ao usar o banheiro, mas o estranho estava na comunicação entre elas, ou melhor, na falta de comunicação. Elas não trocaram uma palavra sequer, não riam ou se olhavam. Pareciam invisíveis uma para a outra, o silêncio por algum motivo me parecia suspeito, no entanto, creio que qualquer coisa não me pareceria normal naquele lugar.

Quando escolhi a última cabine e empurrei a porta para entrar, ouvi a voz de uma das duas mulheres e percebi imediatamente que ela estava falando comigo. Parei onde estava e me virei.

— Vi você lá fora com Antoni e preciso lhe dizer que tem um gosto, no mínimo, curioso. Você não me parece uma menina... — Ela parou por um segundo e me fitou de cima a baixo. — Adoradora do mal. O que a faria andar por aí acompanhada por uma criatura tão desprezível? Ele é o tipo de ser carente de luz, só existe escuridão naquele homem.

Fiquei parada entre o corredor e a porta da cabine. Não tive coragem de entrar, mas não fazia ideia do que dizer.

— Alguma coisa me diz que você não sabe exatamente quem é o seu companheiro. Realmente existe uma conexão entre vocês, não dá para negar, foi bem visível, mas não pude identificar a natureza dessa ligação.

Pense Any, não se espante com nada e não demonstre fraqueza.

Esta última parte foi por minha conta.

Fitei o rosto pálido da mulher com o meu melhor olhar de arrogância.

— Você está muito enganada, eu sei muito mais sobre o Antoni do que ele mesmo, e com certeza, mais do que você. — Sorri tentando demonstrar malícia e esconder o pânico. — Quanto a nossa ligação, não é algo que eu possa explicar, acho que você não entenderia.

— Por que você não tenta me explicar? Estou curiosa. — A mulher lançou-me um olhar ameaçador.

— Que pena. Agora não vai dar, estou com um pouco de pressa, mas quem sabe outro dia... — respondi.

A porta do banheiro bateu com uma força estrondosa, fazendo as paredes ao redor vibrarem. Num sobressalto, meu corpo se contraiu de susto e, em seguida, eu a ouvi gargalhar. Procurei pelas outras duas garotas que estavam ali dentro e percebi que já haviam saído. Estávamos sozinhas.

— Como você pode se assustar com esse barulho, se anda por aí de mãos dadas com aquele sujeito? Ele é o próprio mal materializado e você, quem é? Além de uma garota medrosa e frágil. — perguntou a mulher, num tom de quem não aceitaria ficar sem resposta.

Vi-me intimidada e não gostei nada da sensação.

— Não sei o que você quer, mas não tenho tempo para isso. Até porque, o mal materializado está ali fora e pode vir me procurar a qualquer momento. Não acho prudente, muito menos inteligente, deixá-lo esperando muito tempo. — Estava tentando improvisar e ganhar tempo. Antoni precisava se tocar que eu estava demorando para sair.

Ouvi um barulho na fechadura, a porta de entrada se trancou sozinha e percebi, pelo olhar daquela mulher, que ela não me deixaria sair tão facilmente.

— Quem é você? E o que quer comigo? — arrisquei.

Aquela mulher com aparência tranquila, porém, com olhar ameaçador, iniciou uma marcha em minha direção com um sorriso de maldade estampado no rosto. O grande problema é que a marcha não era exatamente uma caminhada. Ela não estava andando como podia se esperar de qualquer pessoa, sim, flutuava em minha direção. Ao mesmo tempo a luz do banheiro se tornou vacilante e fraca, enquanto a mulher se colocou no chão bem à minha frente, encarando-me como se pudesse enxergar meu interior.

Ela levantou meu corpo no ar sem sequer me tocar e minhas costas deslizaram pela parede em direção ao teto, até que fiquei colada no teto com o corpo virado de frente para o chão. Impressionei-me nos primeiros segundos, mas logo caiu a ficha e me apavorei. Gritei insistentemente por Antoni, enquanto aquela coisa ria e debochava das minhas tentativas descontroladas de pedir ajuda. Era muito óbvio que ninguém poderia me ouvir, não com aquela música alta.

— Você tem três segundos para me contar quem é você e por que está aqui com Antoni. Ou melhor, porque ele a defende tanto? Digamos que não é muito de se preocupar com alguém além dele mesmo – ela disse, caminhando tranquilamente pelo banheiro.

Eu estava perdida. Antoni acabara de aconselhar que eu não dissesse meu nome em hipótese alguma e, mesmo que eu dissesse, não acho que ela simplesmente me deixaria em paz. Fechei os olhos para pensar em alguma história que pudesse ser convincente o bastante para sair daquela situação desconfortável. Nunca vi nada parecido nem nos meus sonhos. Como escapar quando se está pregada ao teto prestes a cair de cara no chão?

Então, senti o vento que entrava pela janela tocar meu rosto. Imediatamente, lembrei-me que o ar podia ser uma das minhas conexões e eu não tinha nada a perder por tentar.

Fechei os olhos e pensei: se eu tenho mesmo uma conexão com os elementos, esse é o momento certo para acontecer. Preciso que leve o meu chamado através desta porta até o Antoni, ou a qualquer um que possa me ajudar. Então, soltei um grito de socorro no ar.

No segundo seguinte, a porta foi arrombada com extrema violência. A conexão realmente existia, afinal. Foi o que consegui pensar quando vi Antoni entrando como um raio naquele banheiro. A magia que me prendia ao teto se quebrou no momento em que ele passou pela porta, o que me fez iniciar uma descida forçada. Por reflexo, fechei novamente os olhos para não ver o chão se aproximando.

É incrível como podemos sentir tantas coisas em uma fração de segundos. Não sabia o que me aconteceria ao bater no chão, mas com certeza eu não sairia ilesa, ao menos um osso se quebraria. Mas quando meu corpo parou de cair e eu não me choquei contra o chão, não precisei abrir os olhos para ver quem havia me salvado. Já tinha sentido aquele toque, acompanhado de um pequeno choque.

Tudo aconteceu muito rápido e quando ele me colocou no chão, abri os olhos ainda zonza. Dei de cara com aquela maluca e senti uma raiva que nem sabia existir dentro de mim.

Imediatamente, percebi que algo estava diferente, tudo estava ativado de uma forma absolutamente completa, todo o bloqueio tinha sumido. Não sei se foi a queda ou a conexão com o ar, mas quando olhei novamente para aquele ser demoníaco em forma de mulher, pude ver a sua energia, que mais parecia uma sombra negra. Logo percebi e entendi o que estava acontecendo. A mesma bruxa abusada que nos incomodou há poucos minutos no meio do salão estava ali, por trás daquela imagem bonita e tranquila, não sei como, mas era ela, a bruxa de olhos vermelhos.

Desviei o olhar para Antoni para avisá-lo sobre o que eu estava vendo e percebi que ele exibia uma expressão confusa. Estava imóvel, observando a mulher. Provavelmente ele a conhecia, na verdade, ele achava que conhecia, ela o enganava com aquela falsa aparência e com uma voz rouca e doce. A voz dele saiu hesitante quando perguntou:

— O que você está fazendo aqui?

— Antoni, meu amigo, você precisa me ouvir. Essa garota não é quem você pensa, ela é uma fraude. Precisa confiar em mim. — Ele estava inseguro, essa imagem ilusória que ela assumiu, com certeza retratava alguém que ele conhecia bem.

— Essa mulher é a mesma bruxa que encontramos há pouco, ela se transformou nessa imagem, mas eu posso ver que é a mesma pessoa que segurou o meu braço. Vejo as mesmas sombras negras ao redor dela, a mesma energia ruim, até os olhos vermelhos — tentei alertá-lo.

Antoni parecia indeciso. Vi sua energia confusa, precisava provar que estava dizendo a verdade, já que ele ainda não entendia muito bem como a minha habilidade funcionava. Com uma coragem totalmente inusitada, dei três passos em direção ao perigo. Apesar de arriscado, escolhi confiar em Antoni. Ela não conseguiria persuadi-lo porque apesar de nos conhecermos há pouco tempo, eu sabia que ele também confiava em mim.

— Por que os seus olhos não estão vermelhos agora, bruxa? Acha que engana qualquer um com uma transformação tão amadora? Eu posso vê-la por trás dessa ilusão — declarei, mesmo comprometendo a minha identidade.

Ela me fitou visivelmente aturdida, não entendia como eu a tinha descoberto. Ainda assim, continuou sua performance.

— Você não sabe mesmo com quem está falando, não é? Quem pensa que é para me desafiar, garota? — disse, já se aproximando.

Deixei a minha habilidade fluir sem qualquer contenção e pude ver a energia da bruxa também em confusão, o que me deixava em vantagem. Não conseguia explicar, mas ela já não me afetava como antes.

— Você não se cansa de tentar obter informações a meu respeito, não é? Por que tanto interesse em mim? Eu sou apenas uma garota medrosa, não sou? — perguntei. Eu queria provocá-la para que perdesse a linha e mostrasse a Antoni sua verdadeira face.

— Meu querido, essa garota está tentando manipular você. Não percebe o que ela está fazendo? Você não é ingênuo, muito menos inocente. Com certeza, percebe uma impostora de longe. O que você sabe sobre ela? — perguntou ao Antoni com muita tranquilidade.

Ao ouvir essas palavras, a energia de Antoni mudou novamente, ele me olhava com uma expressão indecifrável. Logo percebi o que estava tentando fazer. Confirmei com o olhar que estava entendendo, ou melhor, estava vendo a sua intenção. Dessa vez foi ele quem iniciou uma marcha em direção à bruxa.

— Você tem razão, Seretini. Conhecemo-nos há muito tempo, eu jamais duvidaria de seu julgamento. — Ele fixou os olhos em mim. — O problema é que eu me afeiçoei a essa garota, sabe como é? Ela é bonita, inteligente, divertida... ela é especial.

A criatura sorriu, demonstrando escárnio.

— Querido, essa criatura não é nada perto das mulheres maravilhosas que você já teve aos seus pés. Precisamos dar um jeito de apagar sua memória e depois levá-la para longe daqui. — Ele estava exatamente atrás da bruxa, enquanto ela me olhava e continuava seu discurso. — Podemos levá-la para casa já que se importa tanto, assim ela pelo menos ficará em segurança. — Essa foi a última frase que saiu de sua boca, antes que Antoni colocasse as mãos sobre a cabeça dela e a fizesse ajoelhar em agonia.

— Antoni, o que está fazendo? — sussurrou.

— Minha cara Margo, acha mesmo que engana a qualquer um, não acha? Não adianta mais fazer esse jogo, eu também sei bem quem é você. O que ainda me é desconhecido, tão somente é o que você realmente quer com todo esse show — Antoni refletiu.

A bruxa gemeu de dor e perdeu a força, retomando sua aparência real. Logo os olhos vermelhos estavam me fitaram outra vez, só que agora, eles não representavam força ou intimidação, continham uma enorme carga de medo.

— Antoni, por favor. Eu apenas fiquei curiosa sobre essa garota que parece tão humana. — Novamente a vi se contorcer de dor. — O que vai fazer? — Outro gemido ecoou. — Tudo bem! Você sabe que estou sob a proteção do Ministério. Eles me disseram que você anda sumido. Estão atrás de você, e já faz tempo. Eu só pensei que se eu conseguisse alguma informação a seu respeito seria de grande valor para aqueles velhos arrogantes, principalmente se essa informação mostrasse seu envolvimento com uma mulher desconhecida e de aparência tão humana. Você sabe qual é a única maneira de me calar. Então, vá em frente e garanta sua passagem só de ida para a fenda.

— Vou dar uma chance. Diga-me porque o Ministério inteiro está atrás de mim. O que você sabe? — perguntou Antoni.

— Eles acham que você desertou porque está trabalhando para outra pessoa. Eu não sei de mais nada, você conhece muito bem as regras do Ministério, não é fácil saber qualquer coisa sobre os planos obscuros, é tudo secreto naquele lugar.

Não era tão ruim deixar minha habilidade fluir. Eu não me sentia mal e ainda podia ver claramente as nuances de energia a cada palavra proferida, a incerteza nas frases e a intenção desesperada em guardar um segredo precioso. Era como um balé de sensações bem ali na minha frente. Antoni não podia ver o que eu via, e eu sabia que ela tinha mais a dizer, por isso, senti-me na obrigação de ajudá-lo.

— Você está escondendo alguma coisa, bruxa. Posso sentir sua dúvida e sua resistência. Está com medo agora, mas tem muito mais medo do que a aguarda caso revele o que sabe — eu disse.

Nem imaginava como eu conseguia saber de tudo aquilo, mas podia ver. Era simples assim. A mulher arregalou os olhos ao me ouvir e não pode se conter.

— Quem é essa, afinal? Nunca antes alguém pôde me ver atrás do feitiço da ilusão e, como se não bastasse, ela também pode saber o que estou pensando?

— Permita-me uma correção. Pensando, não. Pensamentos são facilmente manipulados, o que ela faz é muito mais eficaz, ela consegue ver o que está realmente sentindo ou tencionando fazer. — Aproximando bem a boca ao ouvido da bruxa para que mais ninguém pudesse escutar, ou para dar mais dramaticidade ao que diria, ele praticamente sussurrou: — Ela realmente pode ver o quê ou quem você é. Ninguém, humano ou celsu, pode se esconder dela. Não acha fascinante?

Os olhos da bruxa se arregalaram e me fitaram com curiosidade.

— Mas por que há tanta humanidade dentro dela? Se o Ministério soubesse o que ela é capaz de fazer... — Um sorriso de satisfação se alargou mostrando dentes brancos, porém tortos e encavalados.

— É uma pena que você não consiga levar esta preciosa informação até eles, isso sim lhe daria alguns pontos. Posso acabar com seu sofrimento agora mesmo, se você não revelar o que a perturba tanto. Por que tem medo de dizer o que sabe? — inquiriu Antoni.

Ela se contorceu mais uma vez. Então, começou a falar um pouco baixo, sem muito vigor, mas eu podia ver que a dúvida estava se dissipando.

— Há um tempo, o Ministério descobriu que existe uma aliança se formando, eles buscam restabelecer a humanidade do mundo. Você pode imaginar que a notícia caiu como uma bomba entre os altivos, e eu fui chamada para tentar descobrir pelo menos um membro desse grupo. É tudo que eles precisam. — Margo tinha a voz baixa e apagada. — Estou procurando há anos, e sequer tenho uma pista, parece impossível encontrá-los. Eles estão muito bem organizados e conhecem todas as artimanhas e segredos do Ministério, parecem estar sempre um passo à nossa frente. Eu tenho certeza que existe um membro infiltrado dentro do próprio Ministério e, por isso, minha cabeça estará a prêmio se eu não conseguir provas logo. Tenho certeza que não terei muito tempo, mas com essa garota tudo pode mudar, nós podemos encontrar essa tal Ordem. Seria perfeito. Você retomaria sua posição no Ministério e eu finalmente conquistaria meu lugar como membro. — A mulher se animou, apesar do esforço que precisava fazer para falar.

— Então, é isso que lhe interessa? Ser membro daquele Conselho ultrapassado? — zombou.

— Pode até ser ultrapassado, mas ainda é a organização mais poderosa do mundo. E fica muito mais poderosa a cada dia com o arrefecimento da humanidade. Você não imagina os planos grandiosos do Conselho. — Ela sorriu e, nitidamente, isso lhe causou mais dor. — Eles subestimam minhas habilidades, pensam que eu não sei de nada relevante. Não é tão complexo juntar alguns pontos quando se está lá dentro. O Conselho quer ser soberano, Antoni, e está conseguindo. Ele já está embrenhado em muitas bases de influência que praticamente conduzem as decisões do mundo. É verdade que eu não sei qual será o grande golpe, mas quero estar ao lado dos vencedores e, pelo que vejo, o Ministério está perto de ter o que há muitas eras vem buscando. — Não sei o que o Antoni estava fazendo com ela, mas a bruxa terminou a frase tossindo e quase perdendo suas forças.

Antoni me lançou um olhar e eu confirmei que a mulher tinha dito tudo que sabia. No mesmo momento, vi a energia dele enegrecer e ficar ainda mais densa do que a da bruxa pavorosa. Ele fechou os olhos, respirou fundo e liberou uma espécie de sombra que adentrou o corpo da mulher por seus ouvidos e boca.

Em segundos, o corpo da bruxa perdeu as forças, desfalecendo aos pés de Antoni. Ele a deixou ali no chão e veio em minha direção. Aquela cena me deixou tonta, agachei-me apoiando as costas na parede, minhas pernas perderam as forças por um segundo. Aquela mulher, bruxa ou não, acabava de morrer na minha frente e eu não fiz nada. Eu sabia que seria ela ou eu, mesmo assim me senti péssima.

— Vamos embora — disse ele, aproximando-se de mim.

Antoni esticou a mão para que eu me segurasse nele, mas não estava em condições de aceitar ajuda de alguém que havia acabado de cometer um homicídio. Encolhi-me contra a parede, indicando que não queria sua ajuda.

— Alany, não quero e não preciso me justificar, mas ela mataria você se eu não entrasse naquele instante. E mesmo que eu a deixasse sair, em alguns minutos, todos os integrantes do Ministério, espalhados pelo mundo, estariam atrás de você.

Eu sabia que ele estava falando a verdade e pude ver que se arrependia por ter me levado àquele lugar. Aceitei sua ajuda e me levantei.

Ela não diria nada a ninguém, nunca mais. O corpo que estava no chão, desfalecido, de repente se desintegrou bem na minha frente. E junto com ele as minhas crenças, minhas verdades e tudo no que eu acreditava até aquele dia. Se ainda havia alguma dúvida sobre as coisas que Antoni me contara, ela acabara de se desintegrar também.

Não conseguimos dizer nada um ao outro naquele momento. Saímos do banheiro como se nada tivesse acontecido e quando abrimos a porta, vimos três mulheres aguardando do lado de fora. Elas sorriram ao nos ver, não estavam bravas pela demora, apenas demonstravam com um movimento de cabeça ou um sorriso, que aprovavam a situação. Percebi que um casal ficar preso no banheiro de um bar como aquele era legal e descolado. Talvez, aqueles seres não tinham as mesmas necessidades que os humanos, ou pelo menos, não com a mesma urgência. Já do lado de fora do bar, Antoni me encarou.

— Você está bem? — perguntou ele. Confirmei com a cabeça, eu não me sentia tão disposta. — Não tem mais nenhuma pergunta?

— Ainda tenho muitas perguntas para você, mas não precisa se preocupar mais com o meu ceticismo. Estou apavorada e decepcionada comigo mesma. Como eu pude sentir que sempre estava faltando uma peça, mas nunca tentei procurá-la, sempre optei pelo óbvio. Deixei-me ser manipulada a vida toda mesmo sabendo, ou sentindo, que alguma coisa não estava certa.

— Não se culpe. Twylla idealizou uma vida normal para você, ela só queria que fosse a mais feliz e humana possível. Acho que ela não esperava que seu lado celsu se mostrasse tão forte. Mas, agora, vai ficar tudo bem.

Antoni demonstrou uma sensibilidade que jamais pensaria existir naquele cara sinistro. Olhando em seus olhos, vi o homem cruel que a bruxa me descreveu, no entanto, os mesmos olhos me mostravam que havia mais, talvez mais humanidade do que ele era capaz de perceber.

Capítulo 14

Atravessamos a rua e retornamos ao Café. Eu não estava em condições psicológicas para descobrir mais coisas assustadoras, mas como tinha deixado meu carro estacionado lá, precisei voltar de qualquer forma.

Ao pisar em um ambiente "normal", uma necessidade que tinha sumido diante de uma situação completamente surreal, acometeu-me mais uma vez. Finalmente, consegui ir ao banheiro sem medo de encontrar coisas que poderiam me matar. Ao sair e me dirigir para a grande porta, onde Antoni deveria estar me esperando, senti aquela sensação de ser observada novamente e sabia exatamente por quem. Com certeza, Santiago estava por perto.

Fiquei parada, tentando encontrá-lo por um instante, mas não via nada além de estranhos. O Café estava bem cheio e ele podia estar em qualquer lugar, então continuei andando em direção à porta. As mesas estavam quase todas ocupadas e em nenhuma delas eu via o Santiago.

Eu tentava não deixar transparecer que estava procurando por alguém. Andei despretensiosamente em direção à saída, mas quando cheguei próximo ao corredor de acesso para a rua, decidi dar uma última olhada. Não o avistei.

Voltando a mirar a saída, podia ver Antoni me aguardando parado na calçada. Observei-o por um segundo. Senti um pouco de raiva ao me lembrar de tudo que havia acontecido, mas ao mesmo tempo senti remorso, afinal, ele tinha acabado de salvar a minha vida. Eu não sabia quase nada sobre ele, mas sabia que não era o mal materializado, como a bruxa mencionou.

Segui em frente para encontrá-lo e me despedir. Eu estava tão cansada que só pensava na minha cama. Quando saí, meu carro já estava parado à porta do Café, então soube que era a minha deixa. Antoni, no entanto, fez as honras da despedida.

— Você acha que sabe o caminho de volta?

— Ainda estou com o seu mapa. Se consegui chegar, acho que consigo sair — respondi, sem ânimo.

— Estarei logo atrás de você.

Ele apenas me olhou com uma expressão carregada de dúvida. Não entendi muito bem o porquê de seu receio, visto que no outro dia ele mesmo me dissera para ir embora sozinha. O que tinha mudado?

Entrei no carro e segui meu caminho. Aquele lugar era realmente muito mais sinistro à noite. Sozinha no silêncio que me envolvia, todas as revelações do dia voltaram à minha mente. Senti-me num filme de *Hitchcock*, com pássaros me atacando e a cada bicada um flash se acendia, lançando imagens de cada uma das inúmeras descobertas da noite.

Durante o trajeto para casa, minha cabeça rodava com tanta informação e eu não estava conseguindo processar tudo de uma vez. Ainda tinha tantas perguntas.

Iniciei uma lista mental com os pontos mais urgentes e um deles, com certeza, era Carol; o quê ou quem ela era.

Algumas coisas começavam a fazer sentido. Carol foi quem me ajudou a bloquear a habilidade ou conexão, e só me incentivava a usá-la quando tinha algum interesse próprio envolvido. Além de sempre me aconselhar a não comentar com ninguém sobre as coisas que eu via. Apesar de usar uma abordagem diferente de Antoni, ela também tentava impedir que qualquer pessoa soubesse alguma coisa sobre mim ou minhas esquisitices. O discurso sempre foi: "as pessoas vão pensar que você é doida e isso vai deixá-la no mínimo chateada, para não dizer que pode trazer sérios problemas". Eu só não sabia que esses "problemas" estavam ligados a pessoas tentando me matar, mas concordava com ela nesse ponto.

Todas as vezes que tentei comentar a respeito, fui motivo de piadas e, às vezes, até fui considerada uma pessoa com problemas psiquiátricos. Já fui aconselhada a procurar ajuda profissional e isso inclui tratamento espiritual. Fiquei me lembrando de como a minha vida foi uma tortura até eu decidir não falar, não olhar e não conversar mais com ninguém sobre o assunto. Minha avó era a única que me entendia, ela sempre dizia que eu tinha um dom especial e, claro, que não concordava com a minha decisão de não sair mais de casa.

Deixar o colégio e me esconder do mundo, foi a única opção. Mas tudo mudou no dia em que uma garota foi atropelada em frente de casa, minha avó a acolheu e ela ficou aguardando pelos pais para ir ao hospital. Ela estava bem, mas seria adequado investigar para ver se a pancada não havia machucado nada por dentro, já que por fora foram apenas arranhões.

Criamos uma afinidade imediata e incomum, foi como se nos conhecêssemos há muito tempo. Como eu passava a maior parte do tempo em casa, ela começou a me fazer algumas visitas e nossa amizade foi se fortalecendo.

Aos poucos, eu me sentia mais à vontade, até que um dia resolvi me abrir e contei sobre o que eu via. Sua reação foi inesperadamente compreensiva e daquele dia em diante, nos tornamos melhores amigas. Carol não só me entendeu como me ajudou a superar meus medos e retornar à sociedade. Voltei para a escola e passei a me relacionar mais com as pessoas, sentia-me viva de novo. Agora, após tantas revelações, as coisas se encaixavam de uma forma aterrorizante.

Estava tão compenetrada naqueles pensamentos que devo ter errado o caminho. Por um momento, senti-me perdida. Olhei para a rua à minha frente, depois para os lados e tudo parecia desconhecido, como se eu nunca houvesse passado por ali antes. Senti um frio na barriga. Confusa e perdida continuei em movimento, tinha mais medo de parar naquele lugar do que continuar perdida e, além disso, não havia ninguém a quem eu pudesse recorrer e pedir alguma informação. Os semáforos estavam apagados desde o início daquela via, estranhei quando eles começaram a piscar, mas não todos de uma vez.

Reduzi a velocidade ao mínimo possível e percebi que eles formavam um caminho de luzes que me levava à saída daquele lugar mais parecido com uma cidade fantasma. Assim que voltei à via principal, as luzes se apagaram totalmente, comprovando minha teoria de que só podia ser Antoni me ajudando. Rindo sozinha, descobri o significado da expressão de dúvida que vi em seu rosto quando eu disse que havia chegado até ali sozinha. Talvez ele também tenha me ajudado a chegar.

Quando cheguei em casa já era tarde e eu só queria dormir e descansar um pouco. Meu objetivo era deixar para pensar nos acontecimentos no dia seguinte, pois minha mente estava em frangalhos. Tomei um banho e me joguei na cama, adormecendo talvez em um ou dois segundos.

Notei meu corpo ficar muito leve no meio da noite. Tão leve que mal podia sentir meus braços e pernas; parecia flutuar. A madrugada estava quente e meu quarto parecia um forno com as janelas fechadas. Tive a nítida impressão de que alguém me observava, mais ou menos como senti acontecer no Café.

Abri os olhos para poder confirmar que estava sozinha, mas uma figura recostada na parede em frente à minha cama frustrou minha esperança. Sob um raio de luar que entrava pela janela, consegui identificar quem havia invadido o meu quarto. Ele estava parado com os braços cruzados, observando-me com um olhar compenetrado e sério. Permaneci na mesma posição e fiquei apenas analisando aquele que me observava.

Não sei se já disse isso, mas ele era bem alto e bonito, principalmente visto daquela forma, com a luz do luar iluminando a pele branca de seu rosto e seus olhos negros. Aquele olhar sempre dizia muito mais do que sua boca, e ele mantinha um ar de quem sabia mais do que contava. Todo esse mistério era irritante, tanto quanto interessante.

Ficamos assim por alguns minutos até sentir que o calor estava aumentando naquele quarto. Ajeitei-me na cama e me sentei, porém, Antoni sequer se mexeu, continuou me observando discreto e silencioso. Depois de alguns minutos mantendo a mesma postura distante, mas conectados pelo olhar, meu corpo começou a demonstrar algumas alterações que poderiam me deixar constrangida caso ele percebesse.

— O que está fazendo aqui no meu quarto?

— Quer que eu vá embora? — questionou, sério demais e sem mover um músculo além do necessário.

Eu não sabia o que responder, não entendia porque, mas não queria que ele fosse embora. Percebendo a minha falta de resposta, ele sorriu, o mesmo sorriso arrogante que já vi tantas vezes. Inesperadamente, isso não me incomodou. Apenas fiquei absorvida por aqueles lábios, a sensação de tê-los me tocando foi inevitável. Notei seu olhar determinado e sedutor percorrer o meu corpo bem devagar e, o estranho, era que eu estava gostando.

— Obrigada por me ajudar hoje, eu quase me perdi para valer — agradeci e ele apenas piscou. — Não vai me dizer por que está aqui? — perguntei.

— Quer que eu vá embora?

— Não! Não está me incomodando, só queria saber por que está aqui e por que me olha desse jeito.

— Desconfio que você tenha a resposta para uma dessas perguntas. Quanto à outra... estou aqui para protegê-la. Não podia deixá-la sozinha, não depois de tudo o que aconteceu.

Com certeza havia uma tensão no ar, sua presença em meu quarto no meio da noite me deixava confusa. Eu lutava contra o que realmente sentia quando olhava para ele. Antoni tinha razão, eu sabia o que significava seu olhar, puro desejo. No entanto, o mais difícil era admitir que eu também sentia.

— Não se preocupe — avisou. — Ficarei por aqui mais um pouco e você pode voltar a dormir.

— Eu não acredito que consiga dormir com você me observando.

Antes mesmo que eu terminasse o que estava dizendo, ele desencostou da parede e veio em minha direção. Congelei.

Antoni chegou perto da minha cama e se curvou, aproximando seu rosto do meu, tanto que senti o calor do seu corpo fluir e me envolver, como se estivesse me abraçando. Ele me encarou e, aos poucos, desviando bem devagar, encostou os lábios carnudos em meu ouvido e sussurrou:

— Eu sempre estarei por aqui, mesmo quando não puder me ver.

Aquela voz ao pé do ouvido me arrepiou dos pés à cabeça. Abri os olhos e constatei que estava deitada e não sentada como me lembrava de estar a um minuto. Antoni não estava em nenhum lugar do meu quarto e a janela estava com as cortinas fechadas, sem a luz da lua entrando pelo vidro. Naquele quarto só havia uma pessoa, entorpecida, suada e ofegante, que acabava de ter mais um sonho estranho. Uma pergunta me assombrou até o momento em que peguei no sono de novo: "Será que ele esteve mesmo no meu sonho, como já fez outras vezes, ou talvez tenha sido apenas um sonho meu, sem a sua participação?" Ah, Deus! Que seja a segunda opção.

Depois de dormir novamente sem interrupções, acordei com o meu celular vibrando sobre a mesa do computador. Ele anunciava a chegada de uma mensagem de texto da Nara que dizia:

Any, ligue para mim assim que acordar. Sonhei com aquele cara de novo.

Ler aquilo me deixou curiosa e aliviada, pois se Antoni estivera nos sonhos da minha amiga, não poderia estar nos meus. Ou poderia? Eu queria pensar que não. Também havia a possibilidade que o recado fosse algo do tipo: o que houve ontem não foi um sonho. Merda! Gelei só de pensar nessa alternativa.

Após realizar alguns rituais matinais e de higiene, desci para tomar café e conversar um pouco com minha avó. Durante os minutos que passamos juntas, olhei para o relógio na parede da cozinha umas vinte vezes, e é claro que meu comportamento estranho não passou despercebido.

— Parece um pouco preocupada, Any. Tem algum compromisso ou está aguardando alguém?

— Não. Quer dizer, nenhum dos dois. Eu só preciso ligar para Nara e estou esperando ficar um pouco mais tarde, ela pode estar dormindo.

Eu não convenceria nem uma criança com aquela desculpa, muito menos a minha avó, que era bem esperta. Ainda bem que ela fingiu acreditar.

Respirei fundo para criar coragem, então me lembrei de que precisava estudar para uma prova.

— Vó, vou subir para estudar. Se precisar de mim é só chamar.

Sentada na beirada da cama, eu ensaiava para estudar, quando na verdade, estava só procrastinando. O fato era que precisava ligar para Nara, mesmo com medo do que ela tinha para me contar. Não tinha certeza se meu medo era que ela contasse sobre seu sonho ou por ter que mentir caso perguntasse pelo meu suposto encontro com San.

Enfim, eu precisava enfrentar. Já havia encarado coisas piores nos últimos dias, especialmente na véspera.

Finalmente liguei. Nara não podia falar muito porque estava dirigindo, indo se encontrar com a irmã em algum lugar que eu não entendi muito bem, pois o sinal onde ela estava era péssimo. Porém, consegui entender o recado de Antoni, que era bem simples: "Diga a Any que preciso encontrá-la no mesmo lugar às oito horas".

A objetividade do recado podia estar escondendo justamente o que eu mais temia, a intenção de conversar sobre o que aconteceu de madrugada. Eu ficaria envergonhada pela intimidade do momento, mas, no fim... Sempre seria apenas um sonho. Logo percebi que se realmente tivesse aparecido para mim na noite passada, ele mesmo me daria o recado sobre o encontro e não a Nara. Ufa!

O dia passou e não tive notícias da Carol, o que era estranho diante da minha fuga do dia anterior. Achei melhor não cutucar e deixar que ela me procurasse. Perto do horário combinado, eu me troquei e segui para o Café, já estava me acostumando àquele caminho. No local e horário marcado, sentei-me em uma mesa longe do maldito palco, onde um certo cantor se preparava para dar início à sua apresentação.

Péssima ideia, Antoni. Precisamos encontrar outro lugar, pensei.

Estava pensando alto e aguardando o refrigerante que pedi ao me sentar. Meu celular foi meu companheiro durante, pelo menos, uma hora. Até que a bateria não aguentou mais a pressão e morreu. Nada de Antoni, San não parava de me olhar com curiosidade e eu não aguentava mais tanto refrigerante.

Esperei mais alguns minutos até que me levantei para ir embora. No caminho, ouvi as palavras de San e percebi que ele falava indiretamente comigo.

— Excepcionalmente hoje, vou oferecer uma música a alguém especial. Espero que gostem e que fiquem até o final. — Ele sorriu e as pessoas o acompanharam, entenderam como uma piada, mas eu entendi como um desafio. A música era *Can't Take My Eyes Off You*, a mesma que ele havia me oferecido na noite em que fui forçada a ir embora sem me despedir. A versão de James Arthur para este clássico era impressionante, mas na voz do San ficou ainda melhor.

Eu já estava em pé para seguir em direção à saída, minha vontade foi de jogar um copo nele, ou lhe dirigir um sorriso sarcástico e simplesmente ir embora. Talvez, mostrar-lhe o dedo do meio. Mas não fiz nada disso, fiquei parada apenas olhando como uma idiota.

Por que será que ele me olhava desse jeito? — Toda minha segurança se esvaiu quando dei de cara com aquele par de olhos negros me observando. Decidi ficar e ouvir a canção inteira dessa vez. O que eu tinha a perder, afinal?

Sentei em um dos bancos altos que havia ao redor do bar antiquado. Apesar de já ter ouvido a música antes, era a primeira vez que eu vivia aquela música. Era como se cada palavra, cada frase, fosse escrita por mim naquele exato momento. O que as palavras diziam era justamente que estava acontecendo; o que eu queria que acontecesse. Música era algo para ser vivido e ali estava eu, extasiada, boquiaberta, balbuciando partes da letra que me saltavam a memória. Um clássico, ainda assim, nunca tinha ouvido alguém cantá-lo com tanta paixão.

Santiago se deixou levar completamente pela emoção da música, percebi as pessoas em volta se emocionarem, e comigo não foi diferente. O que ele fazia com a voz era simplesmente fantástico. Independente da raiva que eu sentia dele, não podia negar que depois de tudo que aconteceu, só mesmo aquela voz podia me acalmar. Foi impressionante perceber isso, senti-me totalmente relaxada, o que, até então, achava impossível acontecer nos próximos dez anos.

Naquele momento, o único mistério da minha vida era: por que eu não conseguia simplesmente ir embora, deliberadamente deixá-lo falando sozinho e mostrar que não me importava com ele, assim como ele deixou claro que não se importava comigo?

Eu não tinha resposta para isso. San me olhava a cada cinco segundos. Só podia ser maluco e queria me deixar tão maluca quanto ele.

Quando a música acabou, ele inclinou a cabeça e agradeceu as palmas sem desviar o olhar do meu, mantendo um enorme e lindo sorriso no rosto. Tive vontade de ir até ele e perguntar que tipo de jogo era aquele, hora me admirava de longe, depois me ignorava quando eu estava perto. Tive vontade de beijá-lo e de bater nele ao mesmo tempo. Fiz um movimento com a cabeça, esperava que ele entendesse como um agradecimento pela música dedicada a mim.

Sem mais, segui em direção à porta de saída. Antoni me dera um bolo e eu precisava sair dali antes que Santiago viesse falar comigo ou pensasse que eu estava ali apenas por sua causa.

Segui o caminho de volta para casa. Estava apreensiva, lembrando o dia anterior e pensei que daquela vez Antoni não estaria ali para me ajudar, mostrando-me o caminho caso eu me perdesse. Precisava prestar atenção na estrada. Exatamente enquanto pensava sobre isso, um animal atravessou correndo pela pista. Foi tão rápido, que não sei dizer como ele era, parecia apenas um borrão de quatro patas. Assustei-me e reduzi a velocidade, então, comecei a prestar ainda mais atenção ao caminho.

A rua estava completamente vazia, aquele bairro era realmente sinistro, parecia ter algum toque de recolher porque não havia nada na rua, nenhum movimento de pessoas ou carros. As poucas casas que eu podia ver estavam com as luzes apagadas. Percebi alguns postos de gasolina pelo caminho, porém, todos fechados. Nem era tão tarde assim, pensei.

Passei por um enorme galpão que não tinha qualquer identificação e, pelas paredes enegrecidas, devia ter passado por um incêndio recente. Nem poderia usá-lo como ponto de referência, caso fosse preciso pedir algum socorro. O lugar todo parecia morto, nunca tinha sentido nada parecido. Não havia nenhuma energia, parecia não ter ninguém ali, aquela sensação era nova para mim.

As luzes dos postes eram bruxuleantes e algumas sequer estavam acesas, até o céu parecia mais escuro do que o habitual. A noite estava fria demais para o mês de maio. Mas isso já era normal, o clima do mundo não era mais tão previsível quanto no tempo em que as estações foram criadas, a cada ano o conceito ficava mais ultrapassado.

Não vi nenhum carro atrás ou na minha frente, muito menos no sentido contrário. Liguei o rádio para tentar sair da onda de medo que já estava tomando conta de mim. Talvez eu estivesse paranoica com a sensação de estar sendo seguida, mesmo estando sozinha naquela estrada. Olhando novamente para a via, notei um brilho intenso se aproximando. Não era nada mais do que dois faróis altos do outro lado da pista, um carro em altíssima velocidade que me cegou por alguns segundos ao passar.

Dizem que quando perdemos um dos nossos sentidos, os que restarem tornam-se mais aguçados, e pude perceber isso quando tive o sentido da visão comprometido, mesmo que por poucos segundos. Foi como se uma luz de alerta se acendesse na minha cabeça, a sensação de ser seguida era real. Mas eu não via nada além da escuridão oca que ficava para trás a cada junção da noite com uma rua demasiadamente vazia. Conferia o retrovisor a cada minuto e ainda não tinha sinal de nenhum carro atrás de mim, no entanto a sensação não passava. Alguém estava me seguindo, se tinha algo que eu havia aprendido, era confiar nos meus instintos, mas do que na minha visão.

Respirei fundo e tentei não entrar em pânico, mas essa era uma missão realmente impossível. Depois de ouvir e ver tantas coisas surreais, não dava para ser a garota destemida. Estava tão nervosa que não percebi já estar fora dos limites daquele bairro sinistro, as ruas continuavam vazias, só que havia luzes nos postes agora.

Concentrei-me ao máximo para ampliar meus sentidos, então acelerei e senti nitidamente a energia do perseguidor que manteve a velocidade. Quase tive esperança de estar errada, porém, depois de alguns segundos ele se aproximou novamente. Eu não podia vê-lo por mais que reduzisse a velocidade, ele sabia o que estava fazendo e, com certeza, não queria ser visto. Eu podia senti-lo, embora a distância dificultasse o reconhecimento das intenções, ou sua própria essência. Ainda assim, eu o sentia. Cada vez que eu acelerava na tentativa de me afastar, sentia que estava mais perto.

— Que droga! Pense Any, respira e pensa em alguma saída.

O fato de ele não querer ser descoberto me deu uma ideia. Talvez ele não quisesse me fazer mal, quem sabe, só quisesse me assustar. Com medo ou não, eu precisava saber o que o perseguidor queria de verdade, não podia deixá-lo me seguir até em casa.

Ele podia ser habilidoso, mas eu tinha o elemento surpresa a meu favor, e isso já tinha me ajudado uma vez, por que não ajudaria agora? Quem quer que fosse não esperava ser desvendado, não fazia ideia de que eu conseguia sentir sua presença. Ele era bom em perseguição; com certeza, eu jamais descobriria que alguém me seguia não fosse minha habilidade esquisita ou essa conexão, como diria Antoni.

Eu estava próxima a um cruzamento, então decidi usá-lo a meu favor. Acelerei o máximo que pude e entrei na primeira direita que apareceu, estacionando em seguida em uma vaga de um comércio que estava fechado. Desliguei o carro e esperei, ele estava a uns quinhentos metros de distância. Fiquei olhando pelo retrovisor, e em alguns segundos, vi um carro virando a esquina em alta velocidade. Fiquei em choque ao reconhecer aquele carro. Eu queria que ele passasse por mim para que a proximidade me favorecesse, e assim, com certeza eu saberia sua verdadeira intenção. Mas não estava preparada para o que vi.

Ele passou por mim e não me notou, como previ. Em instantes, meu medo deu lugar a uma fúria incontrolável e a situação se inverteu, agora eu o seguia. Podia sentir sua energia, sabia que estava confuso. Ele reduziu a velocidade, provavelmente para procurar por mim. Seguiu por mais alguns metros e então parou e estacionou junto à calçada.

Eu estava a uma distância segura em um ponto escuro, pude ver quando ele saiu do carro e olhou para todos os lados. Em seguida, deu um soco na porta do carro. Eu sei que não devia, mas simplesmente surtei. Liguei o carro e fui em sua direção, ele colocou as mãos sobre os olhos ao ver a luz dos faróis e foi recuando em direção à porta do carro. Talvez se preparando para fugir, caso necessário. Quando identificou o meu carro, ele cruzou os braços e aguardou que eu parasse.

Não apenas parei, como desci do carro e fui em sua direção.

— Isso foi impressionante, mas preciso dizer que não foi muito esperta. Não devia seguir quem estava te seguindo. Não é uma boa estratégia de fuga — San falou alto, para que eu pudesse ouvi-lo de onde estava.

Ele não se mexeu, apenas falou e abaixou a cabeça, ainda não olhava na minha direção. Eu estava na calçada, já muito perto do carro dele. Parei de andar e cruzei os braços, não tinha mais qualquer medo, primeiro porque era o Santiago e, segundo, porque a energia dele era clara e boa como sempre. O que eu sentia era curiosidade e raiva.

Neste momento lembrei que já havia visto essa energia antes, como eu podia não ter associado durante a perseguição; talvez pela distância ou medo. A energia era como uma impressão digital, cada um tinha a sua. Eu devia ter descoberto quem era desde o início, mas ele tinha o dom de me atordoar.

— Porque estava me seguindo? — perguntei.

— Porque estava no Café hoje? — indagou, sem se dar ao trabalho de me responder.

— Antoni marcou comigo e não apareceu.

Ele se desencostou do carro, desatou os braços e deu a volta pelo veículo até parar ao meu lado. Ficou me observando com seu olhar impenetrável.

— Você sabe onde estava há cinco minutos? Aquela área é tão perigosa que nem está no mapa. Não devia andar sozinha por aqui. Nunca.

— O único perigo que estou vendo é um maluco me perseguindo.

Não sei por que ele achou graça e, em meio a um largo sorriso, continuou:

— Independentemente de qualquer coisa, eu me preocupo com você. Mas não queria te assustar, não podia imaginar que perceberia minha presença. Desculpe-me!

Eu estava sem forças para tentar entender San. Em um momento ele era amável e, em seguida, insensível. Também tive um impulso de pensar que ele estava mentindo, só que isso não fazia muito sentido, além do que eu saberia se estivesse. No fundo, eu queria acreditar nele, queria que se importasse pelo menos um pouco comigo.

— Não precisa se preocupar, como você pode ver, eu sei me cuidar.

— Eu acredito nisso, Any. Porém, aqui é um território perigoso e, apesar de ser um ambiente quase neutro, também é uma espécie de fenda entre dois mundos; nada é o que parece. Quer dizer, não exatamente aqui, mas acabamos de passar por esse lugar e ainda estamos muito perto para dizer que é seguro — disse ele, apontando para onde havíamos acabado de passar.

— Como assim, nada é o que parece?

— Você acha que estamos sozinhos porque as ruas parecem desertas? Pensa que somente eu estava atrás de você? — San sorriu meneando a cabeça.

— O que está dizendo, não tem ninguém aqui! — As palavras saíam de minha boca, mas eu não tinha certeza do que estava dizendo.

— Nada é o que parece, mesmo. Olhe do outro lado da rua, atrás do poste de luz. Mas quando olhar, não procure por uma pessoa.

Apesar de sentir um arrepio na espinha, olhei lentamente na direção que San indicou e não vi nada.

— San, não tem nada ali, está tudo escuro daquele lado.

— Não procure por uma forma conhecida, mas por algo que se misture à escuridão.

— Você está louco, não tem nada aqui. — Mais uma vez, olhei para o outro lado da rua e deixei minha visão se misturar com a escuridão. Aos poucos, vi uma sombra se sobressair. Parecia a silhueta de um homem muito magro feito de névoa, pensei estar sendo traída por minha imaginação.

Meus olhos deviam estar arregalados, porque quando voltei para o San, ele percebeu que eu, finalmente, via algo atrás do poste. Indicou com a cabeça que eu olhasse para o outro lado, onde havia um terreno com um matagal. Mais uma vez, forcei a visão. Onde antes só se via mato, agora eu visualizava um par de pequenos olhos dourados entre as folhas. Ao lado deste, outro par de olhos se movia, parecendo chegar cada vez mais perto. Senti meu corpo inteiro estremecer e quase gritei quando senti o peso de duas mãos sobre meus ombros.

— Está tudo bem. Entende agora porque eu precisava estar por perto? Não confio nesse lugar. É claro que eles poderiam deixa-la cruzar os limites sem causar nenhum problema, mas nunca é bom arriscar.

— O que são essas coisas?

— Não são importantes, apenas moradores do bairro que acabamos de passar, escondidos nas sombras. Provavelmente a seguiram até aqui, mas não podem ir muito longe.

— Você não tem medo deles? São assustadores.

— Não podem fazer nada contra mim. Eles me conhecem, sabem que não podem me enfrentar.

Senti-me atônita, meus olhos quase saltavam das órbitas. Como Santiago sabia de tudo isso? Ele só podia ser um ser celsu. Mas, por que estaria me contando tudo isso sendo um dos maiores crimes do seu mundo se revelar?

Minha respiração começou a acelerar e a voz quase falhou.

— Por que eles não podem enfrentá-lo?

Meu olhar estava fixo ao dele, eu não sabia se queria mesmo ouvir a resposta. Ele sorriu e disse:

— Não — respondeu com um olhar surpreso. — Eu sou diferente. Sou natural. Só estou explicando isso tudo porque a vi entrando no Submundo. Você deve saber que nenhum humano consegue entrar lá, não é? Ao menos isso o idiota do Antoni deve ter contado — disse ele, voltando a cruzar os braços.

Só consegui balançar a cabeça, concordando. Então percebi que eu estava com vergonha por ele saber que eu não era exatamente humana. O que eu diria quando me perguntasse o que eu era? Considerando que eu estava absolutamente proibida de contar a verdade para qualquer um. Embora nem eu mesma saiba muito bem, era óbvio que teria de mentir. E como fazer isso com aqueles olhos me observando com tanta intensidade e preocupação?

— Vamos. Eu a acompanharei até sua casa. Você parece cansada, muitas descobertas ultimamente, imagino — ele declarou, já seguindo para o seu carro.

Completamente sem palavras, apenas entrei no meu carro e segui para casa, olhando a cada cinco minutos para ter certeza de que ele estava bem atrás de mim. Não podia negar que era muito reconfortante saber que ele estaria ali se algo acontecesse.

Sempre fui durona, forço-me o tempo todo para ter uma postura forte e corajosa. No fundo, eu nunca pude sentir a força da proteção de uma mãe, ou pelo menos deixei de sentir isso tão cedo que a sensação se dissolveu dentro de mim. Depois, quando perdi o amparo do meu pai, alguma coisa se quebrou. Desde então, vivo como se faltasse um pilar de sustentação. Esforço-me tanto para parecer forte e segura o tempo todo, mas na maioria das vezes é só para esconder minhas fraquezas, talvez até de mim mesma.

Capítulo 15

Quando chegamos, estacionei em frente de casa, desci e fui me despedir, além de agradecer a preocupação. Ele pareceu ter a mesma ideia, já que também saiu do carro e caminhou em minha direção. Que ótimo! Agora íamos nos despedir e sentir o peso do silêncio constrangedor, igual aqueles de elevador, pensei.

— Any, quero que saiba que se precisar de alguma coisa, qualquer coisa, sabe onde me encontrar. — San estava sendo sincero, apesar de tudo, ele realmente era gentil.

— Obrigada! — Eu queria fazer algumas perguntas, porém, limitei-me a deixar os dramas de lado. Talvez fosse mais apropriado dizer algo que não estivesse ligado a mim. — San, diga-me uma coisa. De onde você conhece o Antoni? Vocês parecem não se gostarem muito.

—Tem razão, não nos entendemos muito bem. — Ele sorriu. — No passado, nós nos encontramos e não foi muito agradável, é uma história um pouco complicada e longa. Na verdade, acho melhor você perguntar isso a ele. Não seria muito legal de minha parte contar a minha versão. O importante é que, pode não parecer, mas superamos nossas diferenças — ele respondeu sem parecer guardar nenhum rancor, mas superar era outra história.

Desta vez, fui eu quem sorriu. Não parecia mesmo que eles haviam superado, a sensação era de que iriam se matar a qualquer momento. Ele percebeu meu ceticismo e sorriu também, erguendo os ombros em sinal de rendição. Pude ler em seus olhos: “esse é o máximo que podemos fazer". Rimos juntos por alguns poucos segundos e nossos olhares se encontraram. Finalmente havia chegado o momento do constrangimento.

— Eu não consigo entender por que o cretino do Antoni a deixou sozinha. Ele sabe o quanto aquele lugar é perigoso e não é a primeira vez que ele abandona você por lá... — Ele baixou os olhos e desistiu de terminar a frase. Balançou a cabeça e me olhou novamente. — Não sei o que você tem com ele, mas... — Parou no meio da frase de novo, mas não desviou os olhos dessa vez.

Senti seu olhar incisivo. O mesmo que me atingiu outro dia no bar, carregado de cuidado. Sua energia se mostrava aflita e confusa. Mesmo sabendo que não faria diferença para ele, resolvi deixar claro minha situação com Antoni.

— Eu não tenho nada com ele, ao menos não do tipo que você deve estar imaginando. Ele só está me ajudando com algumas informações a respeito de mim mesma e do meu passado, pois conhece melhor minha árvore genealógica do que eu.

Com os olhos semicerrados, ele argumentou:

— Ainda assim, não está certo. Ele conhece os perigos daquele lado da cidade. Não importa o que diga ou faça, continua sendo o mesmo egoísta e irresponsável de sempre — concluiu, irritado. Chegou mais perto de mim e seu olhar agora parecia carregado de rancor. Então, respirou fundo e disse com certa exaltação: — Você é esperta, certamente sabe se defender. O que existe ou acontece naquela parte do mundo, não pode ser previsto ou subestimado, você não pode se proteger de tudo sozinha. Esse cara sempre foi inconsequente e se você não tomar cuidado, ele vai arrastá-la para as confusões em que vive envolvido. Você não entende o quanto ele é... o cara errado.

Não gostei muito de ouvi-lo atacar Antoni quando ele mesmo não era um exemplo de bom rapaz.

— Não acredito em certo ou errado. Isso tudo é bem relativo. Para mim, errado é alguém que faz com que você acredite em algo que na verdade não existe. Alguém que olha você com tanto carinho que consegue inundar seu coração de possibilidades e faz acreditar que a felicidade realmente pode existir. Mas depois, este mesmo alguém a trata com a mesma importância que dá a um copo de cerveja.

Sabia que não devia falar nada daquilo. Quase me arrependi em seguida, mas pensei que nunca mais conversaria com ele, então, por que não descarregar um pouco da minha frustração? Eu estava tão magoada que quis desabafar, quis que ele se sentisse mal, pelo menos um pouquinho.

San me ouviu sem interromper e demonstrou total interesse em meu discurso; quando eu finalmente lhe dei uma brecha, ele não hesitou.

— Espera aí! Eu acho que perdi algum capítulo. — Ele foi chegando mais perto do que eu gostaria naquele momento, com um sorriso debochado no rosto como se eu tivesse contado uma piada que ele não conseguiu entender. — Do que estamos falando mesmo?

Fiquei ainda mais irritada. Como ele podia rir de mim tão descaradamente? Eu não podia sair por baixo, precisava mostrar que ainda me restava um pouquinho de amor próprio. Mas eu não sabia como fazer isso, só fiquei ali arrependida por ter dito tudo aquilo.

— Esquece! Estou descarregando minha frustração em você, desculpe. Eu vou entrar. Boa noite e obrigada!

Levantei os ombros como se eu não me importasse. Senti meus olhos se encherem de lágrimas e quase não acreditei. Aquilo não podia estar acontecendo comigo, nunca chorei por nenhum namorado e agora estava a ponto de derramar lágrimas de raiva por um cara praticamente desconhecido. Era totalmente ridículo.

Comecei a me afastar dele, queria sair dali o mais rápido possível, mas senti sua mão segurar meu braço. Não estávamos em uma cena de filme, nada me faria mudar de ideia. Puxei o braço e dei um sorriso forçado, desvencilhando-me e andando em direção à porta de casa.

— Any, espera! Não entendi por que você está chateada, mas parece que eu fiz alguma coisa errada e não sei bem o que foi.

Ele veio atrás de mim, segurando-me novamente o braço. Sua voz soava tranquila e seu toque era quente. Senti alguns arrepios e lutei ao máximo para me controlar.

— Está tudo bem Santiago, eu não estou chateada. — *Quem eu queria enganar?* Mantive os olhos no chão, sem nenhuma coragem de encará-lo. — Você não fez nada errado, San. Foi só um mal-entendido.

— Não é verdade, você não disse essas coisas por nada. Eu não sei bem quando, mas pisei na bola em algum momento. Vejo que está chateada e me sinto mal por isso. Isso me faz lembrar como fiquei no dia em que saiu do bar e não voltou mais. Eu esperei, sabia? — O rapaz tinha um sorriso amarelo e as sobrancelhas arqueadas.

Mesmo assim, minhas palavras expressavam certa arrogância.

— Esperou? Por quanto tempo? Você não estava... não cantava mais lá. Procurei por uns dez bares da cidade e nada, ninguém sequer havia ouvido falar de Santiago. — Arrependi-me no minuto seguinte e baixei os olhos de novo.

— Você o quê? — A mão dele tocou meu queixo, trazendo-me um novo arrepio e me forçando a levantar a cabeça para encará-lo.

— Eu procurei por você pela cidade por várias semanas, mas... — Levantei os braços e os soltei em seguida. Continuaria minha frase dizendo "não encontrei nem sinal", no entanto, fui interrompida e pega completamente de surpresa.

Quase não entendi o que estava acontecendo. Levei alguns segundos para entender que o tremor que tomou conta do meu corpo inteiro era resultado do contato dos seus lábios junto aos meus. Um beijo ardente e aflito, como se a vida dele dependesse disso. Sentia suas mãos segurarem meu rosto e percebia uma urgência como se tivéssemos esperado por isso a vida toda.

Não pensei em mais nada, apenas aproveitei o momento. Não me importava saber por que ele tinha me beijado, nem onde estávamos. Não importava se eu acabara de saber a verdade sobre a existência de um mundo paralelo, só existíamos nós dois e aquele beijo. E era perfeito. De um jeito enigmático, não era só um beijo, era como se estivéssemos finalmente cumprindo uma incumbência que estava nos rodeando há dias. Não tinha mais volta. Colocamos em prática um desejo que nos afligia e nos torturava cada vez que nos encontrávamos. Quando conseguimos nos libertar, mesmo que por pouco tempo, San me olhou com ternura, mas também com firmeza. Era um olhar tão profundo que senti um novo arrepio na espinha.

— Desculpe pelo que falei naquela noite, sobre nada me prender naquele bar. Percebi agora o quanto posso ter te chateado, e acredite, não foi fácil dizer aquilo também. Alguma coisa me prendeu sim, no momento em que você entrou naquele bar. — Ele me beijou novamente, porém, agora com menos urgência e mais carinho.

Quando o beijo teve uma nova trégua, eu estava com as pernas um pouco bambas e o coração ligeiramente acelerado. Tive que me esforçar muito para conseguir falar, e agradeci mentalmente por ter seus braços fortes em volta do meu corpo. Eu podia ficar assim à noite toda.

— Quer dizer que você ficou chateado por que eu fui embora? — perguntei.

— Na verdade, não. Naquela noite, imaginei que tivesse acontecido alguma coisa, algo sério o bastante para fazê-la sair sem se despedir. Por isso, eu a esperei no dia seguinte e, aí sim fiquei chateado. Não sei lidar muito bem com esses sentimentos, não me lembro de me sentir assim antes, com vontade de rever alguém com tanta ansiedade. — San passou a mão pelo cabelo antes de continuar. — Mas tudo ficou perdido dentro de mim quando sua amiga chegou ao bar e me disse o que havia acontecido, eu fiquei decepcionado e frustrado.

Eu o fitei com desconfiança, porque nenhuma das meninas havia voltado ao bar. Não que eu soubesse. Meu olhar transpareceu minha surpresa, não fazia ideia do que ele estava falando.

— Ela não contou que esteve lá no bar e conversamos sobre o seu sumiço, não é? — Fiz sinal de negação e ele prosseguiu. — Ela me disse que você havia reatado com o seu ex-namorado. Mesmo assim, esperei por mais um final de semana e como você não apareceu, presumi que era verdade. Não lidei muito bem com isso, queria muito vê-la e percebi que isso nunca iria acontecer. Por isso, resolvi dar um tempo e ficar um pouco do outro lado.

— Nada disso é verdade, eu não tenho ninguém. Mas que amiga maluca é essa? Não consigo entender por que qualquer uma delas faria isso — perguntei, nervosa.

— Aquela sua amiga metida a defensora, de cabelo preto curto.

— Carol! Você disse que ela esteve no bar um dia depois que eu estive lá?

— Isso mesmo. Ela chegou acompanhada por uma garota que eu nunca vi antes. Sentou e esperou. No fundo, ela sabia que em algum momento eu perguntaria por você. Quando o fiz, ela me disse que na noite anterior você tinha recebido uma ligação do seu ex-namorado, que vocês conversaram e, como ainda era apaixonada por ele, foi embora correndo. Então, reataram e estavam muito felizes. Ela também acrescentou que você andava, há algum tempo, muito triste por ele tê-la abandonado e se eu tentasse atrapalhar, seria uma grande burrice, já que você certamente me odiaria.

Eu sorri, mas sem nenhum humor.

— Eu nem sabia que ela estava na cidade nessa data, ela me disse que estava viajando. — De novo, Carol envolvida em uma situação suspeita e sem explicação. Que merda! — Agora entendi porque achou que o Antoni e eu tínhamos alguma coisa.

Suspirei de alívio por tudo ter se esclarecido.

Tudo começou a fazer sentido. Senti um conforto enorme ao perceber que San, na verdade, estava chateado e por isso me tratou com tanta indiferença. Eu não podia fazer mais nada além de sorrir até ficar com câimbra nas bochechas, mal podia acreditar no que acabara de acontecer. Eu tinha beijado o cara mais gato e com a voz mais perfeita do mundo, do Submundo e, provavelmente, do universo. Então, lembrei-me de que ainda precisava explicar o que havia acontecido de verdade.

— Fui embora do bar naquele dia porque recebi uma ligação estranha daqui de casa. Tentei ligar de volta diversas vezes e minha avó não atendia, então, fiquei desesperada. Ela sempre atende ao telefone, principalmente de madrugada. Por isso saí correndo daquele jeito. Eleonor é tudo para mim e só de pensar que alguma coisa podia ter acontecido, entrei em pânico. Não pude me despedir ou avisá-lo, você estava no meio da música e eu não quis atrapalhar. Não imaginei que aconteceriam tantos desencontros que me fariam adiar cada vez mais o pedido de desculpas.

— Bem que eu pensei que havia acontecido alguma coisa séria. Não conseguia imaginar você saindo sem se despedir, mesmo que fosse apenas por educação. — Seu tom era ameno, não havia mais nenhum traço de exaltação.

Passando a mão pelo meu cabelo, San me abraçou forte, transferindo o calor do seu corpo para o meu, o que foi bastante providencial, já que sua temperatura parecia bem mais alta que a minha e a noite estava fria.

A sensação de tê-lo comigo me fez esquecer qualquer ameaça. O mundo parecia calmo e absolutamente em harmonia. Queria que aquele momento não acabasse, mas o que eu poderia fazer, não fui eu quem criou as regras. Depois de um tempo apenas abraçados, nos despedimos. San precisava ir embora, mas sabia que ficaria se eu pedisse. Estávamos resolvidos, todo mal-entendido foi enterrado e poderíamos viver, seja lá o que fosse o que acontecia entre nós, sem reservas.

Acordei eufórica e extasiada. Só acreditei que havia dormido quando abri os olhos pela manhã. Se eu fosse apostar no dia anterior, com certeza, votaria na insônia e depois nos pesadelos.

Sentia-me tão diferente, um pouco assustada e ansiosa, mas também satisfeita por finalmente estar encontrando meu lugar no mundo. A vida finalmente me interessava.

Eu tinha tanta coisa a pensar, tantas lacunas para tentar preencher que mal conseguia me concentrar em apenas um assunto por mais de três segundos. Durante o café, fiquei divagando. Não sabia por quanto tempo olhara para a xícara na minha frente, talvez estivesse esperando que ela me ajudasse a entender todos os fatos que me perturbavam.

— Pensativa de novo. Alguma coisa a perturba, querida? — A voz da minha avó me fez voltar ao planeta Terra.

— Muita coisa, vó. Mas nada que eu ou a senhora possamos mudar. Acho que ninguém pode. — Vi uma pontada de preocupação nos olhos dela, então, tratei de mudar o assunto. — Sente-se aqui! Quero contar uma coisa. — Vendo o sorriso que se formou em meu rosto, Eleonor percebeu que se tratava de algo bom e também se animou. — Eu conheci um rapaz, o nome dele é Santiago e ele é lindo, para dizer o mínimo. E a voz dele... Uau! É tão maravilhosa que nem sei bem como explicar. A senhora precisa conhecê-lo.

Depois de contar a história, mudando algumas partes e pulando outras, lembrei-me de que precisava falar com Nara o quanto antes. Eu lhe devia uma explicação. O que eu diria a ela? Não podia contar toda a verdade, mas também não queria mentir. Odiava ter que mentir para ela. Eu precisava de uma boa estratégia que me permitisse contar só algumas partes do dia anterior e por telefone seria muito mais fácil.

— Alô, Nara? É a Any.

— Oi! Você está bem? — perguntou ela.

— Para falar a verdade, eu estou ótima, amiga. Obrigada pela ajuda.

Eu estava mesmo muito grata. Nara sempre foi uma amiga incrível e mostrou-se muito leal também.

— Até que enfim um sinal de vida. Se você está bem, então já pode começar a falar, quero saber tudo.

— Eu fui naquele bar do qual falei e encontrei o San. Primeiro, ele me esnobou um pouco e fiquei furiosa, mas depois entendi o motivo desse comportamento estranho. Você não vai acreditar no que aconteceu...

Alguns minutos depois eu já havia colocado Nara a par de quase tudo, e claro que ela estava superanimada com a história.

— Nossa! Isso parece cena de filme. Lembra-se do final daquele filme "Letra e música" com o Hugh Grant e a Drew Barrymore? Quando ela está indo embora, muito decepcionada, então ele começa a cantar uma canção que fez para ela? Quando percebe que a música foi feita com fatos que aconteceram entre os dois, ela dá meia-volta e vai encontrá-lo no palco. Ah, é tão romântico! Mas me desculpe por interromper. Continue...

— Lembro sim. Esse filme é muito legal. Mas voltando ao assunto, quando a música acabou, saí com pressa para vir embora. Não queria que ele me visse saindo, muito menos que pensasse que eu o estava esperando, ou achando que ele viria falar comigo.

— Como assim? Não estou entendendo nada. Se você veio embora, onde se encontraram?

— Calma, ainda não terminei. Estava dirigindo distraída quando percebi que alguém estava me seguindo. Adivinha quem era?!

— A polícia?

— Não, Nara! Era o San! Dei tipo um perdido nele e desci do carro para perguntar por que estava me seguindo. Ele explicou que aquele bairro era perigoso e estava preocupado comigo. Conversamos um pouco e, claro, ele me irritou com aquele ar de quem quer prestar uma ajuda despretensiosa. Acabei confessando que o procurei por vários bares da cidade e ele simplesmente me beijou. Nara, foi o melhor beijo de todos! Eu nem podia acreditar que esse tipo de beijo existia de verdade. — Falar sobre o que aconteceu foi o mesmo que reviver.

Depois de revelado o ponto alto da noite, eu sabia que a Nara não conseguiria pensar em outra coisa e poderíamos nos concentrar somente naquela parte da história. Eu não podia vê-la, mas tinha certeza que tinha um sorriso enorme no rosto e corações no lugar dos olhos. Nara era o tipo de pessoa que ficava feliz com a felicidade alheia. Um tipo raro, eu diria.

— Any, até parece que estou vendo vocês dois. Isso é muito legal! Por que não acontece comigo? Ah, desculpe então. Quando vocês vão se ver de novo? — perguntou Nara, toda derretida.

— Boa pergunta. Eu não sei. Não trocamos telefone nem nada, só sei onde ele tem se apresentado, então, presumo que precise ir até lá se quiser vê-lo novamente. Eu devia ter pedido um número de telefone, mas foi tudo tão emocionante que nem me lembrei. Além disso, quando nos despedimos ele me deu um beijo e avisou que nos veríamos em breve.

— Você nem pediu para ele adicionar você no *Facebook*? Já pensou se ele some daquele bar de novo? — Ela parecia indignada.

— Nara, eu nem sei se ele tem Face, não conversamos muito.

— Oi...? Você não sabe se ele tem Face? Amiga, todo mundo tem *Facebook*. Vou procurar para você. Fala alguma coisa mais útil, um sobrenome ou o nome do tal Café onde o encontrou.

— Desculpe, mas... acho que não tenho nada que possa ajudar.

— Assim fica bem mais difícil. Aliás, fica impossível. Por que eu já tentei achá-lo antes quando sumiu e não consegui nada. Já sei! Em que rua fica esse Café? — Pelo meu silêncio do outro lado da linha, ela captou que eu também não tinha essa informação. — Meu Deus, Any! Você esteve mesmo nesse lugar?

— Desculpe, Nara! Eu não me lembro. Na verdade, eu não vi o nome da rua, apenas sei chegar lá. Relaxa, tenho certeza que desta vez ele não vai sumir. Agora me conta como foi a reação da Carol quando vocês não me acharam? – perguntei.

— Aff... Você não imagina como ela ficou brava. Nunca tinha visto alguém desse jeito, fiquei até com medo. Eu disse que não tinha reparado para qual direção você havia seguido e ela me olhou com tanta desconfiança que nem dava para eu continuar mentindo, não ia adiantar. Acho que se pudesse, ela teria me chacoalhado até eu dizer alguma coisa. Saímos do shopping e ela me deixou em casa sem dizer nenhuma palavra durante o caminho. Parecia pensativa, além de visivelmente irritada. Mal se despediu quando desci do carro do Will.

— Will? Por que vocês estavam no carro dele?

— Porque alguém tinha que nos buscar, né? Você acha que a Carol iria embora de ônibus? Era você quem estava de carro, esqueceu? Quando Carol ligou para ele e disse que você tinha sumido, Will pareceu muito preocupado também. Chegou ao shopping em quinze minutos e quando chegamos próximo ao carro, eles se olharam daquele jeito estranho. Will apenas ergueu as sobrancelhas, mas não disseram nenhuma palavra. Já dentro do carro, ele pediu calma e falou que você devia estar bem, que só precisava de um tempo sozinha. Juro, achei que Carol fosse bater nele. — Nara ficou em silêncio por alguns segundos antes de dizer em tom mais sério: — Any, eu não falei nada para ela e não vou falar... A menos que você queira. Agora me diz, por que você não quis dizer para Carol sobre San?

— Sinceramente, eu nem sei bem por que ainda me preocupo com a Carol. Ela detesta o San sem motivo nenhum. Claro que eu vou contar para ela, mas só quando as coisas estiverem mais certas. Você sabe que ela se preocupa demais. Se eu contar quando as coisas estiverem mais tranquilas, não vai ter motivo para se preocupar tanto, entende?

— Tudo bem, você que sabe. E como você conseguiu encontrar o San? Tentamos tanto e não conseguimos nenhuma pista.

— Foi por acaso. Outro dia eu parei num Café para comer alguma coisa e ouvi uma voz familiar dizer o meu nome. Quando me virei, dei de cara com Santiago sorrindo e com olhar de surpresa por me encontrar ali. E que surpresa! Para mim foi muito agradável, se é que você me entende.

— Que emocionante! Agora me lembrei de outro filme. Um que um cara e uma garota se conhecem e resolvem testar o destino, escrevendo seus telefones em lugares que só mesmo a mão do destino poderia trazer de volta para eles. O rapaz colocou o seu em uma nota de cinco dólares e a garota na capa de um livro. Você não se lembra? É um romance ótimo. Acho que o nome é *"Escrito nas Estrelas"*.

— Acho que lembro sim, mas não com tantos detalhes. Faz muito tempo que assisti.

Depois de mais uns cinco minutos de conversa e a lembrança de uma cena de filme, nos despedimos. Eu tinha muita coisa para pensar e pouco tempo para decidir o que fazer. Por exemplo, o que falar para Carol assim que a encontrasse. O que aconteceria logo, com certeza.

Capítulo 16

Tínhamos prova na faculdade. Já estava tensa com tantos assuntos, que o fato de não ter estudado nada, foi o menor dos meus problemas.

Meus pensamentos passeavam entre os celsus e San; meu consciente, e também o inconsciente, estavam confusos sobre em que se concentrar. E ainda tinha Carol, que com certeza encontraria na faculdade, e eu não fazia a menor ideia do que dizer ou como agir. Precisaria de muita frieza para interpretar uma reação falsa para que ela não percebesse minha hesitação. Como fazer para esconder da minha melhor amiga as novas informações que borbulhavam na minha cabeça? Parecia uma missão impossível.

A aula já havia começado e todos estavam concentrados na prova. Entrei com o máximo de silêncio possível, peguei minha prova e me sentei. Busquei o lugar onde Carol sentava e me deparei com uma mesa vazia. Não acredito que ela vai perder a prova, pensei.

Voltei a atenção para o lugar de Will, e como imaginava, também estava vazio. Entretanto, ele já havia perdido várias provas, não tinha muita disciplina e parecia não levar o curso muito a sério. Por mais que eu tentasse, não conseguia qualquer contato visual com Nara. Ela estava três carteiras à minha frente e como chegou depois de mim, atrasada para variar, não conseguimos conversar.

Não tive tanta dificuldade quanto imaginei, até que me saí bem, considerando a falta de preparo para uma prova de Citogenética.

A ausência de Carol me preocupou muito mais do que o resultado que teria na prova. Aguardei do lado de fora da sala até Nara terminar e juntar-se a mim em uma longa jornada de especulações e divagações acerca do sumiço de Carol.

— Então? Você acha que foi bem? — perguntou minha amiga assim que se sentou ao meu lado, no banco do corredor. — Com certeza eu me ferrei, não sabia quase nada.

Nara, às vezes, parecia desconectada do mundo. Sua pergunta era casual e tinha certeza que se eu não dissesse nada a respeito do que me intrigava, ela também não tocaria no assunto durante um bom tempo. Fiquei em dúvida se ela havia notado a ausência de Carol.

— Acho que fui bem. Mas o que me preocupou foi a Carol, ela nunca perdeu uma prova antes — respondi, demonstrando a minha preocupação.

— É verdade. O Will também não veio, mas como ele já perdeu várias provas, não me espantou. — Nara agora parecia intrigada. — Você tem razão, Carol nunca perdeu nenhuma prova antes. O que você acha que aconteceu?

— Não consigo nem imaginar. Por que não liga para ela? — Eu achei que se ela visse o meu número não atenderia. Já Nara, sempre foi neutra em qualquer situação. Digamos que nesta situação ela seja um pouco minha cúmplice, só que Carol não sabia disso, mesmo que desconfiasse, não teria certeza.

Nara ligou várias vezes, mas do outro lado da linha só havia uma mensagem informando que o número chamado estava programado para não receber ligações. Tentamos mais algumas vezes, a mensagem era sempre a mesma.

— Não adianta. O celular deve estar desligado.

O que eu podia fazer, além de esperar que ela aparecesse? Continuamos caminhando em direção ao estacionamento da faculdade. Eu não estava de carro, então Nara me deu uma carona até em casa. No caminho, conversamos sobre um menino pelo qual ela estava interessada. Senti-me mais leve falando de coisas normais.

Quando estávamos chegando, avistei uma moto do outro lado da rua. Reduzi a velocidade, mas já era tarde demais e nos viram assim que viramos a rua. A pessoa usava um capacete preto e roupas pretas, o que combinava com a moto que também era negra como a noite. Olhei para a minha amiga com o rosto tomado por uma onda de medo, minha respiração se tornou ofegante e meu coração aumentava o ritmo a cada segundo. Não seria tão ameaçador se eu não tivesse visto tudo o que vi nos últimos dias.

Quem quer que fosse, obviamente estava me esperando, o que me deixava aflita com as possibilidades. Eu não podia colocar a Nara em risco, por isso deixei fluir a minha conexão. Imediatamente, senti uma energia calma e ao mesmo tempo quente, como uma brisa no fim do dia em plena tarde de verão. Quando ele tirou o capacete, deixando cair seu cabelo sobre os ombros e sorriu, meu coração disparou ainda mais, só que agora não era por medo. Aquele olhar atravessou a rua, o carro e acho que atravessou também o meu corpo; ele parecia enxergar além de mim. Meu sorriso se alargou tanto que até doía. Eu não esperava revê-lo tão cedo, embora tenha adorado a surpresa.

Pelo jeito, Santiago falava sério, quando disse que nos veríamos em breve — falei para mim mesma em voz alta.

— Nossa! Que romântico... — ouvi a voz baixa da Nara, que também parecia falar sozinha.

— Já sei. Isso a faz lembrar a cena de algum filme? — questionei Nara.

Nara sorriu. Claro que algum filme estava passando por aquela cabeça cheia de memórias cinematográficas.

— Na verdade, lembra sim, mas não vou dizer qual é. Agora pode sair e não deixe esse gato fugir de novo. E pelo amor de Deus, pega o telefone dele. — Nara foi me empurrando para fora do carro.

Ao sair, fui decidida ao seu encontro, logo percebi que ele se antecipou e já estava atravessando a rua.

— Desculpe vir assim, é que eu não tinha como avisar. Você não me deu seu telefone, então achei que tudo bem vir aqui. — San parecia se enrolar um pouco com as palavras, o que me fez rir.

— Foi a melhor surpresa que já tive — respondi sem pensar bem no que estava dizendo, apenas falei o que sentia.

Com um enorme sorriso, San se aproximou e, com um toque suave e carinhoso, ele segurou meu rosto e me beijou. Como da primeira vez. Na verdade, ele me beijou como se fosse a primeira vez, com a mesma ansiedade e desejo de quem almeja esse momento há muito tempo. Mas, desta vez, o beijo era macio e tranquilo, apesar de intenso.

Quando conseguimos separar nossos lábios, ficamos abraçados por mais um tempo, não consigo dizer quanto, mas podiam ser horas, dias, que eu não sentiria o tempo passar. O momento parecia perfeito demais para acabar. Sentir seus braços fortes me abraçando era como se eu estivesse protegida do mundo, de qualquer mundo, seja o que eu conheço ou esse novo mundo que se abriu para mim. Não me sentia tão em paz há muito tempo, aliás, acho que nunca me senti assim antes; foi um momento totalmente incomum para mim.

Era incrível como não precisávamos dizer nada, parecíamos nos entender apenas estando próximos, estando juntos. Apesar de ser o nosso segundo encontro, em que de fato nos beijamos, a sensação de que estávamos juntos era muito forte.

Santiago segurou meu rosto mais uma vez e me olhou por alguns minutos, parecia me examinar. E quando parou em meus olhos, procurava por algo dentro deles. Comecei a ficar envergonhada, mas consegui me controlar por me sentir segura sob a escuridão da noite, a falta de luz me favorecia escondendo possíveis imperfeições.

— Você deve ser umas das criaturas mais lindas que já habitou a Terra... — disse ele, ainda me observando. Tenho certeza que fiquei com o rosto de uma das criaturas mais vermelhas da Terra. E como de costume, ergui uma das sobrancelhas em sinal de descrença. — Não duvide disso. Eu não apenas estou encantado com sua beleza, como também não consigo parar de pensar em você.

Uau, como ele é direto, pensei.

Eu não sabia o que dizer. Os homens não costumavam ser assim. Eu podia ter dito: "também não paro de pensar em você" ou "você é o cara mais lindo e interessante que já conheci", mas não consegui encontrar as palavras. Ele percebeu que eu estava ficando sem graça por não ter o que dizer, então, me beijou novamente, e dessa vez, foi mais ardente e apressado. San estava com as mãos em volta da minha cintura e me aconchegou junto ao seu corpo, o que fez um arrepio correr pela minha espinha. Eu sentia seu cabelo macio por entre os meus dedos e me enroscava cada vez mais em seu corpo. Uma de suas mãos me segurava pelas costas, enquanto a outra me puxava pela cintura me tirando completamente o juízo.

O beijo teve que ser interrompido por falta de fôlego, mas continuamos abraçados e de rostos colados. Nossa respiração era totalmente acelerada e ofegante. Eu já não lembrava mais sobre o que conversávamos antes disso, mas ele sim.

— Você não precisa dizer nada. É só disso que eu preciso — ponderou com aquela voz rouca e encantadora, ainda me abraçando e com o rosto tão próximo que eu podia sentir o cheiro bom do seu hálito. Então, beijou-me na testa e me abraçou ainda mais forte.

Estar nos braços de uma beldade como ele e ainda perceber que ele estava se saindo um verdadeiro príncipe encantado, era simplesmente demais!

Aninhada em um belo par de braços fortes, minha mente, apesar de tranquila, começava a tomar consciência de que aquilo era mesmo real e tudo que havia acontecido também era. Antoni e suas revelações, a existência dos celsus e a minha própria origem, até então desconhecida. Senti meu corpo se retesar levemente, mas foi o suficiente para ele perceber.

— Está tudo bem? — Santiago elevou meu rosto para alcançar meus olhos. E como mentir para aquele olhar intenso e invasivo?

— Tudo bem. É que esses últimos dias têm sido intensos e cheios de novidades, surpresas e revelações. Eu ainda estou tentando entender tudo que está acontecendo na minha vida.

Queria contar tudo o que estava rolando, só que ainda era cedo para enchê-lo com os meus problemas. Mesmo que o tenha encontrado em lugares estranhos e mesmo sabendo que ele conhecia Antoni, provavelmente muito melhor do que eu, ainda não era o momento certo, ou, eu simplesmente não queria estragar aquele encontro perfeito.

— Perto de você meus problemas parecem menores, fico tranquila, você me deixa relaxada — eu disse, envergonhada.

San abriu um enorme e lindo sorriso, parecia ter gostado do que acabara de ouvir. Ele encostou sua testa na minha e sussurrou:

— Quando quiser conversar sobre qualquer coisa, estarei aqui para ouvi-la. Queria muito ficar aqui com você a noite inteira, mas preciso fazer uma apresentação lá no Café hoje, então, preciso ir. Antes, quero entregar algo.

Ele enfiou a mão no bolso e tirou um saco bem pequeno. Era um saquinho como aqueles que guardam pequenas joias, feito de um tecido preto, brilhante e macio como veludo.

— Espero não estar exagerando e acabar assustando você. Como eu vi que tem amizades estranhas, acho que precisa de proteção. Gostaria de estar sempre ao seu lado para fazer esse papel, mas infelizmente não é possível, então eu gostaria que ficasse com isso.

Abri o saquinho e o virei sobre a minha mão, uma corrente delicada de algum metal dourado com uma pedra azul pendurada caiu sobre ela. Havia um símbolo estranho cravado na pedra. Pareciam os traços de um animal, mas também parecia um mapa. Fiquei olhando a figura que parecia mudar de forma cada vez que eu chegava a uma definição do que ela era.

— Acho que tem mais alguma coisa aí dentro. Na verdade, é o mais importante — ele disse, sorrindo.

San interrompeu minha avaliação do tal símbolo. Coloquei os dedos dentro do pequeno saco e senti um papel preso nas dobras do tecido. Quando o retirei, vi que se tratava de um cartão que dizia: Santiago Herrero. Logo abaixo do nome, havia um número de celular.

— Eu já estava preocupada. Pensei que você não tivesse telefone, já que não tem nem *Facebook*.

Imediatamente levei as mãos à boca, só que era tarde demais, deixei escapar mais informação do que gostaria. Agora ele sabia que eu havia pesquisado sobre ele na internet. Claro que me olhou desconfiado, em seguida, sorriu. Qualquer um ficaria presunçoso por saber que alguém o havia pesquisado, só que ele estava envergonhado.

— Eu realmente não tenho *Facebook*. Acho que sou meio à moda antiga. Isso é muito ruim? — Fazendo uma careta, ele esperou por minha resposta como quem espera uma sentença.

— Claro que não. Quem procurou por você na internet foi a minha amiga Nara, que é *expert* em achar pessoas no mundo virtual. Ela imaginou que você tivesse *Facebook* ou até mesmo um site, por ser um artista e tal. Cantores geralmente têm coisas assim para divulgação do seu trabalho. Mas isso não é uma regra — respondi, erguendo os ombros.

— Que bom que não seja tão ruim, porque apesar desse lance de cantor, eu não gosto de muita exposição. Gosto de ser mais reservado. Agora eu preciso ir.

Ele segurou meu rosto entre as suas mãos quentes e senti borboletas voando em minha barriga. Da última vez em que me segurou desse jeito, foi antes de um beijo longo e ardente. Só que desta vez ele apenas ficou me observando, parecia olhar cada centímetro do meu rosto. Após alguns segundos, quebrou o silêncio.

— Pronto. Já tenho gravada na minha mente a imagem com a qual vou dormir e sonhar. Não sei se ela vai durar por muito tempo, então, posso aparecer a qualquer momento — disse ele, usando um tom de ameaça.

Eu o beijei com a urgência de quem não queria que aquele momento acabasse, mas que sabia que seria inevitável. Em alguns minutos Santiago iria embora e eu só ficaria com a lembrança daquele momento. Enrosquei meus dedos por seu cabelo e senti seu corpo estremecer. Ele me apertou com mais força, quase ao mesmo tempo em que me afastou devagar.

Seus olhos estavam fechados quando o encarei e sua respiração estava muito ofegante. Num suspiro, sem dizer uma palavra sequer, San abriu os olhos e, sorrindo, seguiu em direção a sua moto. Fiquei parada sob a cobertura da porta de entrada, observando enquanto ele colocava o capacete. Só percebi que eu estava suspirando, quando um ronco de motor reverberou pela noite fria, trazendo-me de volta ao prumo.

A moto do San era diferente das que eu estava acostumada a ver pelas ruas. Tinha a aparência de uma moto nova, porém, com um *design* antigo. Era totalmente preta, exceto por alguns detalhes cromados e, ao se acomodar sobre a moto, eles se misturaram sob a escuridão da noite. Observei enquanto o ronco diminuía a cada metro que a moto avançava, até que restasse apenas o silêncio.

Já em meu quarto, eu ouvia um ruído ao longe, parecia que algum alarme havia disparado, a uma quadra de distância, talvez. Meus olhos abriram com muita dificuldade e meus sentidos começavam a funcionar de maneira menos letárgica. O ruído aumentava a cada segundo como se estivesse chegando cada vez mais perto. Em questão de segundos, percebi que o barulho estava na verdade dentro do meu quarto e agora ecoava entre as paredes.

Busquei a origem daquele som e percebi que o despertador pulava e gritava em cima da mesa do computador diante da minha cama. Voltei a cabeça sobre o travesseiro sem a menor coragem de me levantar para desligá-lo. Fechei novamente os olhos, mas algo naquele cenário me incomodava ainda mais do que o som perturbador do despertador. Pela primeira vez em dias eu havia tido um sono tranquilo, profundo e renovador, sem sonhos malucos.

Abri um dos olhos e vi que o dia amanhecia, mas o sol ainda estava parcialmente encoberto, o que indicava que não era hora de me levantar. Foi então que percebi o que me incomodava: eu não havia colocado despertador algum para tocar naquele horário. Além disso, jamais o colocaria tão distante da cama, já que o fato de precisar levantar para desligá-lo me faria perder o sono. Mas, se não tinha sido eu...

Levantei num pulo. Alguém o havia programado. Alguém entrou ou ainda estava em meu quarto. Após desligar aquele “alarme de incêndio”, busquei em cada centímetro por alguém ou por algum indício que comprovasse que alguém esteve ali durante a noite. Não encontrei nada.

Sentei na minha cama, aliviada, porém não menos intrigada. Podia ser um sonho, mas eu não tinha certeza.

Só tive tempo de um suspiro até ouvir passos na escada. Poderia ser a minha avó, mas eu sabia que não era, os passos eram de alguém bem mais pesado e bruto.

Quando deixei cair a barreira para identificar o invasor, ele foi mais rápido e entrou pela porta fazendo meu coração pular e quase sair pela boca.

— Ai meu deus! Antoni! O que está fazendo aqui? — Ele estava comendo um pedaço de bolo.

— Eu estava passando aqui perto... — Antoni simplesmente entrou e sentou-se na cadeira à frente da mesa do computador, comendo tranquilamente seu pedaço de bolo. Continuei parada, esperando uma explicação melhor.

— Para quem não pode ser visto comigo, você está bem abusado.

— Sua amiga desapareceu. Você ainda não sabe? Carol parece ter algo muito mais importante para fazer do que ficar aqui e ser babá da sua amiga Elemental — respondeu ele de boca cheia.

— Desapareceu? Não, eu não sabia. Por que ela faria isso? Não foi você quem disse que ela me protege e não deixa ninguém se aproximar? Então, me diz por que ela sumiria assim, sem falar nada?

— Essa mesma curiosidade está me consumindo. Eu costumo saber quando ela está por perto, e ao que parece... — Ele fez um movimento com a mão, como uma imitação de pássaro voando. — Ela está muito longe. E o mais preocupante é que, desta vez, ela não deixou Willian como cão de guarda substituto. Acredito que teremos notícias em breve, só não posso dizer que serão boas. Enquanto isso, seremos discretos.

— Você chama isso de discrição? — Apontei para ele sentado no meu quarto comendo o bolo da minha avó. — Aliás, como pegou esse bolo sem que minha avó o visse?

— Ela saiu. Acho que foi ao supermercado comprar algumas coisas que estavam em falta por aqui — ao dizer isso, ele piscou para mim, de um jeito que pude perceber que ele tinha algo a ver com essa saída.

— Não está faltando nada aqui em casa. O que você fez? — perguntei, começando a me irritar.

— Sempre falta alguma coisa em casa, ficaria impressionada se cozinhasse. Não se preocupe, ela estará de volta em alguns minutos.

— Se fizer mal a ela, eu não sei como, mas eu mato você. Mudando de assunto: como funciona esse negócio de saber quando ela está por perto? — Diante da cara de interrogação que ele fez, precisei completar o raciocínio. — Carol!

— Há sim. Eu tenho meus poderes. — Movimentando as mãos como um feiticeiro, ele continuou. — Consigo saber quando um determinado celsu está por perto. Não funciona com qualquer um, mas funciona com quem já me caçou. Agora chega de conversa — concluiu, limpando as mãos e se levantando.

— Não dessa vez. Não vou a lugar nenhum com você. Já esqueceu que me deixou sozinha naquele lugar sinistro, eu o esperei por horas. Se não fosse San, nem sei se eu estaria aqui agora... — A frase ficou incompleta e senti um aperto no peito ao falar sobre o assunto com ele. Era, estranhamente, desconfortável falar sobre ele com Antoni.

— Santiago te acompanhou, que bom. — Antoni ficou sombrio como já o vi antes e me olhando fixamente, continuou — Com certeza ele deve ter cuidado muito bem de você. Além de tentar me desmoralizar.

— Ninguém precisa fazer isso por você. Esqueceu que me levou naquele lugar horrível? Apesar de ter sido um bom choque de realidade, eu podia ter morrido. E ainda por cima, não apareceu me deixando a própria sorte naquele lugar horrível.

— Não costumo me desculpar, e não farei isso duas vezes. Você se lembra qual era o nosso acordo caso alguém a seguisse? — perguntou, fazendo uma pausa dramática. — Isso não importa agora. O fato é que precisamos aproveitar esse tempo. Não sabemos se Carol irá voltar ou quando. E se, por algum motivo desconhecido, ela não voltar, sua vida estará mais em perigo do que nunca.

Antoni, que estava brincalhão desde a hora em que entrou no meu quarto com aquele pedaço de bolo, de repente ficou sério como um personagem de filme de terror. Com certeza, Nara se lembraria de alguma cena parecida.

Pedi para que ele me esperasse do lado de fora do quarto enquanto me trocava. Sozinha, pensando em tudo que estava acontecendo, entendi que os assuntos eram tantos que se agrupavam criando uma montanha de informações e imagens. O ar se tornou pesado por um segundo e me senti um pouco tonta. Coisas demais para pensar de uma só vez.

— Falou alguma coisa? — perguntou do lado de fora. Tive certeza de que ele estava com o ouvido grudado na porta. Talvez com medo que eu mudasse de ideia e fugisse pela janela.

— Para onde vamos? Para o Café? — Tentei não demonstrar desânimo, mas acho que não tive sucesso.

— Deixe-me explicar uma coisa sobre lugares. O mundo não é seguro de uma maneira geral. Existem celsus por toda parte e, como você já pôde perceber, eles sempre têm alguma habilidade que os tornam mais ágeis, mais fortes e, em alguns casos, mais sábios que os humanos. Quando um desses seres resolve se entregar ao seu lado mais sombrio, as coisas podem ficar bem complicadas e muito perigosas. O que está acontecendo hoje no mundo é uma demasiada ânsia por poder. Esse desejo nunca traz coisas boas, apenas desperta a maldade, até os mais inocentes estão sujeitos a despertar esse monstro que vive nas profundezas do inconsciente. O que significa que ninguém está livre e ninguém é inocente. No momento, estamos em guerra. Uma guerra de poderes, praticamente silenciosa. Digamos que seja uma batalha psicológica e estratégica. E, neste momento, quem tem informação tem poder. De fato, isso é uma verdade absoluta em qualquer situação, mas não podemos nos arriscar fornecendo armas que possam ser usadas contra nós mesmos.

— Corta esse papo de maluco, não entendi nada — falei ao abrir a porta.

— Eu já lhe disse isso e vou repetir. Ninguém pode saber sobre você, sobre o que é capaz de fazer ou de ver.

— Sim, disso eu já sei.

Descíamos a escada enquanto ele falava e eu tentava, desajeitadamente, colocar o casaco. A escada acaba em frente a porta de saída e Antoni seguiu até a porta da sala sem titubear. Parei no meio do caminho, lembrando-me do presente de San. Eu precisava buscá-lo, pressentia que aquele dia exigiria algum tipo de proteção extra.

— Aonde você vai? — perguntou Antoni.

Não respondi, já estava subindo as escadas o mais rápido que podia, ouvindo seus gritos no andar de baixo.

— Sua avó está quase chegando! Não podemos demorar mais. — O tom de voz dele realmente carregava uma urgência exagerada.

Peguei o que precisava, inclusive minha bolsa, e desci pulando os degraus. Quando cheguei à sala, vi que Antoni estava diferente. Não estava sombrio, nem animado, apenas apreensivo. Ele abriu a porta e esticou o braço para que eu passasse sua frente. Ao fazer isso, surpreendi-me ainda mais; Santiago estava recostado na pequena mureta ao lado da minha porta, com os braços cruzados e um sorriso enorme sarcástico que dizia: *onde vocês dois pensam que estão indo?*

— San?

Mesmo sem entender o que ele fazia na minha casa àquela hora da manhã, fiquei entusiasmada. E para minha vergonha, até um pouco demais. Antoni me olhou com frieza vendo o enorme sorriso em meu rosto.

— Eu ia perguntar o que ele faz aqui, mas parece que ele tem a mesma pergunta em mente. Talvez queira me contar alguma coisa. — Respirei fundo para não dizer que ele não tinha nada a ver com aquilo. E, antes que eu começasse a falar, ele me interrompeu. — Mas isso pode esperar. Temos que ir agora.

— Eu vou com vocês. — San se colocou atrás de Antoni, que já caminhava rápido em direção ao carro do outro lado da rua, mas parou quando chegou à calçada. Pegou um capacete extra que havia na moto e me entregou. — Você vem comigo.

Santiago estava tão decidido, segurando-me o braço, que me fez ficar muda. Eu precisava acompanhar o Antoni, mas antes que pudesse dizer qualquer coisa, o homem de preto e com ar sombrio se pronunciou:

— Meu tempo acabou. Vocês vêm ou não?

Ele abriu a porta do seu carro, entrou e ligou o motor, saindo tão rápido que sumiu das nossas vistas antes mesmo de darmos conta da situação. Voltei os olhos para San, demonstrando não entender a reação de Antoni.

— Onde estavam indo? — perguntou.

— Para onde mais? Parece que vou passar muito tempo naquele Café — respondi.

San ergueu os ombros e me estendeu a mão para me ajudar a subir na moto. Quando sentei, vi pelo retrovisor minha avó chegando e pedi para que ele esperasse um segundo. Falei com ela rapidamente e me pareceu que estava bem. Eu disse que estávamos com pressa porque marcamos com uns amigos no parque, aquele horário não conseguiria nenhuma desculpa melhor.

Enquanto atravessava a rua, vi Santiago guardar o celular no bolso e balançar o cabelo numa preparação para colocar o capacete. O sol iluminava seu rosto e pareceu que a cena estava em câmera lenta como nos filmes.

Sabíamos exatamente qual era o destino de Antoni, então só precisávamos encontrá-lo no Café.

Sobre uma moto em alta velocidade ficava difícil qualquer tipo de comunicação. Ele parecia não perceber ou não se importar com o fato de estar bem acima da velocidade permitida. Eu diria isso a ele quando parássemos, ou talvez não.

Concentrei-me no caminho, era dia e eu queria gravar todas referencias possíveis para encontrar aquele lugar caso precisasse voltar lá sozinha e sem um mapa me orientando.

As ruas da cidade são sempre movimentadas como um organismo vivo que não pode parar de funcionar nem por um segundo. São tantos táxis circulando ao mesmo tempo, que se espalhavam como teias por entre os edifícios, além de algumas pessoas que andavam apressadas pelas calçadas. Eu tinha quase certeza que a maioria delas nem sabia por que estavam andando como se estivessem atrasadas, apenas seguindo o ritmo natural de uma megalópole como Nova York.

Olhando todas aquelas pessoas que caminhavam alheias a quem estava bem ao lado, pensei quantas delas, na verdade, eram celsus e só queriam se misturar, fazer parte de um mundo que ignorava sua existência. Deixei cair por completo qualquer barreira, sentia-me segura com Santiago.

A imagem que se formou diante dos meus olhos foi eletrizante. Em alta velocidade, as sombras e cores pareciam mais vivas do que nunca. Era como estar vendo fantasmas coloridos, almas saindo dos corpos como se seguissem o seu dono. A cada curva havia mais luzes, havia mais vida. A imagem era turva, rápida e magnífica.

Eu me sentia tão livre, sem medo e encantada com aquela visão de sombras coloridas; queria que Santiago pudesse ver o que eu via, queria que alguém no mundo pudesse ver o mesmo que eu.

Paramos em um semáforo e eu só podia olhar maravilhada para tudo aquilo, nunca antes havia deixado fluir essa conexão de um jeito tão completo no meio de tanta gente ao mesmo tempo. A imagem era estável e as pessoas se cruzavam atravessando a rua ou andando lado a lado. Embora não se tocassem ou se encontrassem de fato, suas energias se esbarravam e o choque era inevitável, as cores se misturavam por alguns segundos, depois se afastavam voltando à sua forma original. Como uma paleta de um artista, novas cores surgiam quando elas se chocavam.

Lembrei-me de que em alguns momentos da minha vida, ao ver alguém pela primeira vez, tive a sensação de já tê-la visto antes. Eu sabia que acontecia com todo mundo, mas olhando esses encontros de energias, agora entendia o que aquilo queria dizer, porque a energia de cada um é única.

A moto voltou a roncar, e quanto mais ele acelerava, mais as cores se misturavam e logo tudo parecia uma imagem borrada em fragmentos coloridos.

Capítulo 17

As pessoas e o movimento diminuíam a cada quarteirão. Na região em que estávamos agora havia mais cachorros do que carros. Tive certeza de que estávamos chegando naquele bairro perigoso e misterioso, onde vi criaturas que nem sabia o que eram. As ruas vazias e silenciosas indicavam isso. Casas e comércios abandonados pareciam ser uma constante naquele lugar.

Tive a impressão de passar por um portal. Foi impossível não sentir o ar ficando mais denso, a escassa presença de vida e o mais incrível: o dia lá não era claro, havia uma espécie de névoa que impedia o sol de entrar.

Segurei San com mais força. Dentro de um carro a percepção se torna bem diferente. Ele reduziu a velocidade ao sentir que eu o apertava pela cintura.

O cheiro também não se parecia com nada que eu já tivesse sentido. Lembrava uma mistura de alguns odores como fumaça de plástico queimado com cheiro de chuva. Eu não via coisa alguma e não sentia nada também, como se a tal habilidade tivesse sumido.

San, sentindo meu aperto cada vez mais forte, parou a moto e colocou um dos pés no chão. Tirou o capacete e me olhou com preocupação.

— Está tudo bem. Esse lugar é sinistro eu sei, mas vamos passar por ele rapidinho — ele tentou me tranquilizar.

— Não sei... Parece que o lugar está deserto demais. Não estou com bom pressentimento.

— Nada é certo por aqui, mas não se preocupe. Esta é uma parte do mundo que conhecemos como fenda. Como um buraco negro onde todos os seres são iguais — disse San.

— Mas eu sinto alguma coisa, San. Só não consegui identificar ainda o que é. — Ele me lançou um olhar desconfiado, mas não disse nada. — O que são aquelas criaturas que eu vi nas sombras?

— Aqui neste solo todo mundo é igual. Sem habilidades, sem poderes ou capacidades, que chamamos de sobre-humanas. Até humanos perdem capacidades, como sexto sentido, por exemplo. Alguns seres resolvem vir para cá e não conseguem mais ir embora. Muitos estão aqui se escondendo, fugindo de alguém que eles sabem que só aqui não pode atingi-los ou mesmo se protegendo de suas próprias habilidades — ele explicou. — Nem todo mundo é capaz de aceitar, compreender e controlar tais habilidades. Tem quem acredite que aqui pode encontrar a salvação, mas no fundo, é apenas perdição. Quando você fica por aqui muito tempo sua consciência se esvai, você deixa de ser você e se torna uma daquelas criaturas que viu.

— E por que eles não vão embora? — indaguei.

— Quem vem por vontade própria, eu sinceramente não sei, mas dizem que os aprisionados não conseguem encontrar a saída e ficam vagando até sumirem dentro de si mesmo.

— Se aqui é uma zona neutra, então eu não tenho nenhuma... — parei de falar antes que me comprometesse demais. San não sabia muito sobre mim. E, segundo Antoni, falar sobre isso podia ser muito perigoso. — Eu não tenho nenhuma vantagem como celsu, certo?

Ele me confirmou com um gesto de cabeça e eu fiquei preocupada. Segurei-me novamente nele e, com receio de ficar ali parada por mais tempo, falei:

— Acho melhor irmos embora.

Esperei até ouvir o ronco do motor, ao qual eu já estava me acostumando. Para minha surpresa, nada aconteceu. Apenas senti o corpo entre os meus braços se endireitando sobre a moto. San se voltou para mim e fez um sinal para que eu ficasse em silêncio. Ele ficou parado, totalmente estático. Alguns segundos depois, senti sua respiração se alterar.

San desceu da moto e me ajudou em seguida.

— Não faça barulho, você tinha razão. Alguma coisa está acontecendo aqui. Não sei se conseguiremos seguir em frente — disse ele, quase sussurrando.

— E o que vamos fazer? — Eu começava a entrar em pânico.

Sem responder, ele me puxou pela mão e começou a andar. Caminhamos pela rua em um silêncio sepulcral. Vez ou outra, Santiago levantava a cabeça como se buscasse no ar a direção para onde seguir. Talvez, ele visse algo que eu não conseguia em meio a toda aquela névoa.

Viramos em uma rua à esquerda saindo da via principal. Enquanto adentrávamos o novo caminho que mais parecia um beco, eu olhava para trás e só conseguia pensar que estava me afastando cada vez mais do único caminho que nos levava à saída daquele lugar tenebroso. O que encontraríamos pelas ruas estreitas e escuras? Talvez nem San tivesse uma resposta.

Meus pensamentos voavam tanto, que só percebi que ele havia parado quando bati a cabeça em seu ombro. Postado à minha frente, parecia ouvir alguma coisa. Fechei os olhos na tentativa de escutar o mesmo que ele, mas não captei nada além do vento soprando fraco à nossa volta. A rua onde estávamos acabava um metro à frente, cruzando com uma mais estreita e ainda mais escura. Por ali só havia portas fechadas do que pareciam salões comerciais que funcionavam durante o dia. Com esse pensamento, lembrei que ainda *era* dia. Os postes de iluminação estavam acesos, porém, mais lembravam um cenário de filme de terror. Luzes bruxuleantes e instáveis, que não iluminavam nada.

Ao contrário de mim, San não demonstrava qualquer sinal de medo.

— Vamos por ali — San sibilou, apontando para a outra calçada. — O som está vindo do outro lado, então acho que vamos conseguir dar a volta sem que nos vejam.

Eu me perguntava que som ele estava ouvindo e quem não nos veria? Antes que pudesse perguntar, senti alguma coisa. Era só uma sensação, mas parecia que minha conexão estava voltando. Só que eu continuava sem ouvir ou ver nada. Puxei a mão de San e o fiz parar antes que deixássemos aquele perímetro.

— Espera — pedi. — Acho que senti alguma coisa.

Tomei a dianteira e, mesmo sob um protesto silencioso, prossegui no caminho oposto ao que estávamos indo. Vi um galpão aparentemente abandonado e pude sentir a energia de alguém lá dentro, era muito fraca e talvez eu estivesse imaginando coisas.

— Tem alguém ali dentro — constatei.

Durante alguns segundos, ele ficou em silêncio e de olhos fechados.

— Tem razão, tem mesmo alguém lá dentro e é o Antoni — revelou Santiago.

— Antoni? Como você sabe que é ele?

Eu estava intrigada, pensava que tipo de criatura San podia ser. Lembrei-me da última vez que o vi naquele mesmo lugar e ele me disse que era natural, seja lá o que aquilo queria dizer. Não parece muito natural para mim.

— Tenho os sentidos muito mais aguçados que o normal. Posso ouvir o que estão dizendo mesmo estando longe. Antoni sabe disso e está me dando algumas coordenadas sem que percebam.

— Eles? Não sinto mais ninguém, só uma pessoa — eu disse.

— Mas tem pelo menos três com ele. Eu não consigo entender o que querem dele, apenas ouço vozes. Espera! — San se agachou como um cão em posição de ataque. — Estão se afastando. O som e o cheiro desapareceram, eles devem saber que estamos aqui.

— Você acha que ele está em perigo?

Eu só ouvia o barulho do vento e mesmo assim, bem fraco. Não dava para enxergar muita coisa à nossa frente por causa da névoa. Nada parecia se mexer.

— Shhh! Ouço alguma coisa se aproximando — disse ele, ainda em posição de combate.

— Como você pode ouvir? Eu não escuto absolutamente nada — sussurrei.

— Any, receio que não tenhamos tempo para uma explicação mais detalhada agora. — Fechando os olhos por apenas um segundo, San exclamou uma palavra que sempre indica algo de muito errado. — Merda!

Ele se levantou, olhou para mim e, sem dizer nada, correu pela mesma rua por onde tínhamos acabado de passar. Simplesmente desapareceu em menos de dois segundos. Nunca tinha visto nada correr tão rápido. Fiquei assustada e totalmente sem reação. Só entendi o que tinha acontecido quando percebi alguém chegando por trás de mim. Tive medo de me virar para ver quem estava me observando, apenas o ouvi e não me mexi por alguns segundos. Como se o silêncio pudesse me tornar invisível.

Primeiro, senti a respiração de um animal fungando atrás de mim, em seguida, ouvi uma voz muito rouca e bruta.

— Aí está você. Parece um ratinho se escondendo. — Virei-me devagar e olhei bem nos olhos de um homem que me observava de forma ameaçadora. Ele tinha cabelo amarelado e despenteado, era magro e alto como um poste.

Senti um alívio quando vi que ele segurava um cão enorme pela coleira. Depois de tantas descobertas, não me surpreenderia ver um animal muito mais medonho do que um cão, um dragão quem sabe...

Mas olhando bem, o alívio foi passando e dando lugar a um novo tipo de medo, uma nova classificação de pânico. O cachorro era mesmo enorme. Não era exagero comparar a um felino, como um tigre. Considerando o tamanho dele e sua agitação, não foi difícil perceber que o sujeito era bem forte. O animal parecia descontrolado, babando e fungando em minha direção, mas o cara, apesar de muito magro, conseguia segurá-lo sem esforço.

— Calma aí, amigão. Já encontramos o que estávamos procurando. Bom trabalho — ele afagou o animal.

Aquele cachorro parecia uma mistura de Rottweiler com o Cérbero. Clichê ou não, o cão era negro como a noite e fedia como o inferno, não que eu soubesse como era o cheiro de lá, mas nunca havia sentido aquele cheiro antes e era muito nojento.

Mesmo com a tentativa de acalmar o animal, ele não parecia menos agitado. Sua baba escorria e caía como um balde derramando água no chão, ainda assim, o bicho não latia, apenas mostrava os dentes enormes e mexia a cabeça freneticamente. Uma faísca se ascendeu e percebi o motivo de tanta euforia. Ele estava farejando mais alguém além de mim naquela rua. Agradeci muito por ele não poder se comunicar de forma mais efetiva com o seu dono.

Eu estava recostada na parede sem saber o que fazer. Até que aquele ser medonho resolveu me olhar mais de perto e pude sentir o seu cheiro pútrido.

E não estou me referindo ao cachorro.

Ele sorriu ao ver minha reação de medo e nojo.

— Vamos! — Não me mexi, não consegui. O homem, que já havia dado alguns passos, olhou para trás e falou calmamente. — Você prefere mesmo que a gente a obrigue?

O cão parecia entender muito bem o que seu dono queria dizer, porque enquanto eu tremi de medo, ele rosnou parecendo sorrir.

— Aonde você vai me levar? Eu me perdi por essas ruas e preciso de ajuda para sair daqui. Você vai me ajudar? — perguntei, com a voz trêmula.

— Perdida? — O homem soltou uma sonora gargalhada. — Ninguém se perde por aqui, docinho. Quem se arrisca a entrar sabe muito bem que pode nunca mais sair. De qualquer maneira, eu sou apenas um guardião e, especialmente hoje, recebi ordens para não deixar ninguém passar ou cruzar a fenda.

Aquele sujeito tinha um sotaque estranho, não consegui identificar a origem, mas parecia escocês. Caminhávamos em direção ao galpão onde achávamos que Antoni estaria. O cão ainda olhava várias vezes para trás, desconfiado. Certamente ainda esperava ver a origem do cheiro que sentiu além do meu. Tive vontade de dizer a ele "eu quero saber tanto quanto você para onde ele foi e porque me deixou sozinha nesse lugar". Com certeza, San ouviu a aproximação deles e saiu correndo. Isso não me pareceu muito cavalheiro.

Continuamos andando e passamos pela frente do tal galpão, mas não entramos e isso me deixou ainda mais tensa. Se Antoni estava ali dentro, era onde eu deveria estar.

— Quem lhe deu essas ordens, para não deixar ninguém passar? — Eu tentava manter qualquer tipo de comunicação, talvez descobrisse algo útil para me ajudar a sair daquele lugar.

— Logo você vai saber — respondeu o homem de voz rouca.

— Para onde está me levando? Olha, eu nem sei que lugar é esse. Eu só quero ir embora. Por que você não me deixa ir e fingimos que eu nunca passei por aqui?

Eu andava a uns dois metros de distância dele e olhava ao redor em busca de ajuda. Mesmo após uma batida em retirada de forma tão estranha, eu ainda procurava por San; talvez ele estivesse por perto nos observando. Estava absorta na busca de algum sinal de esperança que nem percebi quando o sujeito se virou e veio na minha direção. Só sei que em um segundo ele estava de costas para mim e no seguinte, seu nariz quase tocava o meu. O ar ficou rarefeito e me senti um pouco tonta. Não sei se foi pelo susto ou pelo cheiro de decomposição que saía de sua boca a cada lufada de ar. Foi inevitável sentir ânsia quando ele falou a essa proximidade.

— A partir de agora não falo mais com você e você não fala mais nada. — disse o homem que parecia ter um animal morto na boca.

Eu realmente não podia dizer nada, porque era impossível abrir a boca. Balancei a cabeça concordando e dei um passo para trás, precisava voltar a respirar. O homem continuou andando. Enquanto eu recuperara o fôlego, resolvi perguntar o nome dele. Não sei exatamente em que eu estava pensando. Mas queria testar a tal ordem do silêncio.

— Qual... — Fui interrompida pela lâmina de uma enorme espada que carregava na cintura. Mais rápido do que eu podia piscar, ele a apontou para mim, enquanto com a outra mão fazia sinal de silêncio.

Desta vez a ordem ficou bem mais clara. A caminhada continuou e eu permaneci em busca de um sinal, em silêncio absoluto. Pensei em correr, já que ele estava bem na minha frente, mas abandonei a ideia em seguida, pude ver que ele era muito rápido e ainda tinha o cão que me alcançaria em segundos.

Ele virou em um beco à direita. Era tão escuro que parecia não ter saída, depois de alguns minutos, chegamos a uma área aberta que parecia uma praça. Tinha até um banco no centro e postes de luz em volta, mas sem árvores. Observando o espaço, percebi que era o limite daquele lugar, não havia nada além. Em volta da suposta praça só havia um muro muito alto.

Segui o homem em direção ao muro e quando chegamos perto, simplesmente o atravessamos como se ele não existisse. Foi como mágica, o que não fazia sentido já que aquele era um território neutro, não?

Olhei para trás e tudo estava lá, o beco, a praça, mas não o muro. Ele era uma espécie de ilusão. Era espantoso, porém, ainda mais impressionante foi o que estava à nossa frente, além do muro: uma densa e magnífica floresta. Tive a sensação de entrar na página de um livro de aventura e cair bem no coração de uma mata desconhecida e selvagem. E como não podia ser diferente, para ficar ainda mais bizarro, lá já era noite e havia uma linda lua brilhando no céu.

Fiquei olhando em volta por algum tempo, de boca aberta. Há um minuto estávamos andando no que mais parecia uma cidade fantasma com ruas cheias de prédios desativados, galpões abandonados e casas, aparentemente, vazias. De repente, eu estava cercada por árvores enormes. Mesmo a noite era possível identificar uma variação inacreditável de vegetação. Mas o que essa floresta tinha de linda, também tinha de assustadora.

— Que lugar é esse? — Esqueci completamente a ordem de silêncio. Estava extasiada. Para minha surpresa, não recebi de volta uma bronca ou um corte de espada, sim uma resposta.

— Estamos na floresta morta. É aqui que nos separamos.

O guardião estava parado ao meu lado e olhava atentamente para frente. Mesmo sem poder ver sua energia, eu tinha certeza que ele estava tenso. Será que ele estava com medo? Será que eu deveria estar com medo? Fiquei tão animada ao ver a natureza que esqueci onde realmente estávamos. O medo cessou assim que atravessamos o muro.

À nossa frente havia enormes e antigas árvores parecidas com sequoias, mas eu não tinha certeza, estava muito escuro. O chão estava coberto por folhas e pequenos galhos que denunciavam nossa presença.

Olhei para o guardião que estava compenetrado buscando alguma coisa na escuridão à nossa frente. Seus olhos cerrados e curiosos buscavam algo por entre as árvores. Apesar de uma floresta enorme e vibrante, não havia nenhuma conexão entre nós, eu podia sentir, ou seria melhor dizer, eu não podia sentir nada. Achava impossível uma floresta ser chamada de morta, mas se aprendi alguma coisa nesses últimos dias, é que nada era impossível.

De repente, o guardião começou a recuar, sem tirar os olhos das árvores. Ouvi passos que estalavam sobre os galhos secos e senti o medo retornar com força. Olhei novamente para o guardião e ele não estava mais ao meu lado. Num giro de 360 graus percebi que o muro e a praça também não estavam mais lá, só havia uma mata fechada e sombria me rodeando. Minha respiração se tornou tão forte que quase escondia os ruídos de passos que continuavam e ficavam mais altos à medida que se aproximava.

Focalizei a direção de onde vinham os ruídos. Uma silhueta se desenhou, saindo de trás de uma das árvores. Meu corpo tremia involuntariamente enquanto eu olhava à minha volta, tentando enxergar uma saída.

Aquilo, que até então eu via apenas como uma sombra, caminhou determinada a me encontrar. Pensei em correr, mas para onde iria? Certamente me perderia em uma mata chamada de *floresta morta*. Na verdade, não havia nenhuma opção razoável, ao menos eu não conseguia ver nenhuma. Na medida em que se aproximava, a figura ficava mais nítida e demonstrava caminhar com leveza. Com certeza, era uma mulher.

— Não tenha medo. — Mesmo a uns cinco metros de distância, pude ouvir a sua voz tão claramente como se estivesse do meu lado.

— Quem é você? — perguntei.

Na verdade, eu não queria saber quem era aquela pessoa ou coisa, mas, novamente eu queria estabelecer alguma comunicação e demonstrar um pouco de coragem, que na verdade, não existia.

— Não se preocupe comigo, estou apenas a recepcionando. Por que está aqui garota? Não me diga que se perdeu. — A mulher pareceu achar graça.

— Eu me perdi sim e fui capturada pelo guardião. Não entendi por que ele me trouxe aqui. Foi você quem deu ordens para não deixar ninguém passar? — Eu sabia que era uma pergunta idiota, mas não sabia o que mais dizer.

— Ninguém se perde por aqui, minha querida. Talvez esteja procurando alguém. — A voz da mulher era calma e suave.

— Procurando por alguém aqui? Só pode ser brincadeira. Não conheço ninguém que viria nesse lugar maluco — falei, tentando ser natural.

Finalmente ela chegou bem perto, o suficiente para que a luz do luar revelasse com quem eu estava conversando; a mulher estava descalça, de *jeans* e uma camisa fina, azul claro. Seu cabelo era negro e comprido, com uma larga mecha roxa. Acho que me decepcionei um pouco quando a vi de perto. Imaginei que seria um ser da floresta, com um vestido esvoaçante e voz sedutora. Ela mais parecia ter tirado os sapatos por estarem machucando seus pés, e não havia nada de sedutor em sua voz. Fiquei feliz por ela parecer tão normal, assim, consegui me controlar um pouco e parar de tremer. Claro que estava longe de sentir alívio, aquele cenário era completamente sombrio e algo me dizia que podia ficar muito pior.

— Venha comigo. Quero mostrar alguém que talvez você conheça. — Ela se virou e caminhou na direção de onde havia vindo. Percebendo minha resistência, continuou falando sem se virar para trás. — Vamos garota, não é seguro ficar aqui sozinha. Essas árvores são geniosas e as criaturas que existem nesta floresta, fazem até um leão parecer um gatinho doméstico.

Sem escolha, eu a segui. Andamos alguns metros por entre as árvores, caminhando em direção à luz estranha; era a única fagulha que havia em meio a tanta escuridão. Aquela claridade, provavelmente, vinha de algum tipo de chama e, não muito longe dali, avistei uma clareira. Descobri então, que a fonte de luz era uma tocha fincada ao chão no centro dela.

Havia uma pessoa acorrentada a duas árvores, uma de cada lado do seu corpo. O homem estava preso pelos braços e a cabeça pendia para frente, algum líquido que provavelmente era sangue, pingava de sua boca. Ele estava de cabeça baixa, desmaiado talvez.

À medida que eu me aproximava, percebia que ele estava muito ferido. Um corte do lado direto da cabeça estava à vista e sangrava bastante. A mulher se aproximou dele e, segurando seu cabelo, levantou sua cabeça com força suficiente para fazê-lo soltar um grunhido abafado, certamente ele não tinha mais forças para gritar. Espantei-me quando vi o estado daquele rosto: cheio de hematomas; a boca sangrava e havia um corte sobre o olho esquerdo que estava praticamente fechado. O estado geral daquele pobre coitado era crítico e me senti tão agoniada que mal podia olhar para ele.

— Tenho uma surpresa para você, meu amigo. Olhe e veja se reconhece esse rostinho lindo — pediu a mulher, com calma exagerada.

Mesmo deformado, com um olho completamente fechado e sentindo muita dor, ele me olhou e sorriu, soltando um suspiro.

— Depende. Se ela veio me salvar de vocês, então eu posso conhecê-la, caso contrário, nunca a vi antes. — Ele me olhou como se quisesse me dizer algo e, então, baixou a cabeça novamente. — Mas já que a trouxeram, eu proponho um acordo. Falo o que vocês querem saber, ou pelo menos o que eu souber, e vocês me libertam. Aí ficam com essa garota no meu lugar. — Ele falava com dificuldade e cuspia sangue a cada cinco segundos.

— Não acho que esteja em posição de negociar. — Desta vez, a voz era masculina e vinha da escuridão. Por reflexo, virei-me e pude vê-lo caminhando sem pressa entre as árvores.

Mesmo no escuro, era possível perceber que era ele o responsável pelos ferimentos no prisioneiro. Sua estrutura era incomum, parecia ter muito mais do que dois metros de altura e devia ser o cara mais forte do mundo, nunca vi ninguém tão musculoso. Faz o Dwayne Johnson parecer mesmo uma fada do dente.

— Vocês querem informações que eu não tenho, o que faz de mim um cadáver. A garota deve estar aqui por alguma razão, eu só não sei qual. Talvez, faça parte do plano de vocês. — Ele me olhou nos olhos quando disse isso e eu não sabia o que fazer, parecia tão sincero. Depois de uma risadinha cínica, continuou: — Está com tanto medo que dá para sentir o cheiro daqui. — disse Antoni tentando sorrir.

— Temos ordens de não deixar ninguém passar até conseguirmos o que viemos buscar. Sabemos que você iria se encontrar com alguém no Templo do sol e encontramos essa criatura perambulando pelas ruas da fenda, procurando alguma coisa ou alguém, pouco tempo depois que o capturamos. Eu pensaria que é coincidência, se acreditasse que isso existe — explicou a mulher.

Era visível que ele estava em agonia, mas ainda assim, soltou uma risada cheia de escárnio e algumas interjeições que indicavam dor.

— Isso é tudo que você tem para me fazer falar? Uma garotinha assustada. Já me sinto melhor — disse ele, sarcástico como sempre. Aquela mulher não gostou muito de ser afrontada. Ela chegou bem perto de mim e me encarou, seu rosto era pura raiva. E quando disse qual seria a minha sentença, sentiu prazer em cada palavra.

— Acho que você não vai se importar se o grandalhão ali levá-la para o meio da floresta. E eu não acredito que ela voltará inteira, se é que voltará. — A última frase fez meu estômago sentir um baque como um chute e tive vontade de vomitar.

— Vá em frente — falou Antoni, acenando com a mão presa à corrente.

Minha nossa! Minha vida não significava nada para ele ou isso tudo era apenas uma encenação? Se era, estava mesmo muito convincente.

O acorrentado continuou falando:

— Eu realmente não tenho a informação que vocês querem, mas me deixaram curioso. Não entendo por que alguém subestimaria tanto o Ministério ao pensar que qualquer pessoa tenha todas essas informações. Aquele lugar é o Vaticano dos celsus, tem mais segredos do que paredes. Ninguém sabe de tudo, ninguém além dos altivos tem qualquer informação que vá ajudá-la a compreender os planos superiores. Não sei quem está por trás dessa emboscada, mas com certeza essa pessoa não sabe com o que está lidando.

— Você não precisa entender nada, apenas comece a falar — a mulher insistiu com Antoni, parecendo ter esquecido um pouco de mim, para meu alívio. — Só falta agora querer que acreditemos que você não faz parte do Conselho.

— Vocês estão enganados, eu não faço parte do Conselho. Além do que, estou meio que aposentado. Mas de qualquer forma, quem os mandou pelo menos sabe que sou um membro do Ministério, e isso não quer dizer que eu sei de cada passo que eles dão. Na verdade, sei muito pouco. Ultimamente ando sendo alvo de desconfiança por lá, o que me torna praticamente inútil aos seus propósitos. Mas não se iludam... — Ele cuspiu um pouco de sangue antes de continuar. — Cada um tem um papel naquele lugar, e o meu, é bem longe dos pergaminhos. Eu só tenho conhecimento sobre aquilo que eles querem, as informações são codificadas e distribuídas. Precisariam capturar todos do Conselho para conseguirem seguir algum caminho coerente.

Ele estava dizendo que fazia parte do tal Ministério. Uma pergunta martelou minha cabeça: "por que ele não me disse isso antes?" Tive vontade de chegar mais perto e dar um soco em um dos seus ferimentos. Foi frustrante não poder ter qualquer reação ao que acabava de ouvir.

— Não importa o que ou qual parte você sabe, nós tiraremos tudo de você. Depois nos preocupamos se terá utilidade ou não no quebra-cabeça — a voz da mulher demonstrava tanta confiança que senti um arrepio ao pensar no que mais ela faria para conseguir o que queria.

— Sabe o que é engraçado? Vocês vão montar um quebra-cabeça, onde as peças são seres vivos, com informações que supostamente se encaixam em seus devaneios de selvagens — quando ele disse a palavra selvagem, a mulher se encheu de fúria e ele parecia ter gostado da sua reação. — Desconfio que nunca sairei daqui com vida, então me diga: Por que eu diria qualquer coisa a vocês? Esse tipo de tortura precisa de um incentivo.

— Isso nós saberemos depois de algum tempo. Se esse não for um bom incentivo para você, encontraremos outro — disse ela.

A mulher sorriu se sentindo satisfeita e com uma adaga que retirou de sua cintura, caminhou em minha direção. Segurando-me pelo braço, carregou-me até mais perto do acorrentado. Olhando para o chão, ele começou a falar novamente sem demonstrar qualquer emoção.

— Se vocês querem informações secretas do Ministério eu até posso conseguir. Posso descobrir o que precisam saber, mas só consigo fazer isso se estiver vivo e, de preferência, livre. — Ele não se mostrava abalado psicologicamente, parecia conversar com colegas de trabalho em uma reunião de negócios.

— Já fizemos isso. Pode ser arriscado demais tentar de novo. Precisamos permanecer nas sombras. Acho que você entende bem disso, não? Dizem que nem o Ministério descobriu por onde você andou por anos.

— Pois é! Eu tenho os meus métodos. Já vocês... tenho que dizer que estão sendo bastante descuidados. Essa operação está comprometida. Os insurgentes já foram mais cautelosos. — Antoni estava fraco, sua voz saía mais baixa do que ele gostaria, porém com segurança.

Ele tentava jogar a qualquer custo. Mesmo transbordando tolerância, eu percebia suas manobras desesperadas para tentar alterar o rumo da situação. A mulher se espantou com a frase que nomeava o grupo responsável por toda essa emboscada, o que indicou que ele estava certo.

— Por que começar por mim? Existem membros muito mais influentes e com informações mais relevantes do que qualquer uma que eu possa ter. Não é nada inteligente. — Apesar de fraco, ele mantinha o mesmo ar de superioridade de sempre, nem parecia que estava amarrado e dominado.

— Você foi escolhido porque nos atrapalhou. Não sabemos por que não está preso na fenda, mas vamos consertar isso. Estávamos chegando mais perto a cada dia, mas a sua intromissão estragou muito os nossos planos — revelou o grandalhão.

A mulher sorriu e fez um sinal com a cabeça para o homem, que estava parado de braços cruzados esperando a hora de agir. Ele simplesmente veio em nossa direção e chutou o rosto que já estava muito machucado, o deixando praticamente deformado.

Capítulo 18

A mulher, que me segurava pelo braço, jogou-me para cima do grandalhão. Só não caí porque ele era tão grande que nada passaria por ele sem que o atingisse. Ele me segurou com brutalidade e percebi que se quisesse, poderia me erguer com apenas uma das mãos, ou até mesmo quebrar meu braço com um único movimento.

Tentei me livrar, mas foi apenas por extinto. No fundo, eu sabia que jamais conseguiria me soltar daquelas mãos enormes. Ele começou a me arrastar para mais perto de uma das árvores que servia de pilar para aprisionar o homem machucado e quase sem esperanças de sair vivo dali.

— O que vai fazer? — Antoni conseguiu pronunciar aquelas palavras com tanta dificuldade que parecia serem suas últimas.

Ouvimos um ruído de passos sobre os galhos e folhas secas no chão. O grandão se transformou em uma estátua, mexendo um pouco a cabeça para que seus olhos alcançassem a mulher que já estava em posição de alerta. Eles ficaram inertes e aguardaram mais algum sinal de companhia. Nenhum ruído se seguiu, então, ouvi a voz da criatura de cabelo roxo.

— Erny, acabe logo com isso — ela disse ao grandão.

A mulher estava claramente tensa após o barulho. Eu não sabia o que aconteceria após ouvir a frase “acabe logo com isso”, mas a possibilidade de que fosse o que parecia ser me fez congelar.

Ela jogou a adaga para Erny e percebi que seria o meu fim. Olhei para o coitado, que agora parecia desacordado, e não contive as lágrimas. Seu estado era desesperador, eu nem sabia se ainda estava vivo e a sensação de que não estivesse me deixou completamente arrasada. Foi a sensação mais estranha que já tive, como se a minha morte não tivesse nenhuma importância naquele momento. Vendo minha situação, a mulher não se conteve.

— É a segunda vez que a vejo, mas ainda não consegui descobrir qual é a sua. Disseram que você cheira humanidade, mas com certeza não é humana. — Ela me olhou de cima a baixo, avaliando-me. — Você se preocupa com ele, chora por ele, mas não sabe quem ele é de verdade. Ele não está morto, nada do que fizemos o mataria. Se eu fosse você, não me importaria tanto, não parece que ele tem o mesmo afeto por você. Acabei de ameaçar a sua vida, ainda assim, ele não se demoveu. Sejam quais forem as informações que ele tem, são mais importantes do que você. Não se apegue tão fácil, garota — disse a mulher.

— Esperem — Antoni falava com muita dificuldade. — Como você bem sabe, eu fui o último a estar com a pessoa que vocês infiltraram no Ministério, e ela possuía algumas informações que talvez não tenha tido tempo de passar a vocês.

Respirei muito mais aliviada, ele realmente não estava morto. E nada do que aquela maluca acabou de dizer me convenceu.

— Não sei como conseguiram me deixar tão fraco, mas devem saber que isso não vai durar para sempre.

— Acha mesmo que pode nos ameaçar?

Ela ria como se ele tivesse contado uma piada. Em seguida, fez um sinal com a mão para o outro, que ao invés de me acertar com a adaga, me deu um tapa com as costas da mão como se eu fosse uma mosca a ser espantada. Sua força era tanta que eu caí no chão e perdi a visão por alguns segundos, além de danificar todos os outros sentidos.

Tudo ficou cinza e os sons pareciam longe, em câmera lenta. Se fosse um soco e não um tapa, ele teria me matado.

Ouvi a voz dela como se estivesse a muitos metros de distância, ela fazia novas perguntas. Meus olhos estavam fechados e tudo parecia girar. A confusão de vozes e ruídos que se seguiu foi como um sonho, desses que a gente não consegue se lembrar de tudo quando acorda.

Uma sombra se aproximou de mim e se abaixou para me alcançar. Tentei gritar, mas estava tão aturdida que emitir qualquer som era uma tarefa impossível. Em seguida, ouvi um som gutural, como um rugido ou um rosnar. Apesar de estar com a audição comprometida por um zunido, foi possível reconhecer o som de um animal.

Com dificuldade, abri os olhos e tentei focalizar alguma imagem à minha frente. Eu estava caída de costas no chão e, mesmo com a visão turva, pude ver quando a mulher foi atingida por um golpe que fez suas mechas roxas cobrirem seu rosto, enquanto seu corpo era lançado a pelo menos três metros de distância, chocando-se com uma árvore. A força da pancada foi tanta que fez a árvore sacudir.

Voltei os olhos para o centro da clareira em tempo de ver um animal enorme segurando o grandalhão pelo pescoço e o levantando como se fosse um boneco. O destino do homem não foi diferente. Imaginei o que poderia ser mais forte do que ele a ponto de lançá-lo contra uma árvore com tanta violência.

Aos poucos, meus olhos começavam a focalizar o mundo novamente. Ah, Deus! Lembrei-me de quando a mulher disse qualquer coisa sobre criaturas perigosas na floresta, aquela com certeza era uma delas.

Ao perceber em que direção a besta seguia, apesar de muito zonza, consegui levantar me apoiando em um tronco caído no chão. Ele seguiu em direção ao prisioneiro e eu me preparei para o pior, tive vontade de fechar os olhos para não presenciar uma cena que, certamente, seria horrível. Finalmente minha visão estava mais firme e eu tirava forças para pensar em uma forma de nos livrar de tudo aquilo.

Nem bem me firmei sobre as pernas e um novo urro ecoou pela floresta. Desta vez, indicava ser um brado de dor. A postura arqueada da fera deu lugar a uma estrutura pavorosa e imponente. Não se tratava de um animal de contos de fadas, era uma espécie de lobo, enorme e ereto.

Uma palavra gritou dentro da minha cabeça: "Lobisomem". Se as criaturas místicas estavam pulando dos livros e cruzando o meu caminho, esse seria apenas mais um personagem. Seus pelos negros e brilhantes reluziam ao luar, o animal parecia ainda maior do que Erny. Este atacava o lobo covardemente pelas costas e, apesar de enorme e grotesco, o animal parecia sentir uma dor lancinante.

O lobo se sacudiu e alcançou seu agressor, que novamente foi lançado contra uma árvore, porém desta vez, a força potencializada pela dor fez com que o tronco se partisse com o impacto e o grandalhão perdesse completamente os sentidos.

A fera ainda sentia dor e se mostrava debilitada. Em meio a urros apavorantes, o animal tentava alcançar uma parte do seu corpo. Mesmo com patas enormes e braços compridos, ele não podia alcançar a adaga fincada em suas costas. Um estrondo se seguiu quando seus joelhos se chocaram contra o chão, claramente, não dando mais conta do próprio peso. Seu corpo parecia não apenas perder as forças, mas também a energia vital.

Tive um pouco de compaixão quando ele se curvou, demonstrando uma fraqueza incompreensiva para uma fera, ainda assim, não tive reação. Talvez fosse melhor assim, a fera sem forças e quase morrendo não me impediria de chegar mais perto e libertar meu amigo acorrentando. Andei em direção as árvores que serviam de base para prender as correntes, mas não sabia como conseguiria abrir as algemas que prendiam seus pulsos. Segui ao encontro dele, sem tirar os olhos do animal que ainda emitia ruídos estranhos de dor.

— Antoni, vou tirar você daqui — avisei, segurando seu rosto ensanguentado.

— Alany. Você precisa ajudá-lo. Tire a adaga — ele sussurrou, quase inaudível.

Sua voz estava tão fraca que temi por sua vida, aproveitei-me para fingir não ter entendido suas fracas palavras. Não chegaria mais perto daquele animal, muito menos o ajudaria. Ele podia se fortalecer novamente e nos atacar, eu não queria e não podia correr esse risco. Continuei buscando nas correntes um jeito de soltá-las.

— Precisa fazer isso — insistiu Antoni. — Ele não vai nos machucar.

Eu estava confusa e com muito medo. Tinha acabado de presenciar aquela coisa lutando com um homem imenso e o jogando longe, imagina o que ele faria comigo.

— Eu não quero chegar perto dele. Não posso fazer isso — respondi quase chorando e ele sorriu mostrando seus dentes cheios de sangue.

— Sei que ele parece assustador agora, mas não precisa ter medo. — Antoni fechou os olhos, ou melhor, fechou o olho direito, porque o esquerdo estava inchado e não abriria mesmo que ele quisesse. Soltou um gemido e continuou: — Morreremos os três se você não fizer. Essa adaga está com algum tipo de veneno, precisa ser retirada ou ele vai morrer, e, acredite... você não vai querer isso.

Fiquei parada olhando para a fera no chão e não consegui me convencer de que faria aquilo.

— Você confia em mim? — perguntou Antoni.

Desviei o olhar da fera para o meu amigo ferido. Ele não conseguia mais sustentar a cabeça. Não pude ver os seus olhos.

—Sim. Mas essa fera pode nos matar...

— Ele não vai. Na verdade, só ele será capaz de nos tirar daqui.

A fera estava deitada, quase inconsciente, mas ainda estava viva, eu podia ver os movimentos de sua respiração. Cheguei perto o suficiente e me abaixei ao seu lado, estiquei o braço e alcancei a adaga.

Não acredito que estou fazendo isso! Pensei.

Fechei os olhos, respirei fundo e puxei com toda minha força. Caí sentada com a adaga nas mãos. Não sabia dizer se por desequilíbrio ou de susto, já que quando a adaga saiu, o animal emitiu um urro de dor que ecoou por toda floresta.

O som foi assustador, e ainda pior foi a imagem daquele ser restaurando suas forças. Ele demonstrava sinais rápidos de recuperação, foi como se lhe devolvesse a vida com apenas um sopro. Afastei-me um pouco ao vê-lo tentar se levantar. Apesar de ter salvado a sua vida, eu nunca poderia imaginar qual seria a reação de um animal como aquele.

Ele era impressionante, pelos negros por todo o corpo, olhos grandes, que mesmo nas condições atuais, pareciam duas lanternas brilhantes na escuridão da noite. Eu estava caída no chão bem à sua frente comtemplando sua recuperação instantânea e me encolhendo de medo. Aquele lobo gigante estendeu uma das patas até me alcançar, mas não para me atacar e sim para me ajudar a levantar. Resisti a ajuda e permaneci imóvel. Nada além de pavor passava pela minha cabeça.

Foi espantoso perceber a forma como o medo age em nosso corpo e mente: respiração acelerada, batimentos disparados, músculos enrijecidos e, em alguns casos, paralisia involuntária, mais conhecida como estado de choque. Era assim que eu estava, completamente em choque.

Percebendo isso, o licantropo se curvou e me encarou como se quisesse me dizer alguma coisa. Seu olhar alcançou alguma região do meu cérebro que me mostrava algo familiar. Por um instante, pensei que havíamos nos encontrado antes. Essa estranha familiaridade me fez sair do choque e aceitar sua ajuda para me levantar. Nossos olhares não se desviaram enquanto eu me levantava. Quanto mais perto, mais íntimo aquele olhar parecia. E então, tudo se aclarou quando voltei os olhos para Antoni que mesmo muito ferido, estava tentando se levantar.

Ele me confirmou, em apenas um gesto, a hipótese que estava dentro da minha cabeça, e que eu relutava aceitar ou sequer considerar. Perguntei-me por que ele não havia me dito claramente a verdade sobre a fera, seria tudo mais fácil. Talvez as pancadas que levou enquanto estava acorrentado tenham afetado seu raciocínio.

Olhei-o mais uma vez, o mais fundo que consegui. Eu precisava de uma ratificação, apesar da certeza que sentia, eu tinha que reunir o máximo de evidências para me convencer totalmente. Os olhos dele cintilavam de uma forma sobrenatural, mas eu pude vê-lo por trás daquele brilho. Ele estava nos protegendo o tempo todo. Só agora eu me dava conta de que ele realmente estava por perto, esperando o momento certo.

Nossos olhares estavam conectados, eu não conseguia desviar; não queria desviar. Senti pena quando percebi insegurança nos olhos dele, por mais impossível que fosse. Queria que soubesse que, apesar de espantada, eu estava muito feliz em vê-lo, então sorri. Fui tão precipitada e até maldosa, fiquei desapontada comigo mesma por quase ter deixado Santiago morrer com aquela adaga. Eu não sabia a razão dele ter fugido antes, ou por que havia me dito que era um natural e não um Lycan, mas nada disso importava agora.

Ouvi Antoni tossindo e cuspindo sangue quando olhei em sua direção. Quase tinha me esquecido dele. Corri em sua direção e comecei a forçar as correntes.

— Any, vocês precisam ir embora. Esse lugar não é seguro.

— Primeiro vamos tirar você daí — eu disse, sentindo-me culpada por esquecer que ele estava ali sofrendo.

— Não temos tempo para isso. — Não sabia como ele ainda conseguia falar. Com a cabeça jogada para o lado, ele tentava falar com muita dificuldade.

— Fica quieto e nem adianta ficar com essa cara. Não vou a lugar nenhum e deixá-lo preso aqui nesse estado, isso não vai acontecer. San vai conseguir libertar você.

— Não, Any. Por favor, escuta. Não acho que seja assim tão simples. Olhe bem para essas amarras. Não são o que parecem. Elas estão de alguma forma me sugando. Eu me sinto mais fraco a cada minuto, não vou me manter consciente por muito mais tempo. — Uma nova pontada de dor e um gemido o interromperam. Tirando forças não sei de onde, ele prosseguiu. — Já tentei puxar e até morder, mas a cada tentativa parecem me sugar mais, elas nunca me deixariam sair da fenda.

— Não! Isso não.

Observei as amarras, eu já tinha percebido que elas eram verdes, mas de longe pareciam cobertas por um tipo de musgo. Olhando bem de perto, deu para ver que eram uma extensão das árvores, como braços e não galhos. Verdes e flexíveis, torcidos como cordas entrelaçadas.

— Minha nossa, o que será isso? — Ajoelhei-me no chão, próxima a ele, recusando a ideia de deixá-lo.

— O que está fazendo? Presta atenção, você precisa sair daqui agora. Por favor. — A voz dele estava muito fraca, ainda assim, eu entendi a urgência de suas palavras.

No fundo, eu estava tão preocupada quanto ele, mas buscava alguma ideia do que fazer. Eu só queria que ele não se entregasse à... seja lá o que estava tirando suas forças.

Levantei e vi sua expressão de alívio, mas eu não tinha a intenção de ir embora. Segurei seu rosto e fiz com que me encarasse. Falei com a maior certeza que já tive na vida:

— Então, ajude-me a pensar em uma saída que não seja deixá-lo aqui, por que como eu já disse, isso não vai acontecer.

— O que você acha que estou fazendo desde que cheguei aqui? Não tem explicação para isso estar acontecendo, nesse lugar não devia existir magia, feitiços nem poder sobrenatural de qualquer natureza. Se for um feitiço forte o bastante para atravessar a barreira da fenda, então não conheço nada no mundo que possa quebrá-lo. Você não compreende esse lugar, precisa me deixar. — Antoni estava completamente sem forças, sua voz estava falhando.

Olhei para San, que aguardava minha definição sobre o que fazer. Tudo era muito estranho e confuso, mas eu não tinha tempo para decifrar enigmas, precisávamos tentar qualquer coisa.

— San, por favor, só você terá força suficiente para soltá-lo. Pode puxar essas amarras com a maior força que conseguir?

Ele se dirigiu até as amarras e puxou com muita, muita força. As correntes vivas não arrebentaram, já as árvores soltaram um grito ensurdecedor. Levei as mãos ao ouvido imediatamente, o grito era estridente e agonizante. As árvores, com certeza, sentiram dor quando suas correntes ou cordas foram puxadas.

Eu ainda estava com as mãos tapando os ouvidos quando olhei para Antoni. Ele estava tremendo, o som era alto demais e sem poder se proteger, estava totalmente vulnerável. Não tive certeza se já estava assim antes do grito das árvores, mas vi sangue saindo por um dos ouvidos dele. San estava caído em posição fetal. Com os braços sobre os ouvidos, ele se contorcia em tormento.

Lembrei que sua audição era muito mais sensível do que a minha e o som devia estar acabando com ele. Finalmente, depois de longos quinze segundos, conseguimos nos recuperar. O momento de alívio foi muito curto, em seguida ouvimos um novo som de agonia e dor. Desta vez, saiu de Antoni, que estava sendo esticado. As árvores estavam recolhendo as correntes, provavelmente em represália ao puxão na tentativa de soltá-lo.

— Ai meu Deus, o que eu fiz? — Entrei em pânico.

Corri para perto dele, sem saber o que fazer. Ele gritava de dor, elas o matariam se continuassem. Eu só podia estar maluca, mas parei na frente de uma delas e falei o que me veio à cabeça.

— Por favor, não façam isso. Desculpem-me, não queríamos lhes causar dor. Ele não teve culpa.

Estiquei meu braço para encostar a mão em seu tronco e, no mesmo instante, ouvi um grito pedindo para que eu não fizesse aquilo. Não tive tempo de atender ao pedido de Antoni, eu precisava tentar salvá-lo.

Senti o calor do tronco antes mesmo de encostar nele. Quando minha mão o tocou, as correntes cederam e senti uma onda de energia invadir meu corpo como se eu estivesse segurando fios desencapados. Tentei puxar a mão, mas ela estava presa, grudada à árvore.

Meu corpo começou a tremer, não consegui conter as lágrimas quando senti toda aquela energia pesada e sombria. A energia da natureza me restabelecia porque significava vida, essa era a minha habilidade, uma conexão com a vida. Mas aquela floresta não me trouxe sensação nenhuma quando entrei, porque ela tinha uma conexão com o outro lado, ela carregava a energia da morte.

Minha mão se soltou como mágica e eu simplesmente apaguei.

Acordei com um solavanco. Estava sendo içada, como um bichinho de pelúcia em uma máquina de *shopping*. San, ainda em sua forma de lobo, estava me pegando no colo. Ele me observava com um olhar confuso, o que não era para menos. O coitado se viu sozinho com dois desacordados para salvar e sem muito tempo para pensar no que fazer.

— Eu estou bem, obrigada.

Sentia-me bem de verdade, em um minuto já estava de pé. Antoni era a prioridade naquele momento. Por falar nele, o homem foi ao chão assim que seu corpo se viu livre e sem a ajuda do que antes o mantinha suspenso. Totalmente sem forças para se levantar, ele recebeu ajuda da fera que o colocou em seus ombros largos e peludos como uma criança sendo levada para cama por seu pai. A cena era quase fraternal, não fosse o fato de estar vendo um enorme lobo carregando um homem nas costas, homem este, que proporcionalmente parecia mesmo uma criança.

Extasiada, pensava sobre a loucura de ver aquele animal e saber que, na verdade, era o meu San. Eu não podia me dar ao luxo de parar para absorver tudo aquilo, apenas o seguia exausta. San estava caminhando em direção as árvores. A floresta ficava mais densa a cada passo, as árvores ficavam mais próximas e a vegetação mais fechada, impedindo que se visse qualquer coisa além da próxima árvore à frente. Até o céu se escondia sob tantos galhos e copas inalcançáveis.

Em determinado ponto, não dava mais para seguir adiante. San parou, apenas para indicar com a cabeça que eu deveria segui-lo. Mas para onde? Eu não conseguia entender, não via nada, nenhuma passagem.

Naquele ponto havia uma barreira completamente fechada por folhagens, impossível de passar. Vi quando San esticou um braço e afastou os galhos, como se fossem samambaias penduradas em uma parede. Ele se afastou, ainda segurando aqueles galhos, e apontou na direção do espaço que abriu. Entendi o recado, ele queria que eu passasse por entre as folhas na direção do vão entre sua mão e os galhos, mesmo insegura dei um passo à frente e senti que o ar que circulava naquele pequeno espaço, era diferente do ar da floresta. Bastou mais um passo para entender que estávamos no limite, uma espécie de passagem secreta entre a floresta e as ruas da fenda. Eu me vi novamente parada no meio de uma rua mal iluminada e fria. Em segundos, estávamos os três de volta à paisagem urbana.

Permaneci inerte por um instante, pensando no quanto fui injusta ao julgar San um covarde. Ainda não havia entendido tudo o que aconteceu, mas com certeza ele não era o que eu tinha imaginado. Jamais sairíamos a salvo daquele sufoco sem a sua ajuda.

Capítulo 19

Seguimos pela rua escura num silêncio constrangedor. Eu queria falar com San, mas sabia que ele não teria como responder. Também não era nada comum ver Antoni quieto, ele sempre tinha algo a dizer, mesmo que fosse desagradável ou inconveniente. Aquele silêncio estava me matando, mas graças a ele percebi quando San parou. Tinha deixado de ouvir seus passos subitamente, isso porque eu estava de cabeça baixa, apenas seguindo por inércia, tomada por milhares de pensamentos.

Se eu fosse um cachorro, minhas orelhas levantariam em sinal de alerta, aquela parada não parecia ser coisa boa. Vi quando San moveu a cabeça e olhou para o lado esquerdo, esperando que alguém ou alguma coisa surgisse. Eu não via nada, a rua estava completamente deserta como todas as outras.

San colocou Antoni no chão, e arqueando o corpo para trás, soltou um urro alto e forte o suficiente para fazer meus ouvidos doerem. Não sei o que estava vindo, mas com certeza depois desse urro fugiria correndo, assim eu esperava.

O nariz do lobo se movia freneticamente, deduzi que estava farejando alguma coisa e, pelo rosnado que se seguiu, acredito que tenha sentido cheiro de problemas. Com apenas um passo para trás ele nos cobriu, abrindo os braços, mostrando que nos protegeria de qualquer coisa que aparecesse. Tentei confiar nisso e não sentir medo, mas era muito difícil, o medo não é um sentimento facilmente controlável.

Não vi o que estava oculto nas sombras, mas depois de alguns minutos esperando, concluímos que seja lá o que aquilo fosse, entendeu o quão perigoso seria enfrentar um Lycan.

Santiago virava a cabeça de um lado para o outro, até que finalmente, depois de uma baforada, ele mudou sua expressão corporal e alterou a posição de defesa para uma postura mais aliviada. Em dois segundos, Antoni estava em seu ombro novamente e voltamos a trilhar a caminho da saída daquela maldita fenda.

Caminhamos por mais alguns minutos atentos a tudo. Logo comecei a reconhecer o lugar. Graças a Deus já estávamos próximos de voltar ao mundo normal.

Por mais que o mundo, que acabava de se abrir para mim, fosse maluco e cheio de surpresas, eu estava ansiosa por voltar a ele e sentir as energias de novo.

Das outras vezes em que passei pela fenda sentia algo incomum quando entrava e saía do perímetro. Dessa vez, ao finalmente cruzar esse limite, percebi o que era aquela sensação; eu me senti invadida pela vida quando deixava a fenda. Aquele lugar não era apenas neutro, ele estava literalmente morto.

A sensação foi muito triste, mas também maravilhosa. Sentir, ao mesmo tempo a beleza da vida e o vazio da morte, podia ser perturbador. A reflexão era inevitável. Fazia-nos agradecer pelo simples fato de estar vivo.

San parou e acomodou Antoni no meio fio, em seguida se afastou. Quase correndo, seguiu em direção a um galpão que estava fechado, o que não o impediu de entrar. Não devia haver porta capaz de segurar um lobo com quase dois metros de altura e uma força descomunal.

— Para onde ele vai? — perguntei a mim mesma.

Fiquei preocupada. Pensei que ele fosse embora sem que eu pudesse dizer que estava tudo bem, dizer que eu me esforçaria para entender essa loucura toda e que nada disso havia diminuído o que eu já sentia por ele. Fiquei ali, esperando que voltasse, se é que voltaria. Sentei-me ao lado de Antoni.

— E agora, o que vamos fazer? — Estava pensando alto e me assustei quando tive uma resposta.

— Vamos esperar... Ai! Merda! Acho que estou com uma costela quebrada. — Antoni estava acordando e tentava se colocar sentado.

—Oi! Que bom que está acordado, mas não se esforce tanto, eu ajudo a se levantar. — Antes que eu fizesse algo, ele conseguiu se sentar ao se apoiar sobre os braços. — Como sairemos daqui sem o San? Ele acabou de ir embora e nós estamos aqui sem carro, você nem consegue andar e estamos a apenas uns três metros da saída da fenda. Não acho que estejamos seguros, mas eu posso tentar ligar... — Percebi que minha bolsa devia ter caído na clareira. — Que ótimo! Estou sem celular e perdi minha bolsa.

Antoni me olhou, franzindo os olhos.

— Você é uma pessoa de pouca fé. Não percebeu mesmo o que acabou de acontecer, não é? Acha que ele foi embora? — perguntou Antoni, sem olhar para mim. Ele fitava o chão e fazia caretas de dor enquanto falava.

— E o que temos que fazer, ficar sentados aqui e esperar? — perguntei.

— Exatamente — disse ele. — Preciso de uma mãozinha aqui.

Antoni estava desconfortável naquela posição, mas não acho que naquele momento haveria alguma posição que lhe deixasse sem dor.

— Essas malditas árvores quase acabaram comigo — dizia ele enquanto tentava mudar de posição.

— Consegue levantar? — perguntei descrente. Porque era isso que ele tentava fazer e, obviamente, não estava conseguindo.

Antes de ouvir a resposta, ouvi o ronco do motor de um carro e logo avistei o veículo preto e barulhento vindo da fenda em nossa direção. Ele se aproximou bem rápido e logo reconheci o carro de gangster. Imaginei que isso aconteceria, mas fiquei surpresa mesmo assim, San estava ao volante; o meu San e não um lobo peludo e enorme. Ele não disse nada, apenas me olhou de forma estranha, com uma expressão indecifrável.

Antoni ainda tentava se levantar, ao mesmo tempo ouvíamos muitos gemidos de dor, o que me fez voltar a atenção para ele e ajudá-lo. Com muito esforço e alguns palavrões, ele conseguiu entrar no carro e se sentar no banco de trás.

Segui para o banco do passageiro ao lado do San. Respirei fundo, criei coragem e voltei os olhos para ele, deparando-me com algo inusitado. Entendi na hora por que ele não havia descido para me ajudar a colocar Antoni no carro. Santiago estava completamente nu. Ah, meu Deus! Que vergonha!

Desviei os olhos na mesma hora, ainda assim senti minhas bochechas queimarem.

— San, você está... — Dei uma olhada rápida nele. — Ai meu Deus, desculpe! — Fiquei tão envergonhada que parecia ser eu quem estava nua.

— Você não precisa se desculpar, Any. Eu é que tenho que pedir desculpas. Espero que entenda que eu não estava preparado. Sinto muito por isso e por todo o resto que aconteceu hoje. — Ele não parecia estar com vergonha. Quando colocou a mão no meu ombro me fazendo prender a respiração, tive que olhar em sua direção. — Jamais a deixaria sozinha se não fosse por uma boa razão. Dentro da fenda não é possível fazer a transformação, por isso tive que sair antes que me vissem com você. Sinto muito que tenha passado por tudo isso.

Ele baixou a cabeça, demonstrando que realmente se sentia mal com tudo que aconteceu. Eu estava tão errada sobre ele. Mantendo meus olhos fixos nos de San, ou pelo menos, fixos em qualquer área do seu pescoço para cima, eu tentei tranquilizá-lo.

— Obrigada por nos salvar! Nada disso foi sua culpa então, você também não precisa se desculpar.

— Eu não queria que descobrisse desse jeito. Na verdade, eu não sei como ou quando contaria. Talvez quando estivéssemos mais próximos, ou eu esperaria uma oportunidade que, com certeza, nunca chegaria — argumentou ele, passando a mão pelo cabelo. — Mesmo agora que você já sabe, ainda é difícil falar sobre isso.

Fiquei olhando para ele por um tempo enquanto dirigia, pensando em como fui injusta.

— Está tudo bem, San. Só vamos sair daqui, por favor.

Quando o carro começou a se movimentar, senti um alívio enorme e, sem querer, baixei os olhos. Em tempo, parei em seu peitoral. Não era mais o corpo de um animal gigantesco, porém, ele tinha um peitoral incrivelmente musculoso, era bem difícil não olhar. Eu precisei me concentrar para pensar em algo que desviasse minha atenção.

— Você me disse que era natural. O que isso quer dizer? Eu não podia imaginar que você... — não sabia como concluir aquela frase então, simplesmente deixei no ar.

— E sou mesmo. Pelo menos é assim que chamamos quando um celsu não tem descendência direta ou foi transformado. — Percebendo pontos de interrogação em minha expressão, ele continuou: — Descendência direta acontece quando você é filho de celsu, e transformado você já deve imaginar o que é. Já um natural não tem muita explicação. Para o meu caso, existe uma lenda onde o oitavo filho, após o nascimento de sete filhas, se transforma no que você viu. A primeira transformação acontece na primeira sexta-feira de lua cheia após completar treze anos. Chamamos de natural porque temos algumas habilidades extras que fazem parte da nossa vida naturalmente, não é como uma conexão. Eu tenho superaudição, o faro de um cão e uma força acima da média, mesmo sem estar transformado, até na fenda eles permanecem — explicou sem rodeios. Enquanto falava, ele me olhava de rabo de olho. — Por isso, os seres não se atrevem a enfrentar um natural quando estão lá dentro.

Suas palavras carregavam certa tristeza e eu não soube o que dizer, mesmo sentindo que deveria. O que falar quando alguém conta que é um lobisomem? Normalmente, eu daria risada, mas depois de estar cara a cara com a criatura nada mais era surreal ou impossível.

Ficamos em silêncio por um tempo. Ele parecia me deixar pensar e absorver o que acabara de ouvir, ou talvez estivesse precisando de um tempo ainda mais do que eu.

Após alguns minutos não pude evitar, olhei em sua direção. Eu não queria encarar, estava mais era fugindo dos seus olhos. O problema era dar de cara com aquele peitoral, aqueles braços fortes... Que droga! Eu não devia ter me entregado à curiosidade.

Sabe quando você está de dieta e resiste aos doces a todo custo, mas ao se deparar com um bolo de chocolate maravilhoso não consegue desviar o olhar, e não existe paz dentro de você até que prove só um pedacinho?

Era assim que eu estava me sentido, queria olhar só mais um pouquinho, esqueci tudo que tinha acabado de ouvir.

Uau! Que corpo era aquele? Do tipo impossível de olhar uma vez só. Respirei fundo e me acomodei no banco, melhorando um pouco meu campo de visão. Eu não era forte o suficiente para resistir. Olhei para o braço forte com músculos definidos segurando o volante, então segui para o ombro e pescoço, um frio subiu pela minha espinha. Senti um pouco de vergonha ao perceber as reações estranhas que brotavam em meu corpo: quentura no rosto, mãos suadas e respiração ofegante.

Não sabia se ele podia notar essas reações, eu tentava disfarçar coçando a cabeça, mexendo no cabelo muito mais do que o necessário, ou simplesmente aproveitando os momentos em que ele estava prestando atenção na estrada. Não consegui fazer uma avaliação completa do peitoral, já que o ângulo não era muito favorável, mas o que consegui admirar já valeu a pena. Realmente, ele não devia estar percebendo minha admiração, porque estava muito quieto e com a expressão sisuda, fria.

Precisei mudar o foco da minha atenção antes que fosse tarde demais. Em alguns minutos eu estaria literalmente babando e nada do que eu dissesse em minha defesa seria suficiente.

Olhei para o banco de trás, Antoni estava muito quieto. Senti-me bem mais tranquila quando o vi dormindo, ele precisava mesmo descansar um pouco.

— San! Para onde estamos indo? Depois de tudo o que aconteceu nem sei o que pensar.

— Estou levando você para casa. Não é uma boa ideia irmos ao Café. Se estão procurando por Antoni, lá não é seguro por enquanto.

— Você sabe quem eram aquelas pessoas? — perguntei.

— São conhecidos como insurgentes, eles não aceitam a ideia do anonimato muito bem. Querem a convivência entre todos os seres, mesmo que de forma nada tranquila. São rebeldes que afrontam o Ministério sempre que podem. Sabemos que existem, mas é como se estivessem sempre nas sombras, escondidos e temerosos. Bom, não é para menos; sempre que um membro deste grupo é descoberto, coincidentemente ele sofre um acidente, ou se mete em alguma confusão que o leva à fenda. A causa deles é verdadeira, mas nem sempre utilizam métodos pacíficos.

— Uau! Esse Ministério é tão implacável assim? Isso me parece abuso de poder — comentei.

— Regras humanas não se aplicam a esse mundo. Eles são sim, implacáveis, e não existe democracia nem clemência. Fazem o que for preciso para manter a ordem e o poder.

— E se eles vierem atrás de mim? Esses dois já devem estar se recuperando agora e me viram com Antoni, eles podem me procurar.

— Fica tranquila. Eles jamais viriam atrás de qualquer um de nós aqui fora. Eu queria que Antoni não estivesse apagado, preciso fazer algumas perguntas. Nunca soube de nenhuma ação de insurgentes contra um celsu, não diretamente como fizeram hoje. Não foi nada aleatório, eles queriam informações sobre o Ministério. — Percebendo meu olhar curioso, ele continuou. — Alguém está por trás disso, não vejo razão para buscarem informações confidenciais do Ministério.

— Como você sabe tanto sobre eles e o Ministério? — perguntei curiosa, ainda que com medo da resposta.

San me olhou fixamente e quando pensei que responderia, ele piscou e sorriu. Claro que eu não entendi nada, mas adorei o sorriso, pena que o gesto me lembrou que um homem completamente nu estava piscando para mim.

— Você precisa de roupas, não dá para conversarmos desse jeito.

— Eu não estava preparado para uma transformação. Desculpe!

— Você não podia ficar de bermuda ou com uma roupa branca, como acontece nos filmes?

San estreitou os olhos, estranhando minha pergunta.

— Não faz muito sentido, já que a massa corporal aumenta pelo menos quatro vezes o tamanho original. Não existe uma roupa com tanta elasticidade. Não se preocupe, vou parar no caminho para me vestir. A menos que você prefira assim. — Ele riu ao me ver revirar os olhos.

O clima de desconforto havia sumido completamente. Passamos na frente de um prédio no bairro mais caro da cidade, com certeza, os apartamentos daquele edifício tinham vista para o Central Park, era luxuoso e imponente. San parou o carro um pouco atrás do *hall* de entrada e me pediu para buscar umas roupas, já que seria muito complicado para ele explicar por que estava nu por aí caso a polícia o parasse, também seria muito estranho entrar daquele jeito no prédio.

— Você mora aqui? — perguntei, meio deslumbrada.

Meu rosto deve ter passado exatamente a minha indignação. Aquele lugar era superchique, nunca imaginaria que ali morava um lobisomem cantor de bares noturnos. Não tinha nada a ver com ele.

— Sei que você esperava uma casinha no meio da floresta, mas sim, é aqui que eu moro — respondeu ele com simplicidade.

— E como espera que eu entre aí? Olha para mim, estou completamente estragada e esse lugar é muito chique. Acho que nem vão me deixar passar da porta — respondi.

— Claro que vão. Primeiro porque eu vou lhe dar a senha para abrir as portas e depois, porque você continua linda mesmo não estando em seu melhor dia. Este prédio nem é tão chique assim. Quando entrar, não se sinta deslocada. Se estiver segura ninguém perceberá que é a primeira vez que está aqui. Além disso, lembre-se que você ao menos está vestida — finalizou, apontando para si mesmo.

Aquele prédio já estava começando a fazer sentido, não dava para negar que San era elegante. Apesar de ser um enorme lobo, ele também era sensível. Não ouvi mais nada do que ele falou depois do "linda".

Depois de decorar as senhas, respirei fundo e segui em direção à entrada do edifício. O prédio todo era suntuoso, mas as portas eram "coisa de cinema". Chamá-las de luxuosas não era nenhum exagero; além de enormes, tinha moldura dourada. O chão era de mármore imperial marrom e havia colunas romanas espalhadas pelo *hall*, o que para falar a verdade, não combinava muito com a imagem moderna que a decoração tentava impor. Ainda assim, dava para ver que a decoração apenas escondia a idade do lugar: a construção sólida com paredes e colunas largas, a escadaria imponente no centro do *hall* de entrada dando acesso ao andar superior e os elevadores modernos, mostravam que várias adaptações foram necessárias para transformar um prédio antigo em um enorme arranha-céu luxuoso e moderno.

Caminhei em direção ao elevador que ficava à direita das portas por onde eu havia entrado. Era noite, mas não muito tarde. Algumas pessoas circulavam pelo saguão, saindo ou chegando, além das que estavam sentadas no confortável sofá de couro marrom à esquerda, logo à frente de um balcão enorme, iluminado por um tipo de led interno. Atrás do balcão, alguns funcionários trabalhavam freneticamente.

No mesmo ambiente do sofá, havia algumas poltronas de couro marrom e um piano marfim brilhante, disposto abaixo de um lustre com três camadas de cristais escandalosamente brilhantes. As lâmpadas estavam acesas, mas tenho certeza que mesmo se estivessem apagadas ele ainda estaria brilhando, como se tivesse luz própria.

Percebi alguns olhares desconfiados, mas ninguém me abordou. O elevador não era menos deslumbrante, com piso de mármore e paredes espelhadas. Fiquei um pouco perdida, aquele elevador não era como os outros em que já estive. No canto inferior à direita não havia nada no lugar do habitual painel com botões. Fiquei olhando para a tela por um segundo, pensando o que eu deveria fazer "porque San não me alertou sobre isso?". Eu tinha uma senha para colocar ali, mas onde? O painel estava apagado e não tinha nenhum botão.

Toquei em superfície preta e uma tela se acendeu. Um marcador apareceu e eu inseri a primeira senha, que foi logo reconhecida, fazendo com que a porta do elevador se fechasse. Sem qualquer orientação sobre qual andar eu iria, ele subiu. Em menos de um minuto parou e as portas se abriram em um andar com apenas dois apartamentos, um em cada extremidade.

Tive receio de estar no andar errado, mas só tinha um jeito de descobrir. Segui pelo corredor que se acendeu quando comecei a andar. Segundo San, eu deveria ir até a porta com o número 133 e digitar a segunda senha no painel da fechadura. No final do corredor encontrei uma porta grande e estranha toda em madeira escura. Não possuía numeração nem fechadura. Como eu encontraria um apartamento se ele não tinha identificação? Acho que ele se esqueceu disso também.

Voltei no sentido inverso até a porta na outra extremidade do corredor. Ao passar em frente ao elevador, olhei por outra perspectiva, e ali estavam dois números: 133 e 132, cada um sobre uma seta que indicava a direção de ambos.

Ótimo! Eu estava na porta certa, pensei.

Voltei para a porta, imaginando onde seria o tal visor no qual eu deveria colocar a senha, já que não vi nada além de uma porta enorme de madeira sem nenhum lugar para uma chave ou um cartão. Parei em frente a ela novamente e fiquei observando, sem encontrar nada que parecesse com uma fechadura.

— Não acredito que ele se esqueceu disso também — falei e ouvi a minha própria voz ecoando no corredor.

Recostei na parede, decepcionada e irritada. Daquele ângulo, olhei a dobradiça da porta e percebi pequenos números cravados. Só então me lembrei de ter ouvido algo sobre as portas abrirem exatamente onde deveriam abrir. Santiago falou isso durante a explicação sobre as senhas e onde estariam suas roupas dentro da casa. Talvez essa última parte tenha me distraído. Mas que hora para ele fazer enigmas, bastava dizer que a porta abre pelas dobradiças. Pensando bem, todas elas abrem assim, não?

Cheguei bem perto da dobradiça e, surpreendentemente, as duas chapas laterais eram isoladas, não estavam ligadas às peças menores que acomodavam o pino que segura uma dobradiça comum. Rodei as peças pequenas até que formassem o número que estava guardado na minha cabeça, essa era a segunda senha. Ouvi um estalo suave e a porta se abriu. Ela me deu acesso a um pequeno *hall* com um espelho e um vaso grande. À minha frente havia outra porta, desta vez de vidro, que me permitia ver parcialmente o lado de dentro do apartamento, mas o vidro era fosco e só permitia enxergar sombras através dele.

"Meu Deus, por que alguém tem tantas portas?"

San me deu detalhes sobre aquilo, era a mais importante porque permitia a entrada ao seu refúgio, portanto, para ela a senha era mais difícil, além de não permitir erros. Errar significaria ficar presa naquele *hall*, com ar apenas para alguns minutos. Considerar essa possibilidade me fazia perder o ar antes mesmo de começar a digitar a senha.

Talvez eu sofresse, em algum grau, de claustrofobia.

Claro que combinamos um plano B, caso eu fizesse besteira e digitasse errado. Meus passos estavam sendo cronometrados. Eu devia ligar para San assim que entrasse em seu apartamento, em exatos três minutos, caso contrário ele viria, mesmo sem roupas, para me resgatar. Mas a sensação de ficar presa e sem ar era apavorante com ou sem plano B.

Respirei fundo. Quando estiquei a mão para digitar a terceira senha, hesitei. Confiar apenas na memória não era muito confortável em uma situação como esta. Quando estava com as mãos próximas ao painel na minha frente, pronta para começar a digitar, percebi que estava com as mãos trêmulas.

Pensei em qual era a melhor maneira de atravessar um lugar estreito e alto, onde você precisa de concentração e equilíbrio. Não sei por que pensei nesse lance de altura, não tinha nada a ver com o que eu estava fazendo, mas sabia que o melhor nesses casos era seguir em frente, sem parar para pensar ou olhar para baixo, apenas andar o mais rápido que puder. Então, respirei fundo e limpei a mente. Lembrei-me da senha e digitei a primeira combinação que me veio à cabeça sem questionar a lembrança, por que eu sei que isso não teria fim, se eu começasse a duvidar de algum número não teria mais certeza de nenhum.

Assim que digitei o último número, a porta atrás de mim se fechou e veio a falta de ar. Não sei dizer se o ar se tornou rarefeito de repente ou se era apenas o meu psicológico afetado. Senti meu coração batendo na garganta até que a porta de vidro à minha frente se abriu, como a de um *shopping* quando a gente chega perto. Uma enorme sala foi revelada e ela era totalmente diferente do que eu esperava. Parecia um cenário de um filme medieval com alguns toques de modernidade.

As paredes eram rústicas com detalhes em pedras salientes e entalhes de figuras estranhas. A única que não seguia esse padrão era a parede onde havia uma grande lareira revestida por pedras mais escuras, que seguiam por toda sua extensão até o teto; lembrava muito a parede de um castelo, desses que vemos em filmes medievais.

O chão era uma espécie de cimento queimado, nada bonito. Havia uma janela enorme que pegava praticamente a parede inteira do lado esquerdo do apartamento, um tapete que imitava pele de algum animal morto — pelo menos era o que eu esperava — estava estendido no chão ao lado de uma poltrona velha de tecido aveludado de frente para essa janela.

No centro da sala havia uma mesa de bilhar que parecia ter sido fabricada no século passado e acima dela pendia um enorme lustre que, na verdade, nada mais era do que um castiçal gigante com velas de vários tamanhos.

A cozinha era estilo americano e tinha um toque moderno nos eletrodomésticos de inox, mas os armários também pareciam muito antigos apesar de bonitos; eram de madeira maciça e com certeza foi talhado à mão. Ao lado da mesa de bilhar havia um espaço em um patamar mais baixo do que o resto do ambiente, nele um sofá de couro marrom estava posicionado à frente de mais uma peça moderna, uma televisão de mais ou menos sessenta polegadas, presa na parede rústica.

Achei tudo tão antigo e tão bonito. Não dava para dizer que não era uma decoração com personalidade. Apesar de não combinar em nada com o prédio moderno, o apartamento combinava com San. Ao pensar nisso, imaginei quantos anos ele deveria ter. Será que os Lycans eram imortais e ele era muito velho, tipo uns cento e cinquenta anos? Neste momento me lembrei de que devia ligar para ele e já estava atrasada. Caramba!

— Oi! Está tudo bem, já entrei.

— Ok, não demore, por favor.

Busquei no móvel embaixo da televisão, onde ele me disse que estaria uma mochila preta com algumas roupas. Será que ele a deixava sempre pronta para o caso de uma transformação inesperada?

Embora estivesse curiosa para ver o resto da casa, sabia que precisava ir embora logo. Que tragédia seria se a polícia abordasse o carro! O que pensariam? Um homem nu dirigindo e outro, machucado e quase inconsciente no banco de trás, não seria algo muito fácil de explicar.

Capítulo 20

Quando as portas do elevador se abriram no térreo, hesitei ao ver dois homens aguardando minha saída para que pudessem entrar. A situação era perfeitamente normal, não fosse pelo fato de um deles ser o governador Martin Lems. Ele conversava descontraído com um homem bem vestido e com largo sorriso.

Fingi naturalidade quando passei por eles, uma parte do meu cotovelo tocou no braço do homem sorridente e a energia dele explodiu à minha frente, como uma imagem projetada. A região da minha pele que encostou nele formigou e senti uma vertigem. Eu não podia desmaiar, não agora. Ainda bem que a porta se fechou atrás de mim antes que um deles percebesse meu mal-estar. Se aquele homem tocasse em mim mais uma vez, não sei o que aconteceria. A sensação foi muito ruim, ele tinha algo de muito sinistro, parecido com a bruxa de olhos vermelhos. Meu corpo se arrepiou só em lembrar.

Respirei fundo e tentei seguir segura, mais ou menos como a gente faz quando está bêbado, mas quer parecer que não está.

Andando devagar, fui me restabelecendo. Quando cheguei do lado de fora do prédio, encostei-me na parede e deixei o ar puro entrar. Não importava mais se alguém me visse apoiada para conseguir ficar em pé.

Já no carro, entreguei a mochila e San me fez fechar os olhos enquanto se vestia. Como se eu já não tivesse visto o suficiente.

— Ok! Já pode olhar. Eu não esperava que me visse sem roupas tão rápido — ele disse, animado.

Adorei a ideia de voltar a olhá-lo naturalmente sem sujeição, não que estivesse ruim antes, apenas constrangedor.

— San, você acha que o Antoni vai ficar bem? — perguntei olhando para o meu amigo ainda desacordado no banco de trás. Até que ele parecia melhor, era fácil pensar que estava apenas dormindo, ainda assim, sentia um aperto quando olhava para o seu rosto quase desfigurado.

— Imagino que tenha muitas perguntas, mas precisamos sair daqui rápido. Eu preciso levá-la para casa antes de qualquer coisa. Mas sim, ele vai ficar bem. Só preciso deixá-lo em algum lugar onde possa se recuperar — respondeu, saindo com o carro.

— Como você nos encontrou? Aquela floresta parecia camuflada, de um jeito impossível de ser encontrada. Tipo, sinistramente escondida.

— Quando ouvi o guardião chegando, precisei sair rápido para que ele não me visse. Eu seria mais útil se estivesse na forma de lobo, porque tudo se potencializa: os sentidos e principalmente a força. Quando voltei, rastreei você pelo cheiro e depois pelo som, mas logo tudo sumiu. Por sorte você me ouviu e estava com o amuleto que lhe dei. Ele e eu estamos conectados, e agora... Eu e você também, pelo menos, enquanto você estiver com ele — disse, com receio.

Ele devia ter me dito aquilo quando me deu o amuleto. De qualquer forma, fiquei aliviada por me lembrar de pegá-lo antes de sair.

— Que irônico! O lobo mal salvando a garotinha. — O som da voz fraca de Antoni me fez olhar para o banco traseiro.

— Você está bem? — Abri um sorriso de alívio ao ouvir a voz dele.

Um sorriso torto foi tudo que obtive como resposta. Nada de sarcasmo nem piadas infames, eu diria que "bem" não era exatamente a palavra certa para ele no momento.

— Para onde estamos indo? — Antoni perguntou com a voz quase inaudível.

— Vou levar Any até a casa dela e depois o levarei a algum lugar seguro. Você precisa se recuperar e acho que vai precisar de alguns dias para isso — respondeu Santiago.

— Você não é tão inteligente quanto é forte, não é lycan? Any não pode ficar na casa dela sozinha — a voz dele estava muito fraca, o som do motor quase a encobria totalmente.

— Por que não? Eles nem sabem quem ela é, sendo assim, não sabem onde mora. Por que seria perigoso? — perguntou San, observando o moribundo pelo retrovisor.

Antoni tentou rir, mas só conseguiu tossir como se estivesse engasgado.

— Você conhece os insurgentes melhor do que eu, se ouviu o que aquela mulher disse, sabe que eles não estão sozinhos nessa emboscada. Pense um pouco! — repreendeu Antoni.

— Preciso ir para casa, pelo menos para trocar de roupa e acalmar minha avó. Não posso simplesmente não voltar. Mas também não posso colocar minha avó em perigo, se forem atrás de mim... — nervosa, não consegui concluir a frase.

— Eles não fariam nada com você enquanto estivermos por perto. Acredite, os insurgentes não são tão corajosos. Vou levá-la para sua casa e ficaremos do lado de fora. Vamos encontrar uma solução, mas não fique preocupada, não estão atrás de você. Não sabem nem o seu nome — disse San.

Ele parou o carro em frente a casa e eu desci. Antes de abrir a porta, minha avó apareceu e me olhou dos pés à cabeça. Eu estava um trapo, minha roupa estava toda suja e a calça rasgada. Meu cabelo então, sem comentários. Eleonor era uma pessoa muita tranquila, mas nem de longe era burra. Era só olhar na minha cara para saber que me meti em alguma confusão.

— Por que ele não entra com você? — perguntou, com olhar sério.

— Quem? — Fiz cara de quem não sabia de nada ou não estava entendendo sua pergunta.

— É perigoso ficar parado na rua a essa hora e vejo que tem mais alguém além do Santiago. Eles podem entrar e esperar aqui dentro. Eu prefiro assim. Pode ir até lá chamá-los? — disse ela, com um olhar frio que era totalmente novo para mim.

— Vó, o nosso amigo se meteu em uma briga e está precisando se recuperar. San está cuidando dele, por isso não quiseram entrar. Então, acho melhor deixá-los. Eles já vão embora — expliquei, entrando em casa para tentar despistá-la.

— Eu faço questão — frisou. — E se o garoto está machucado eu posso ajudar. Se preferir, eu mesma vou até lá.

Era só o que faltava, minha avó querendo ajudar Antoni. O que eu podia fazer além de buscá-los? Eu sabia que ela não se contentaria com nenhuma outra desculpa.

Atravessei a rua novamente e Santiago me olhou com curiosidade.

— Minha avó quer que vocês entrem. Ela insistiu e eu não tive escolha.

— Mas o Antoni apagou de novo. Vou ter que levá-lo no ombro, isso vai ser meio estranho, não? — respondeu ele.

— Eu já avisei que o nosso amigo se meteu em confusão e você o está ajudando. Conheço o olhar da minha avó quando não vai desistir de alguma coisa, e acredite, se eu não entrar com vocês, ela mesma virá aqui.

— Sim, eu conhecia o gênio de minha vovó quando não se dava por satisfeita, mas hoje, tinha algo a mais no olhar dela.

San precisou carregar o moribundo até a minha sala e colocá-lo no sofá. Antoni estava apagado, antes ele gemia a cada dez segundos e agora parecia inconsciente, de novo. Quando entramos, minha avó estava na cozinha passando um café, percebi pelo cheiro, mas logo veio cumprimentar os seus convidados.

— Você deve ser o Santiago. Muito prazer! Seja bem-vindo a nossa casa — disse Eleonor, apertando a mão do San.

— Obrigado! E desculpe o mau jeito. Queria muito conhecer a senhora em uma ocasião mais agradável.

Minha avó sorriu e voltou os olhos para o homem desmaiado em seu sofá. O olhar dela ficou perdido por alguns segundos, ela parecia conhecer aquele rosto, porém, ao mesmo tempo, não demonstrou nenhum sinal de surpresa, raiva, condolência ou qualquer outro sentimento. O que era bastante incomum em se tratando da minha avó.

Nunca tinha visto aquele olhar antes, ela era sempre tão disposta a ajudar qualquer um que estivesse precisando que não a reconheci naquele momento. Por fim, sem dizer nada, ela se virou e voltou para a cozinha.

Cheguei mais perto de Antoni e sentei ao seu lado no sofá. Fiquei observando o seu rosto machucado e pensando que ele realmente poderia não estar ali, poderia não ter voltado com a gente. Uma lágrima escorreu pelo meu rosto.

San estava com uma expressão indecifrável e olhar fixo na parede à sua frente. Precisei estalar os dedos para trazê-lo de volta ao planeta Terra.

— Por que ele não acorda?

— Desculpe! Eu acho que ele está muito machucado internamente. Seu corpo está lutando para se recuperar. Na verdade, parece que a mente está lutando para restaurar o corpo.

— Como assim? – perguntei estranho aquele comentário.

Antes que San pudesse me responder minha avó adentrou a sala com uma xícara na mão.

— Vamos ajudar esse pobre rapaz. Por favor, façam-no beber isso, ele vai se sentir melhor. — Ela esticou o braço e entregou a xícara ao Santiago.

— Enquanto você o ajuda a beber o chá, vou subir e tomar um banho rápido. Volto em um minuto — eu disse.

— Espera! Eu vou ter que dar isso para ele? Mas... Eu não...

Já estava subindo a escada e resolvi não dar atenção às interjeições de San. Afinal, ajudar alguém a tomar um chá não era grande coisa, ele precisava superar o quer que tenha acontecido entre eles.

Não cronometrei o tempo, mas foi com certeza o banho mais rápido da história. Coloquei a primeira roupa que vi na minha frente. Macacão *jeans*, uma regata branca e tênis. Quando ia saindo do quarto, vi o meu reflexo no espelho e lembrei que San estava lá embaixo. Relutei por um minuto, mas eu realmente não queria que ele me visse daquele jeito, tão desarrumada e sem graça. Eu nem sabia o que ele tinha visto em mim, mas também não precisava esculachar.

Abri o guarda-roupa mais uma vez e peguei um vestido que eu adorava; ele era estampado com alguns motivos florais vermelhos. Joguei uma jaqueta *jeans* por cima e ficou bem melhor do que antes, continuava uma pessoa desinteressante, mas pelo menos estava mais arrumadinha. Chegando aos últimos degraus, percebi que Antoni ainda estava apagado e não havia ninguém com ele na sala.

— San? — chamei.

— Aqui na cozinha, minha querida — respondeu Eleonor.

Minha avó estava com ele na cozinha, provavelmente estavam tomando café. Dei uma olhada em Antoni e segui para lá. San estava sentado no banco alto diante do pequeno balcão, e minha avó em pé no lado oposto. Sentei no outro banco ao lado dele. Vovó colocou sua xícara na pia e seguiu em direção à sala.

— Fiquem à vontade. Eu vou ficar na sala e esperar até que ele acorde. Se precisarem de alguma coisa é só me chamar.

Ficamos sozinhos na cozinha e foi impossível evitar aquele silêncio chato. Eu precisava dizer alguma coisa.

— San, quer conhecer uns dos meus lugares favoritos no mundo? — perguntei, animada.

Estiquei o meu braço até alcançar sua mão e o puxei em direção ao quintal.

— Aqui estamos. Este é o lugar onde eu recarrego minhas energias e me sinto mais viva.

Abri os braços e respirei fundo, estava mesmo precisando sentir o cheiro das minhas flores. Sentei-me no banco de madeira branco que ficava no meio do jardim. Ele estava rodeado por flores e plantas que cultivo desde que me entendo por gente. Fiz sinal para que ele se sentasse ao meu lado.

— Nunca vi um jardim tão lindo! — disse educadamente.

San era quente e não apenas no sentido *sexy* da palavra, mesmo sentado a uns vinte centímetros de distância eu podia sentir o calor do seu corpo. O clima estava tenso entre a gente, obviamente, precisávamos conversar sobre o que havia acontecido, só não sabíamos por onde começar.

— San, temos muita coisa para falar, eu só não sei como ou por onde começar. Eu entendo que os insurgentes e a recuperação do Antoni sejam a prioridade agora, mas estou um pouco confusa sobre tudo o que aconteceu hoje.

— Essa é de fato a nossa prioridade Any, porque você pode estar em perigo. Então, precisamos entender o que realmente aconteceu. Infelizmente, precisamos do Antoni recuperado para nos ajudar, além disso, é importante que eu entenda algumas coisas para tentar encaixar as peças. — Santiago falava sem me encarar, mas antes de concluir ele me olhou hesitante. — Bem, isso se você quiser a minha ajuda.

— Claro que eu quero. Preciso muito de sua ajuda.

— E eu quero muito ajudar. Para começar, eu não sei muito bem qual é a sua relação com Antoni. — San arfou e continuou — Sei que escondi informações importantes a meu respeito e não espero que me perdoe por isso. É que nunca é fácil encontrar uma forma de dizer para as pessoas que, às vezes, eu me transformo em um enorme lobo. Esse não é o tipo de informação que a gente gosta de dar no primeiro encontro. Nem no segundo ou terceiro — disse ele, ajeitando os cabelos.

Fiquei sem fala. Apenas soltei um sorriso sem humor. Na verdade, acho que fiquei um pouco decepcionada ao ouvi-lo dizer sobre o que era prioridade, eu esperava outra resposta. Mesmo assim, fiz questão de esclarecer esse ponto que ele chamou de "relação com Antoni".

— Antoni e eu somos amigos, mas não o conheço muito bem. Ele apareceu na minha vida quase ao mesmo tempo que você. Não sei nada sobre ele, mas ele parece saber tudo sobre a minha vida. Basicamente, está me contando coisas sobre os celsus e todo esse mundo oculto. No início, eu o achei bem estranho. Então ele começou a dizer coisas malucas, mas depois me provou que não estava mentindo. Aos poucos fui confiando nele. No fundo, tudo que ele me disse fez mais sentido do que tudo que eu conhecia até então. Entende? Ele é esquisito e tal, mas eu confio nele.

— Você sabe por que ele apareceu na sua vida justamente agora? — perguntou San.

— Na verdade, não.

— Bom, acho que logo vamos descobrir — disse ele.

— O que mais você sabe sobre esses caras, os insurgentes? — perguntei.

— Os insurgentes não costumam ser agressivos com os celsus. Achei muito estranho eles armarem aquela emboscada para obterem informações sobre o Ministério. — San estava concentrado e pensativo. Pôs na boca o cordão que estava pendurado em seu pescoço e, por um instante, seu olhar ficou perdido. — A não ser que o Antoni realmente faça parte do Conselho. Só um membro do Conselho ou do Clã dos Legados pode ter informações realmente confidenciais.

— Eu já ouvi falar desse Conselho antes, mas nunca ouvi nada sobre esse clã.

— É uma divisão secreta do Ministério. Não sei bem o que eles fazem, mas dizem que são os responsáveis por todo o trabalho sujo dos altivos. Uma espécie de superguerreiros. Existem várias teorias, alguns dizem que eles não existem, que não passam de um mito, mas vai saber. Eu mesmo nunca conheci um membro desse clã — disse San, ainda pensativo. — Ainda não consigo entender por que eles queriam o Antoni. Preciso que me conte como você o conheceu, já que ele não é o tipo que faz amigos.

Senti-me acuada e não gostei da sensação.

— Eu podia fazer a mesma pergunta. Percebi a tensão quando se encontraram lá no Café. O que houve entre vocês?

— Eu o conheço há muito tempo. Ele é um cara polêmico, até mesmo para o mundo oculto. É o membro mais indisciplinado do Ministério, não tem amigos e ninguém confia nele. Há alguns anos, entregou minha origem a um certo celsu, que tentou me matar ao saber disso, e quase conseguiu. Não tem como olhar para ele e não lembrar, minha vida mudou muito depois disso. Precisei me esconder por muito tempo e abandonei todos que eu conhecia, tive que recomeçar. Antoni é um cara muito egoísta e cruel, isso para ser bem gentil com ele. — San se levantou e colocou as mãos atrás da cabeça. Olhando para a lua, ele continuou: — Então, um dia eu conheço uma garota linda, por quem me interesso de verdade. Depois eu descubro que ela tem uma proximidade estranha com esse mesmo idiota que acabei de descrever. Difícil não se decepcionar.

— Eu não sabia desse passado. Aliás, eu não sei nada sobre ele, mal o conheço. Desde o começo percebi o seu jeito estranho, sarcástico e controlador. No início tive medo, ele é meio sinistro. Você pode não acreditar, mas vi alguma coisa boa nele. Não o vejo mais assim, como um cara mau.

San chegou mais perto de mim e segurou minha mão sorrindo, como se estivesse admirando minha inocência.

— Ele sempre foi sombrio e manipulador, provavelmente a fez acreditar que ele era o mocinho. Eu só o ajudei hoje porque fiquei preocupado com você. Se ele realmente quer te proteger de alguma coisa, então isso me interessa. Quando sua amiga tentou me afastar de você, pensei que isso era mesmo o certo a fazer. Relacionamentos entre celsus e humanos nunca terminam muito bem. Daí você reapareceu do nada com Antoni. Isso foi muito estranho, e também muito bom.

— Eu não sou tão ingênua como você imagina, também não contei algumas coisas a meu respeito. Eu não podia contar e nem sei se posso agora. Também sou celsu. — Nossa! Como foi estranho dizer essa frase.

— Isso eu já sabia — respondeu ele sorrindo.

— Mas você acabou de dizer que se afastou por eu ser humana.

— Descobri no dia em que a vi entrando no submundo. Nenhum humano entra lá, e se entrar, jamais vai conseguir sair.

— Tinha me esquecido disso. Aquele dia foi traumático. Quase não saí de lá mesmo sendo celsu. Encontramos uma bruxa maluca que alegou sentir cheiro de humanidade em mim, foi muito estranho e apavorante. Antoni me salvou.

— Era o mínimo, depois de tê-la levado àquele lugar — comentou irritado.

— Ok! Chega de sermão, ele nem está aqui para se defender. Além disso, ele se arrependeu de ter me levado, até reconheceu a besteira que fez. Mas quer saber? Foi depois disso que eu consegui absorver tudo que estava se abrindo para mim, não é fácil acreditar na existência de celsus, lycans, vampiros etc.

— Então você viveu até agora como humana, sem saber de nada sobre o mundo oculto? — Depois de um aceno meu com a cabeça, ele concluiu: — Eu imagino como foi descobrir sobre o mundo oculto. Já passei por isso. É uma loucura.

— Passei a vida toda achando que não havia lugar para mim no mundo, eu sempre me senti ela metade, diferente de todo mundo. De repente, um cara estranho, vestido de preto e com olhar sombrio, aparece e começa a revelar coisas sobre o mundo e sobre minha verdadeira origem. Ele mostra que eu tenho habilidades e conexões incríveis. Então, eu começo a perceber que o mundo cheio de sombras que eu sempre vi, finalmente faz sentido. Acredite ou não, Antoni não é tão ruim quanto faz questão de demonstrar. Não sei o que ele fez no passado, e pelo que ouvi, não foi nada bom, mas posso garantir que não é mais esse degenerado.

Ouvimos vozes vindas de dentro da casa e corremos para sala. Minha avó estava parada na frente do homem que aos poucos despertava. Antoni abriu os olhos e se assustou quando percebeu onde estava.

— Por que eu estou aqui? — perguntou ele.

— Antoni, você está melhor? Nós o trouxemos para minha casa, para descansar um pouco. Você apagou no carro — respondi.

— Antoni, claro! Como eu podia me esquecer do seu nome? — disse Eleonor de uma maneira tranquila, mas percebi que isso o atormentou.

— Olá, Eleonor. Como vai? — respondeu o enfermo.

— Eu vou bem. Já você nem tanto, rapaz.

— O quê? Agora eu juro que vou enlouquecer se alguém não me explicar o que está acontecendo aqui — falei alto o suficiente para que vissem que eu estava nervosa, e não era pouco.

Como assim Antoni e minha avó se conheciam? O que mais escondiam de mim? Senti o ar se movimentando mais forte e mais rápido à minha volta, as coisas começaram a voar e balançar. Eu não conseguia me controlar, muito menos entender como eu estava fazendo aquilo, era totalmente involuntário.

Eles ficaram espantados, mas continuaram calados olhando os objetos que insistiam em não permanecer em seus lugares. O vento ficava mais forte e a sensação era boa, eu estava gostando de fazer aquilo, mesmo sem querer. Alguns objetos já estavam rodopiando sobre as nossas cabeças.

Vi minha avó se espantar e olhar com cautela para mim, depois para os quadros balançando na parede e as cortinas que se movimentavam como fantasmas.

— O que está acontecendo? — San era o único realmente surpreso.

— Querida, fique calma. Vou contar o que precisa saber. — Eleonor chegou mais perto e segurou minha mão. Uma corrente de paz me atingiu e o vento parou, fazendo os objetos, que rodopiavam no ar, caírem no chão com a força da gravidade.

— Any, você estava fazendo isso? — San continuava incrédulo.

— Sim. Ela estava fazendo isso. Alany, tenha cuidado! Você ainda não consegue se controlar. — Antoni não tinha força suficiente para se levantar, mas já podia falar.

Não sei por que suas palavras me irritaram, e, por um momento, eu não tive mais pena dele. Será que nunca passou por sua cabeça me contar sobre conhecer a minha avó?

— Esse rapaz já esteve em sua casa, há muitos anos. — Minha avó apontava para Antoni, enquanto contava de onde o conhecia. — Eu o conheci quando visitei você e seus pais e ele apareceu. Lembro-me que sua mãe não ficou muito feliz com a visita inesperada. Acho que ela não queria que ninguém o visse. Na época, pensei que era por sua aparência, meio estranha. — Eleonor sorriu sem humor. — Sua mãe dizia que ele era um amigo. Você era muito pequena, por isso, não se lembra. O seu pai também o conhecia e parecia gostar dele, ele não se importou com a visita.

Olhei para San, que estava franzindo a testa.

— Depois desse dia, ele apareceu algumas vezes, brincava com você e conversava com sua mãe no jardim. O curioso é que ele está exatamente com a mesma cara de quinze anos atrás, mas quem pode julgar, não é? — concluiu Eleonor.

— Vovó, isso não pode estar acontecendo. — Com as mãos sobre as têmporas, eu comecei a tirar conclusões. — Então é por isso que ele saiu correndo daqui mais cedo, não queria que a senhora o visse. E a senhora, o que mais sabe sobre tudo isso? Pelo visto, não se impressionou com nada do que viu aqui hoje.

Vovó se sentou na poltrona, ao lado do sofá onde ele estava deitado, respirou fundo antes de começar a me contar coisas sobre os meus pais. Não devia ser fácil para ela ter aquelas lembranças.

— Meu amor, eu observo as coisas, sempre soube que você era diferente, igual a sua mãe. Seu pai e ela se afastaram das pessoas, se afastaram do mundo, para viver um amor quase impossível e também para preservar alguma coisa que, com certeza, era tão importante quanto misterioso.

Meu corpo se chocou com o sofá, acho que fiquei sem forças. Não aguentava mais me esforçar para entender tudo que estava acontecendo.

— Por que a senhora nunca me contou nada? Todos esses anos eu fiquei me sentindo incompleta. Às vezes, até sem vontade de viver — minha voz saiu exausta.

— Querida, antes do acidente com o seu pai, ele me fez prometer que jamais lhe diria nada a respeito de qualquer coisa que eu tenha achado estranha ou diferente envolvendo você ou a sua mãe. Caso contrário, sua vida estaria em perigo. Quando sua mãe se foi, vocês mudaram de cidade e eu fui morar com você e seu pai. Acompanhei seu crescimento e todo esforço que ele fez para que não despertasse o que estava adormecido dentro de você. Ele sempre me disse que era especial e que isso, não necessariamente, seria bom para você. Para a sua segurança ninguém devia saber ou perceber, e isso incluía você mesma. Uma criança, e depois uma adolescente, diferente das outras, levantaria suspeita e colocaria sua vida em perigo.

— Eu não entendo...

— Antoni, estava nos aguardando na nova casa quando nos mudamos. Depois desse dia eu nunca mais o vi, até hoje — disse ela, por fim.

O silêncio invadiu a sala com mais força do que o vento que há pouco fez voarem papéis, objetos e segredos. Ninguém sabia o que dizer. Eu ainda tinha muitas lacunas, mas estava sem forças para continuar com aquela inquisição.

Levantei e segui em direção à escada. Enquanto subia os degraus, todos me olhavam preocupados, mas ninguém tinha coragem de dizer alguma coisa. Eles apenas paralisaram e acompanharam minha subida com os olhos.

Entrei no meu quarto e me joguei sobre a cama. Senti lágrimas escorrerem e não pude contê-las. Entreguei-me ao sentimento que era de pura frustração e tristeza. Pensei em meu pai e nas coisas que ele me dizia. Coisas como "você é especial e um dia entenderá isso" ou "tenha paciência, a vida pode ser chata às vezes, mas você encontrará seu caminho".

Quantas vezes ele me disse que sentir a natureza, como se ela vivesse dentro de mim, era normal e quase todo mundo sentia a mesma coisa? Por ser tão comum, comentar sobre isso com alguém me faria parecer uma boba.

Ouvi uma batida na porta e, em seguida, uma voz me chamando.

— Any? — era a voz de San.

Talvez tivessem tirado no palitinho para ver quem se arriscava a vir falar comigo. Mas isso não importava, porque essa era a única voz que eu queria ouvir. Antes que eu pudesse responder, ele abriu devagar a porta e me fitou com o olhar de um cachorro abandonado.

— Posso entrar? — Apenas consenti com um movimento de cabeça.

Ele entrou e sentou-se no chão ao lado da minha cama. Passou a mão em meu cabelo e me deu um beijo no topo da cabeça. Depois continuou acariciando meu cabelo. Levantei a cabeça e olhei para ele, esperando que dissesse alguma coisa, mas San continuou em silêncio, apenas me observando com um olhar compreensivo.

Algumas lágrimas escorreram pelo meu rosto e ele as enxugou cuidadosamente. Perdemo-nos um tempo naquele olhar, mas logo ele se levantou e se sentou na cama colocando minha cabeça em seu colo. Ainda calado, continuou afagando meu cabelo.

Agradeci em silêncio por aquele carinho, ele realmente queria estar ali comigo para me fazer companhia e não para me encher de perguntas. Sem pressão ou conversa desnecessária. Apesar de um lobo enorme e medonho, Santiago era um homem sensível.

Capítulo 21

Despertei de um sono profundo, porém, nada agradável. Meu pescoço doía como se eu estivesse dormindo sobre um travesseiro feito com troncos de árvores. Tentei levantar a cabeça, que também doía um pouco.

Com os olhos mais acostumados à claridade que invadia o quarto, consegui ver o motivo da dor no pescoço; um lindo par de pernas que me acomodava como travesseiro. Afinal, não era exclusividade dos homens arrumar um torcicolo por conta de um bom par de pernas.

San ainda dormia. Ao me levantar, a cama fez um barulho de porta velha e para piorar, pisei em um estojo de lata que estava no chão, o que me fez pular de susto e esbarrar na cadeira que caiu sem dar tempo para que eu a segurasse. Qualquer um acordaria com tantos barulhos, mas não o San. Ele sequer se mexeu. O único movimento era do seu peito subindo e descendo. Ao menos estava vivo. Desmaiado talvez, mas vivo.

— San? Acorda! Já é dia, duas e quinze da tarde para ser mais precisa. Nossa! Nunca dormi até esse horário.

Nada aconteceu. Há três semanas eu acharia isso superestranho, mas não hoje. Definitivamente, San não era normal, por que seu sono deveria ser?

Desci para ver como estavam as coisas lá embaixo. Será que Antoni ainda estava apagado? Senti cheiro de café, o que indicava que a vovó já estava de pé.

Só quando alcancei o último degrau da escada percebi que o sofá estava vazio. Segui para a cozinha esperando ver os dois tricotando sobre o passado, mas não havia nada além do aroma de café fresco no recinto. Corri para o quintal, lá era o último lugar possível para encontrá-los, e adivinha? Também não havia ninguém.

— Que droga! E essa agora? — Com as mãos na cabeça, pensei um momento. Sem chegar a nenhuma conclusão e já entrando em pânico, ouvi a porta da sala se abrindo e segui em direção a ela.

— Graças a Deus a senhora está bem! O Antoni está com a senhora?

— Calma, querida. Ele estava bem aqui quando saí. — Eleonor passou por mim e se dirigiu ao sofá, que antes servia de cama para Antoni. — Eu o deixei dormindo e fui ao mercado. Como pode ter saído? A porta estava trancada.

— Acho que isso não é problema para ele. Será que estava em condições de ir embora sozinho? Bem, estamos falando de um homem, não de uma criança, ele deve saber o que está fazendo.

— Ah, isso com certeza! Ele já é bem grandinho. E Santiago, como está?

— Dormindo como uma pedra. Vou subir e tentar, mais uma vez, acordá-lo.

Depois de chacoalhar, bater e gritar, fui obrigada a recorrer à água. Diziam que sempre funcionava. Comecei com pequenos respingos utilizando os dedos, mas como não foi suficiente, virei o copo sobre seu rosto. Já vi fazerem isso nos filmes e as pessoas sempre acordam muito assustadas, por isso, afastei-me um pouco. Apesar de ter funcionado, não foi como eu esperava. Parecia que eu tinha apenas assoprado seu nariz, ele abriu os olhos devagar e sorriu, sem susto, sem afobação, apenas sorriu.

— Bom dia. Nossa! Desculpe. Eu não achei que pegaria no sono tão fácil — disse tranquilamente.

— Relaxa. Eu também apaguei no seu colo, só acordei agora de manhã. Eu tentei acordá-lo antes, mas você estava desmaiado, fiquei até preocupada.

San parecia envergonhado com a situação, com o olhar de alguém que acabou de fazer algo de errado, depois colocou as mãos atrás da cabeça se espreguiçando.

— Isso sempre acontece depois de uma transformação. Já dormi por dois dias seguidos uma vez — completou ainda encabulado.

— Sério? Que loucura. Pelo menos deve ser um sono revigorante.

— É sim. Esse tipo de coisa exige muito do corpo, não é uma coisa mágica, fácil de fazer. É bem doloroso e nada bonito de se ver.

— Eu sei como essas habilidades, mudanças ou conexões podem afetar a gente. No seu caso é físico e no meu é mental.

— Ainda não sei o que você é. Sei que pode movimentar o ar à sua volta, mas isso não diz muita coisa. Não consegui associar a nada que eu já tenha visto.

Fiquei muda por alguns segundos. Passei tantos anos sendo condicionada a guardar tudo a sete chaves que era difícil pensar em contar a alguém, mesmo que esse alguém fosse o Santiago. Ele sentiu a minha dúvida e tratou de desfazer o nó que estava na minha garganta.

— Talvez não devêssemos falar sobre isso agora. Eu quero dizer outra coisa. — Havia um pequeno sorriso em seu rosto. — Você quer saber o que mais acontece depois de uma transformação?

San foi muito legal, mudando de assunto ao me ver hesitante. Ergui uma das sobrancelhas, esperando que continuasse.

— Fome. Muita fome — disse ele, aumentando o sorriso.

— Então vamos descer e tomar café, minha avó já preparou tudo.

— O Antoni já acordou? — ele perguntou.

— Então... eu meio que esqueci de falar sobre isso. Ele sumiu. Acho que fugiu quando minha avó saiu hoje cedo.

Assim como eu, ele não parecia surpreso.

— Então, é porque já está melhor. Vamos precisar falar com ele, e logo, mas creio que isso pode esperar um pouco. — Com uma piscada, ele se levantou.

O café estava posto e, naquela manhã, estava particularmente especial, com muito mais comida do que o de costume. San realmente comeu bastante, sua fome era equivalente à de três homens. Imaginei que isso também devia ser coisa de lobisomem. Eu já estava satisfeita, só continuava na mesa para fazer companhia a ele. Perguntava-me quando San estaria saciado.

Minha avó se juntou a nós e conversamos sobre coisas banais, como a qualidade do café, principalmente em com as frutas estavam doces naquela época do ano. Ela parecia gostar dele, mesmo tendo um contato superficial, em poucos minutos já estavam fazendo piadas e riam juntos como se já se conhecessem há muito mais tempo.

Queríamos sair e procurar o Antoni, mas não conseguimos chegar a um acordo por onde começar. Além disso, eu me sentia fraca, ainda não estava pronta para uma nova aventura. Convenci San a ficar comigo no jardim. Sentamos no banco, conversamos um pouco sobre várias coisas e fugimos de qualquer assunto que envolvesse nós dois, de uma maneira comprometedora.

Eu me sentia tranquila em casa, tanto que deixei cair qualquer barreira. Santiago tinha alguma coisa diferente. Demorei um pouco para identificar o que era, mas logo percebi que ele sentia um profundo arrependimento. Era algo bem forte. Não quis perguntar, porque eu não podia explicar como eu podia saber disso. A razão de tal sentimento me perturbou um pouco, eu não estava pronta para ouvi-lo dizer que estava arrependido de me conhecer e se envolver em toda essa confusão.

No fundo, eu também estava confusa e até indecisa sobre forçá-lo a fazer parte da confusão que a minha vida estava se tornando. Talvez não fosse certo o arrastar para isso. Porque, de alguma maneira, eu sabia que a confusão só iria aumentar.

Depois de um tempo pensando, olhando para o céu, senti-me tão leve que fechei os olhos. Talvez eu tenha dormido e sonhado, mas tive a impressão de ser abraçada pelo vento, ao mesmo tempo em que uma chuva fraca caía e escorria pela minha pele, me trazendo força a cada gota. Tive a sensação de receber ajuda do universo.

Não percebemos quanto tempo ficamos ali fora, mas com certeza foi muito.

— Acho melhor eu ir embora, ficamos tanto tempo aqui que já está escurecendo. Você vai ficar bem? — San me olhava com ternura, mas evitava me encarar.

— Vou sim. Qualquer problema eu ligo. — Eu queria que ele ficasse, mas não consegui dizer.

San se foi. Eu estava realmente muito bem. Subi para o meu quarto e fui tomar um banho. No chuveiro eu pensava em San e no quanto ele estava arrependido, isso me cortava o coração. Eu não estava arrependida de ter ficado com ele, ou de ter sentido o que eu ainda sentia, mesmo ele sendo esse misto de homem e criatura.

Joguei-me na cama e fiquei ali por um tempo, revivendo alguns tenebrosos momentos do dia anterior. Imaginei que Antoni apareceria a qualquer momento querendo me arrastar para algum lugar, então coloquei roupa para sair e não para dormir.

Eleonor me chamou e quando desci, percebi que ela só queria me testar. Disse que começaria um filme que queria muito assistir e me convidou para ficar ela. No fundo, esse convite tinha uma mensagem implícita. Ela queria saber se alguma coisa havia mudado entre nós duas, depois de tudo o que aconteceu.

Assistimos ao filme juntas, um daqueles que você não consegue desgrudar até que acabe, com certeza a Nara ia amar. Quando acabou, já era bem tarde. Eu me preparava para subir, esperar mais um pouco pelo Antoni ou até dormir esperando, se fosse o caso. O som da campainha me assustou, uma visita àquele horário não me parecia nada bom. Espiando pelo olho mágico, vi que era Santiago do outro lado da porta, com cara de assustado.

— O que houve? Você está bem? — perguntei e San sorriu, acalmando-me.

— Estou bem. Só tive um sonho ruim e precisei vir aqui — respondeu, parado à minha porta e me olhando com cara de bobo.

— Acho que precisa me explicar melhor por que veio aqui a essa hora — eu disse. — Entre e vamos conversar lá dentro.

— Boa noite, Eleonor! Desculpe-me por aparecer assim — ele falou com minha vó, antes de se voltar para mim novamente. — Any, eu tive um sonho onde um amigo apareceu e me pediu para vir ficar com você. Ele falou que você estava em perigo e que ninguém mais devia entrar até ele chegar. Você já deve saber de quem estou falando, não é?

— Pode ter sido apenas um sonho. — Eu estava achando estranho Antoni aparecer justamente nos sonhos do San, quem ele odiava tanto. Por que não vir aqui me avisar se algo estava errado?

Minha avó preparou um chá e estávamos na cozinha quando percebi que San inclinou de leve a cabeça para o lado, em seguida, disse:

— Acho que seu celular está tocando.

— Meu celular? Nossa! Eu nem sei onde ele está. Quer dizer, eu sei sim. Eu o perdi ontem, junto com minha bolsa.

— O som está meio abafado, mas vem lá de cima. Talvez esteja no seu quarto.

Corri escada acima imaginando que pudesse ser Antoni nos dando um sinal de vida. Mas era Nara me ligando no telefone de casa, que ainda estava com o volume muito baixo para que alguém pudesse ouvi-lo.

— Amiga, tentei ligar várias vezes, sabia? Fiquei preocupada. A Carol a procurou?

— Carol? Não. Eu não falei mais com ela. Aconteceu alguma coisa? — indaguei, confusa.

— Ela esteve aqui ontem à noite. Any, ela fez um monte de perguntas sobre você e me pediu para não contar nada. Carol estava muito esquisita. Quer dizer, na verdade, quem me pediu foi o Will. Você está em casa? — perguntou Nara. A coitada estava assustada.

— Nara, você está me ligando aqui em casa.

— Ah, é verdade! Aff... Bom, lembra-se daquele sonho sinistro que eu tive outro dia, com um cara de preto, cabelo espetado e bonitão?

— Claro.

— Então... Sonhei com ele de novo. E no sonho ele me disse para lhe contar tudo que Carol me perguntou. Eu tive que sair com a minha irmã, por isso não pude ir à sua casa, mas estou tentando ligar a horas. Eu não sei o que esses sonhos querem dizer, mas enfim, achei que devia ligar porque pode ser algum aviso. O fato é que no sonho, o carinha dessa vez me deu um abraço, e quando acordei, senti o cheiro dele em mim. Ai, meu Deus! Nem sei por que eu contei essa parte.

Sorri com as palavras desajeitadas dela, eu estava mesmo sentindo falta da normalidade da minha amiga, e olha que ela nem era tão normal assim.

— Carol começou perguntando se eu sabia onde você estava. Eu disse que provavelmente na sua casa e ela falou que já tinha procurado por você e não havia encontrado. Depois, perguntou se eu sabia que você estava saindo com o cantor e se me contou alguma coisa esquisita sobre ele, ou até sobre você. Imagina a minha *cara de caneca* enquanto ouvia isso? Foi bem estranho, mas ela continuou e perguntou se você tinha conhecido alguém diferente, além do Santiago.

Minha indignação era tanta que eu mal podia deixar Nara terminar de contar.

— Não entendo por que ela mesma não me procurou para fazer todas essas perguntas. O que aconteceu com a Carol? Acho que não é assim tão minha amiga como eu imaginava.

— Não foi só isso. Ela também disse que você estava correndo perigo. Foi meio que um momento de desabafo, ela não parecia estar falando comigo e sim com ela mesma quando disse: “Se ela se revelar, vai estar em grande perigo”. Depois disso, respirou fundo e me pediu desculpas. Então, Will que esteve quieto no canto o tempo todo, se aproximou e me olhou fixamente, dizendo que eu esqueceria o que tinha acabado de ouvir e até mesmo esqueceria que ela tinha estado lá em casa. Depois ele se virou e foi embora e a Carol foi atrás dele. Agora, se prepara porque o que eu vou contar vai deixa-la em choque: quando Carol foi para o carro do outro lado da rua, ela começou a atravessar e as portas se abriram sozinhas. Até pensei que podia ser uma tecnologia nova e tal, mas em seguida, o motor também ligou sozinho. Até eu sei que ainda não fizeram um carro assim. Nunca vi isso nem nos filmes.

San entrou na sala e me olhou com curiosidade.

— Como ela conseguiu não se deixar hipnotizar? — Infelizmente, ele falou alto demais.

— Que voz é essa? É o Santiago? Diz que você pretendia me contar que ele está aí — perguntou Nara, indignada.

— Claro. Mas não é nada do que você deve estar pensando — comentei, de forma natural. Só eu sabia o quanto estava sem graça com aquela situação. Nara era minha amiga e parecia que eu estava escondendo acontecimentos importantes dela, e realmente estava, mas o fato do San estar em casa àquela hora não queria dizer que estivesse dormindo comigo. Se acontecesse isso, certamente eu nunca esconderia dela.

— Ela disse que sonhou com esse cara estranho *de novo*? — ele perguntou. — Quando foi que sonhou a primeira vez?

— Sei lá. Acho que há umas três semanas — respondi.

— Posso? — San esticou a mão, demonstrando querer falar com Nara. Não entendi, mas passei o telefone. — Oi Nara, tudo bem? É o Santiago. Preciso perguntar uma coisa. Quando Will disse para não contar nada para Alany, ele estava olhando fixamente para você, tipo olho no olho, certo? — Ele aguardou a resposta e continuou: — E você não sentiu nada de diferente, não teve uma sensação estranha, como se estivesse se esquecendo de algumas partes do que aconteceu, até parecerem apenas alguns *flashes* desconexos de memória? Você se sentiu bem depois que eles saíram? Não ficou zonza ou desorientada?

Apesar de não saber a resposta de Nara, a pergunta me fez lembrar de quando ela saiu de dentro do bar. A lembrança do estado em que a Nara ficou depois da briga no bar era exatamente como San estava descrevendo agora.

— Eu me lembro de uma vez em que ela ficou assim como você está descrevendo; foi naquele dia no bar onde aconteceu uma briga horrível. Ela e Carol ficaram lá dentro, eu fui obrigada a esperar do lado de fora e quando elas saíram, a Nara estava meio desnorteada e não se lembrava de nada. — Alguns acontecimentos começavam a fazer sentido para mim. — O que isso quer dizer, San?

Ele se afastou do telefone e o colocou atrás das costas para abafar o som.

— O Will a fez esquecer o que aconteceu no dia da tal briga e tentou fazer o mesmo agora. Não sei por que, mas desta vez não funcionou. Desconfio que tenha alguma coisa a ver com Antoni.

San me devolveu o telefone e tentei consertar um pouco a situação.

— Nara, o San acha que esse seu sonho não é apenas um sonho comum, pode ser tipo um aviso. A Carol está cada dia mais estranha, mas eu vou falar com ela, fica tranquila. E obrigada por me ligar. Amanhã converso melhor com você. — Despedi-me e desliguei.

Não sabia o que dizer, não podia dizer a verdade, tampouco queria mentir para ela. A situação não era nada confortável.

— Como eu não tinha percebido isso antes? — San estava com as mãos sobre a cabeça e os olhos arregalados. — Se a Carol voltou, quer dizer que ela precisa chegar até você, o que só não aconteceu ainda porque estou aqui. Ela não tem certeza se contei o que ela fez ou o que ela é. Além disso... — ele fez uma pausa que me deixou de boca aberta, esperando o que vinha a seguir. — Eu ainda não sei por que, mas com certeza, ela precisa estar perto de você, controlando ou manipulando você, e comigo aqui ela não pode vir. — Ele parecia muito nervoso e apreensivo. — Talvez fosse melhor a gente sair daqui, para algum lugar onde ela não nos encontre, só por uns dias.

Eu estava pensativa, mas não paranoica e precisava de respostas.

— San, você não precisa ficar comigo, não precisa se preocupar tanto. Além do que, eu já decidi; vou falar com ela. Fomos amigas por anos, preciso entender o que está acontecendo. Se ela quer se aproximar, vou esperar até que apareça e dizer que já sei de tudo.

Aproveitando o meu momento de reflexão, Santiago veio ao meu encontro. Segurando o meu rosto e fixando o olhar em mim, ele me beijou na testa. Pude sentir a tensão e a insegurança naquele gesto. Ele era gentil e equilibrado, características improváveis para um lobisomem, porém, acentuadas nele. Mas alguma coisa o incomodava muito em tudo o que estava acontecendo.

— Você não entende o que está enfrentando, não é? Carol é uma celsu perigosa. Will tentou hipnotizar a sua amiga, e com certeza já fez isso antes, o que quer dizer que ele é um vampiro. Acredito que Antoni tenha criado alguma barreira quando entrou nos sonhos dela da primeira vez, não vejo outra explicação. E tem uma coisa que eu não te contei. — Ele fechou os olhos, e ficou assim por alguns segundos que mais me pareceram uma eternidade. Segurando a minha mão, continuou. — Eu sei que a sua amiga Carol também faz parte do Ministério, mas não como Antoni. Ela faz parte dos altivos, é uma espécie de Conselho formado por um selecionado grupo de imortais muito poderosos. Carol é da linhagem de Nanaime. Ela é sua única filha — disse ele, olhando-me com cara de quem acabou de contar a fórmula da Coca-Cola.

San estava escondendo coisas sobre Carol e isso me incomodou muito, porém, não mais do que essa história de Nanaime.

— Essa Nanaime é quem mesmo? — Claro que nunca tinha ouvido falar nela.

— Esqueço que você é nova no mundo oculto. Ela também é conhecida como a bruxa de Évora. Dizem que foi a primeira e mais poderosa feiticeira de todos os tempos.

Pelo que San me contou, ela morreu na cidade de Évora, por isso carrega esse nome. Ela também foi conhecida por usar elementos da natureza para realizar feitiços, de onde se acredita originar crenças que perpetuam em seguidores de seu legado. Sua magia é considerada das sombras, sem qualquer ética, escrúpulos e com fortes vínculos aos seres das trevas. Seu nome ao longo dos séculos tomou tantas formas e fonéticas diferentes que é possível identificar a influência dele sobre várias crenças, mitos e até rituais que conhecemos, ou pelo menos, já ouvimos falar. Em árabe, o nome Évora se transformou em Yeborath, que significa *cruzamento*. Por isso, ela também foi conhecida como a Bruxa da encruzilhada ou que faz trabalhos e rituais em encruzilhadas. Já a pronúncia desse nome, nos leva a outro vértice da magia negra, Iebora, que significa *agulha*, por isso ela também ficou conhecida como a bruxa das agulhas ou que trabalha com agulhas.

Senti um arrepio percorrer meu corpo e um calafrio que me fez tremer. A cada descoberta as coisas só pioravam. Carol, minha melhor amiga por anos, uma pessoa que me parecia bondosa e prestativa, na verdade era filha da maior bruxa má de todos os tempos.

Minha avó estava chegando à sala e me observou com olhos de águia, ela sabia que alguma coisa estava acontecendo.

— Any, está tudo bem? Parece um papel de tão branca.

Eu realmente não me sentia nada bem, mas precisei forçar uma expressão natural.

— Estou bem, só muito cansada e com sono.

— Então, vá se deitar. Vou arrumar o sofá para o San. — Ele a fitou envergonhado. Eleonor o cortou antes que falasse qualquer coisa. — Nem pense que vai embora a essa hora, está tarde e essa cidade está um perigo.

O clima já estava tenso o suficiente entre nós dois depois que eu descobri sua origem lobisomem. Desde a descoberta, evitávamos qualquer conversa que nos levasse a um contexto emocional. Eu sentia San muito envergonhado e, às vezes, arrependido, e isso estava me deixando com medo de descobrir o motivo de tanto remorso. Ele podia estar arrependido de ter ficado comigo e agora não sabia o que dizer ou fazer para terminar, seja lá o que havíamos começado.

Não me sentia nada feliz em ver o quão difícil estava sendo para ele ficar perto de mim. Em questão de dias, passei de uma garota comum, para um problema ambulante, mas não estava disposta a lidar com uma rejeição agora, por isso adiaria essa conversa o quanto fosse possível.

Enquanto minha avó subiu para buscar alguns lençóis e travesseiro, aproveitei para falar com ele a sós.

— San, me diz uma coisa. Como você sabe tanto a respeito de Carol, do Will e até sobre Antoni?

Ele não esperava por aquela pergunta. Percebi pelo tempo que demorou para responder.

— Digamos que estou neste mundo há tempo suficiente para conhecer pessoas e celsus de todos os tipos. As histórias estão por aí, você só precisa falar com as pessoas certas. Conheci alguém do Ministério uma vez. Ele me revelou alguns nomes. Além disso, quando descobri o que eu era, resolvi sair de casa. Isso foi em uma época em que a caça às bruxas era declarada, não se podia confiar em ninguém. Vaguei sozinho por um tempo, sentindo meus ossos quebrando a cada lua cheia e fugindo de qualquer relacionamento com as pessoas. Naquele tempo eu era igual a você, não sabia que existiam celsus, criaturas místicas nem esse lance de habilidades.

Fiquei pensando se para ele a descoberta foi tão assustadora quanto foi para mim. Avaliando o que ele era, talvez tenha sido ainda pior.

— A vida de um celsu não segue os padrões de uma vida humana, os anos não passam da mesma forma. Não envelhecemos ou ficamos doentes. — Esse era um ponto interessante, se ele estivesse olhando para mim, perceberia o meu interesse. — Não somos imortais, porém o nosso ciclo de vida é mais longo. Mas o que nos torna mais fortes, também nos lembra do quanto somos vulneráveis. O sofrimento de ver um ente querido envelhecer e morrer, sem que você possa fazer nada é a prova mais real da nossa impotência. No momento em que eu havia perdido tudo e todos, encontrei um novo amigo, ou melhor, ele me encontrou. Puxou as cortinas do mundo e me mostrou que a vida ainda tinha muito a oferecer. Ele nunca disse que eu deixaria de sofrer, mas me ensinou que havia beleza até mesmo na dor. Pela primeira vez não me senti sozinho. O mundo hostil e injusto se transformou no meu mundo. Continuou hostil e, às vezes, injusto, só que de repente eu passei a fazer parte dele e ele de mim. — San parou de falar. Virou a cabeça em minha direção e com um sorriso fraco, continuou: — Este amigo um dia fez parte do Ministério e conhece alguns dos segredos por trás dos pergaminhos dos Altivos. Ele me fez ter vontade de continuar e me ensinou a domar a fera que existe dentro de mim. Antes de conhecê-lo eu não podia evitar a transformação, muito menos usar a fera como defesa. Hoje eu estou no comando do meu corpo.

Eu senti tristeza em suas palavras, senti a dor da perda e percebi o quanto sofreu por ficar afastado do mundo. Fiquei triste por ele. Sua energia parecia densa, carregada de lembranças trágicas, deixei-me envolver pela intensidade dos sentimentos no ar e meu coração se apertou, até que senti lágrimas enchendo meus olhos. As lembranças o fizeram reviver todo o sofrimento e eu pude sentir junto com ele aquela dor.

Apenas o abracei o mais forte que pude e me concentrei em passar alguma energia mais tranquila e com um pouco de alegria para ele. Ninguém deveria passar por isso na vida. Se os seres fossem mais tolerantes, talvez ele não precisasse passar parte da vida se escondendo e enfrentado seus demônios sozinho.

Capítulo 22

Eleonor desceu os degraus devagar, acho que não queria atrapalhar, mas eu já sabia que ela estava descendo antes que pisasse no primeiro degrau. Nós nos separamos e San sorriu para mim, como agradecimento pelo abraço.

O som da campainha nunca foi tão assustador. Mais uma vez, pensei que era muito tarde para uma visita. Eleonor, que já estava no último degrau, dirigiu-se à porta e pelo olho mágico viu um homem com um distintivo na mão. Ao menos foi o que ela nos disse baixinho antes de abrir a porta.

— Boa noite, senhora! Sou o detetive Graysson da polícia de Nova York. Alany Green mora aqui?

— Sim, ela mora. O que o senhor deseja com minha neta?

— Preciso fazer algumas perguntas sobre um rapaz que foi visto com ela ontem à noite. Por acaso a senhora o viu por aqui? O nome dele é Antoni Savalas e ele é procurado pela polícia.

Procurado pela polícia? Isso era novidade para mim. Caminhei em direção à porta, mas San interveio e se colocou na minha frente.

— O que você vai fazer? – sussurrou ele, para o homem não escutar.

— Eu não tenho nada a esconder, por que não iria responder algumas perguntas? — eu disse, já me desvencilhando de San e chegando à porta. Então, dirigi-me ao policial. — Ele não está aqui. Você pode me dizer por que ele é procurado pela polícia? O que ele fez?

— Infelizmente, isso é extremamente confidencial. Você deve ser a senhorita Alany. — Ao me ver assentir, ele disse: — Precisamos conversar por um minuto.

Não tinha ido até a porta por nada, eu podia ver aquele homem como se eu tivesse um poder de raio-X. Além de ver que estava de calça *jeans*, sapatos sociais, blazer marrom e óculos escuros, o que era estranho, pois já era noite, pude ver muito mais. Deixei o bloqueio cair completamente, lembrei-me de como me senti quando deixei a conexão tomar conta de cada célula do meu corpo e me concentrei naquele sujeito.

Ele não apenas estava mentindo, como também estava tomado pelas piores intenções que alguém podia ter. E, com toda certeza, sua energia era negra e carregava uma marca que só agora me dava conta do que significava. Cada ser tem uma característica única em sua essência que transcende em sua energia vital. Isso os torna distinguíveis, mesmo no meio de uma multidão. Essa essência também pode ser classificada e dividida em dois tipos de seres: celsus e humanos. A visão estava tão evidente para mim naquela hora que comecei a rir sozinha. Como eu não vi isso antes?

As cores e as sombras brilhavam e se moviam em volta daquele sujeito mal-encarado. Havia uma densidade típica, era como se carregasse uma placa dizendo "eu sou celsu". Demorei muito para entender o que significavam as diferentes estruturas da energia de cada um, mas tudo estava na minha cara o tempo todo.

— Por que está rindo, senhorita? Por favor, você precisa nos acompanhar até a delegacia — disse o homem, incomodado.

— Eu não vou a lugar algum com você. Diga a quem o mandou aqui, que vai precisar mais do que isso para me tirar de casa. Antoni não está aqui e eu não sei para onde ele foi. Ele simplesmente sumiu. Diferente de você, eu estou dizendo a verdade.

O homem, visivelmente irritado, deu um passo à frente decidido a entrar, mas algo o deteve. Em reflexo, dei um passo para trás. Franzindo a testa e demonstrando claramente o seu espanto, ele tentou mais uma vez, e novamente falhou. Havia uma espécie de barreira invisível bloqueando sua entrada. Olhei para Santiago admirada, pude ver que ele estava tão curioso quanto eu.

— O que é isso? — O homem ainda tentava entrar, mas não conseguia passar da soleira da porta. — O que está acontecendo aqui?

— Acho melhor você ir embora — avisei, tentando parecer natural e por dentro do que estava acontecendo, mas eu não fazia ideia do que o impedia de entrar.

— Se eu não posso entrar, vou ficar aqui fora. Tenho muito tempo para esperar — disse o homem, sorrindo.

Ele tirou os óculos e me mostrou seus olhos negros como a noite, e não digo negros como os do San. O homem tinha duas bolas negras no lugar dos olhos. A escuridão que havia neles era assustadora, como um buraco negro, sem fim.

Fiquei em choque ao ver aqueles olhos e fechei a porta o mais rápido que pude. Ele se afastou da porta, atravessou a rua e parou perto do carro. San conseguiu ouvir quando ele ligou para alguém e discorreu os acontecimentos principais. Ele narrava o que estava ouvindo.

— Estou com problemas aqui. Eu não consigo entrar, parece que a casa está bloqueada ou enfeitiçada.

— Any, precisamos sair daqui. A sua casa deve estar tomada por algum tipo de feitiço, que não sei explicar. Tenho um palpite de porque ele não conseguiu entrar. O que não entendo é por que ele quer isso. Será que só está mesmo interessado no Antoni? — indagou San. Ele parecia ainda mais nervoso do que antes.

— Esse feitiço não foi colocado agora — constatou Eleonor. — Eu já havia percebido que há alguns meses algumas pessoas não conseguem entrar sem serem convidadas. Eu os convidei ontem porque do contrário não conseguiriam também. O mesmo não vale para todas as pessoas. Algumas conseguem e outras não. Já reparou que o seu amigo Will sempre que vem aqui fica parado na porta por um tempo? Às vezes, finge estar ao telefone, outras vezes apenas espera que alguém o convide. Já a tia Mari, na semana passada, chegou, viu a porta aberta e entrou.

Minha avó era mesmo observadora, muito mais do que eu imaginava. Apesar de falar com tranquilidade, dava para perceber a preocupação em seus olhos.

Fiquei lembrando de cada situação que ela citou e foi incrível perceber os acontecimentos estranhos que não levantaram qualquer suspeita na ocasião em que ocorreram.

— É verdade. A Nara também sempre entrou sem precisar de convite. A Jude, ela também já veio aqui e entrou. O Antoni nunca entrou pela porta da frente, essa foi a primeira vez, mas já entrou aqui antes sem permissão, só que pela janela. Será que o feitiço só vale para porta? — Pensei alto.

— Antoni não conta, ele é um incubus, entra onde quiser através dos sonhos de alguém. Se ele entrou pela janela é porque estava conectado a você. E o que me diz da Carol? — perguntou San.

— Ela sempre entrou sem precisar ser convidada — respondi.

Com apenas um olhar de San, entendi tudo. Carol havia lançado o feitiço. Só podia ser. Lembrei de uma vez em que me disse que estaria sempre próxima e que ninguém chegaria perto de mim, não sem passar por ela antes.

— Por que ela faria isso? — perguntei.

— Eu acho que no momento temos problemas maiores para resolver. Se algumas pessoas entram e outras não, pelo que estão me dizendo, só posso concluir que a barreira funcione apenas para celsus. Se isso for verdade, quer dizer que a qualquer momento alguém vai conseguir entrar aqui, e não teremos o que fazer para impedir. Mesmo não encontrando o Antoni, tenho certeza de que vão nos levar para interrogatório ou não estariam aqui. E não poderemos fazer nada.

— Mas eles não podem nos levar. Não fizemos nada de errado.

— Você sabe que não é a polícia que está atrás do Antoni, certo? — indagou Santiago com a sobrancelha arqueada.

— Não, eu não sei.

— Ele até pode ser um policial, só que está em missão para o Ministério e, se houver resistência da nossa parte, podemos ser acusados de nos revelar. Por acaso conhece as punições que o Ministério aplica nesses casos?

Estávamos em um beco sem saída. Ou deixávamos que nos levassem para um tipo de interrogatório ou nem queria pensar no que poderia acontecer.

San não tinha dúvida de que ele estava a serviço do Ministério, o que fazia certo sentido, já que o Ministério estava infiltrado em todos os lugares. O que martelava em minha cabeça era entender como eles chegaram até mim, até a minha casa. Estavam atrás do Antoni, como souberam da nossa aproximação?

— Como chegaram a mim, San? Você disse que eles não sabiam quem eu era.

— Eu não sei.

— Vamos sair pelos fundos, tem um portão que dá acesso à rua de trás — eu disse.

Estava pensando em alternativas. Sabia que precisávamos sair o mais rápido possível, mas não imaginava para onde iríamos.

— E para onde iriam? — Todos olharam em direção à escada. Antoni descia os degraus enquanto falava. Ele parecia totalmente recuperado. — Primeiro preciso informá-los que não vão conseguir sair desta casa enquanto eles estiverem lá fora, e ainda que consigam, não teriam onde se esconder. O Ministério está em todos os lugares, lembram? Está onde vocês nem imaginam — disse Antoni em tom de suspense. — Por quanto tempo teriam que fugir?

Espera aí! Ele disse "enquanto eles estiverem lá fora"? Antes que eu pudesse perguntar em voz alta, ele se adiantou:

— O cara que está aí fora, faz parte do departamento de polícia de Nova York. Eles não fazem diligências sozinhos. O que quer dizer que essa "visita" não é oficial. — ele fez sinal de aspas com os dedos quando falou a palavras visita. Já estava ao pé da escada quando concluiu: — Esse homem está sob ordem do Ministério. No entanto, ele é o menor de nossos problemas. Quem está a caminho é com quem realmente precisamos nos preocupar. Alany, entenda que eu me entregaria se isso realmente resolvesse o problema, mas receio que seja tarde demais para isso. Por favor, olhem discretamente pela janela — pediu calmamente.

San e eu olhamos pela janela e não havia nada além do homem de olhos vazios recostado em seu carro. Eleonor se juntou a nós em seguida. Eu já balançava a cabeça, achando que Antoni estava louco, mas San pegou no meu braço e me pediu que ficasse quieta. Segundos depois, ouvimos o ronco de um carro que foi se revelando na ponta da rua. Ao chegar mais perto, vimos um automóvel branco, comprido e elegante estacionar atrás do carro do detetive. Dele saiu um homem velho, com uma bengala a tiracolo. Tinha uma aparência sinistra, até a sua bengala era de dar medo, com uma cabeça de dragão dourada na ponta. Tive a impressão de ver as ventas do dragão se mexerem e até soltarem fumaça, quando o velho bateu com ela no chão.

Do banco do motorista saltou um corpulento homem com a expressão neutra e fria. Ele parou com os braços cruzados em frente ao carro e apenas observava, enquanto o velho seguia em direção ao detetive.

Antoni começou uma breve descrição.

— Aquele homem se chama Mordon e é um dos altivos. Na verdade, um dos fundadores do Ministério. O curioso é que ele nunca sai do castelo, a menos que algo muito sério esteja ameaçando o Ministério. Não preciso dizer o quanto deve ser importante para eles me encontrarem, não é? — Todos olharam em sua direção. — Infelizmente, agora vocês estão ligados ao homem mais procurado do mundo oculto.

— Você disse castelo? Tipo castelo de verdade? Eu nem sabia que tinha um castelo em Nova York — comentei, curiosa. Aquela informação tinha me tirado o foco.

— Sim, porém ele não fica em Nova York. Está localizado em Rheinland Pfalz, na Alemanha — respondeu Antoni.

— Uau! Então, ele veio da Alemanha até aqui só para procurá-lo? O que você fez de tão grave, afinal? — perguntei curiosa.

— Você não vai querer saber. — Antoni sabia como ser atrevido e irritante. — A questão principal é o que ele pensa que eu fiz. Percebi, diante dos últimos eventos, que eles acreditam que os traí de alguma maneira, ou que tenho algum plano para prejudicá-los. Melhor eu explicar depois, do contrário, não vão estar vivos para ouvir os detalhes — respondeu Antoni.

Ainda olhando pela janela, vi quando o homem andou até o meio da rua e fechou os olhos. Em seguida, balançou a cabeça e fez sinal com a mão para que o homem se aproximasse. Chamei San para ouvir o que falavam, já que conversavam do outro lado da rua e muito baixo. Ouvidos normais não dariam conta de escutar a conversa. Mesmo o San só conseguiu ouvir parte do que diziam, mas foi suficiente para nos deixar em pânico quando repetiu o que ouviu.

— Se não podemos entrar, farei com que saiam. Por precaução, consiga humanos que possam entrar e fazer o trabalho. Mas preciso da garota viva. — foi o que disse Mordon.

Mordon parecia ser um homem insensível, sua postura era tão ameaçadora que não tive coragem de tentar me conectar com sua energia. Assim que San contou o que ouviu, sentimos literalmente o chão tremer, como se estivesse acontecendo um terremoto. Coisas como quadros e porta-retratos começaram a se soltar da parede e cair no chão. Nós também cairíamos se não nos segurássemos no que estivesse próximo; eu me segurei ao sofá.

San aumentou o espaço entre suas pernas e ganhou estabilidade suficiente para manter-se de pé, mesmo com todo aquele tremor. Eleonor se segurava na escada e Antoni apenas encostou uma das mãos na parede. Quando finalmente o tremor parou, antes mesmo que pudéssemos respirar aliviados, fomos atingidos por um abissal estrondo.

Tudo que era de vidro, dentro e fora da casa, quebrou; as janelas quebraram-se todas ao mesmo tempo, e aos poucos, todos os outros objetos, um a um. O barulho das vidraças estilhaçando foi apavorante, pior ainda foram os cacos que pareciam voar pelo ar, fazendo-nos desviar até que ficou impossível fugir e nos deitamos no chão.

Alguns cacos nos atingiram cortando a pele. Eles dançavam pela casa como se estivessem seguindo um comando para nos atacar. Eu podia ver alguns cortes sangrando nos braços da minha avó. Os meus também tinham cortes superficiais, mas a cada segundo os vidros pareciam ter mais força. Apenas Antoni ainda estava de pé, ele desviava de cada pedaço de vidro voador sem qualquer esforço.

Como ele conseguia fazer aquilo? Pensei. Não sabia como, mas ele chegou mais perto de mim.

— O ar comanda a trajetória desses vidros — disse, com as sobrancelhas arqueadas. Havia alguma mensagem ali.

Então, lembrei-me da conexão. Fechei os olhos e pedi ajuda, senti que o ar de repente estava à minha disposição, eu só precisava conduzi-lo. Como mágica, os vidros ainda voavam, mas giravam no mesmo lugar, sem nos atacar como antes.

Ajudei minha avó a se levantar, a coitada estava caída cortada e assustada. San tinha uma ferida no rosto e outra no antebraço, que sangrava bastante. Vi quando ele fez careta e puxou um pedaço de vidro que estava preso em seu braço. Antoni ainda estava parado no meio da sala, satisfeito com o que eu consegui fazer. Dava para ver nos seus olhos.

— Logo vamos conseguir sair. Já cuidei de tudo, quase tudo. No momento, precisamos conter a entrada deles por alguns minutos — informou Antoni.

— E para onde vamos? Você mesmo disse que não podemos nos esconder deles — disse Santiago.

Ele estava com medo, mesmo tentando parecer durão. Eu podia ver claramente seu medo, por mais que ele tentasse disfarçar.

— Ainda estou trabalhando nisso. — Antoni como sempre estava calmo. Ele só parecia um pouco mais apreensivo e misterioso do que o normal.

Sentei minha avó no sofá e cuidei dos ferimentos. Ainda bem que nenhum corte foi profundo.

— A culpa não é sua Alany — interveio Antoni ao me ver quase em prantos enquanto cuidava de Eleonor. — Eles estão atrás de mim e só chegaram até você porque, salvo engano, ouvi-a dizer que perdeu a bolsa lá na clareira, não foi?

— Ah Deus! Como pude me esquecer disso?

— Mordon acredita que encontrará alguma fragilidade em você e quer se aproveitar dela. — Ele piscou para mim e eu sabia o que significava: o Ministério só queria me usar para atingi-lo ou encontrá-lo, eles não sabiam nada sobre minhas habilidades.

— Mas aqueles que o atacaram na clareira não pertencem ao Ministério, eles são insurgentes. — San se pronunciou e ele estava certo em sua observação.

— Bem observado! E isso só prova que os insurgentes estão trabalhando para o Ministério. — Antoni ligava os pontos com muita rapidez e tudo fazia sentido.

Por um momento até esqueci que havia uma ameaça do lado de fora e me concentrei nos fatos. Ele tinha razão, por isso eles queriam prender o Antoni. Talvez o plano fosse entregá-lo ao Ministério o tempo todo.

— Como os insurgentes conseguiriam armar uma emboscada para pegá-lo? Não é você o maior fugitivo do mundo oculto? — quando falei isso percebi um olhar de deboche se formando naquele rosto sinistro.

— É o que estou tentando entender, mas sinto que estou muito perto de descobrir. — Ele piscou para mim mais uma vez.

San não pareceu muito feliz com a descoberta.

— Não acredito nisso. — Ele estava mesmo incrédulo, como se esse conluio fosse impossível de acontecer. — Os insurgentes são um grupo independente, que vive fugindo do Ministério, e ao mesmo tempo sustentam uma ideologia de igualdade e não de submissão. Eu não entendo. Não acredito que seria possível esse tipo de conspiração. — articulou San, com o cenho franzido e o tom um pouco revoltado.

— Com certeza fizeram uma boa troca — respondeu Antoni, chegando mais perto do San. — Os insurgentes vivem camuflados, com medo e sempre à espreita e à margem até mesmo do frágil mundo oculto. Quem sabe o que o Ministério ofereceu por informações? — concluiu com o olhar fixo em Santiago.

Ele não ficou feliz com a forma intimidadora de Antoni. Deu um passo à frente, aproximando-se ainda mais, assumindo uma postura ameaçadora. Se eu não os separasse logo, em breve estariam rosnando e se estapeando.

— Não é hora para isso. Podemos nos concentrar nos problemas mais urgentes? — ponderei, irritada.

— Claro que sim — respondeu Antoni. — Aliás, antes que eu me esqueça, com a descoberta desse feitiço de proteção na sua casa, pude concluir que só uma pessoa poderia ter entrado aqui no dia do incidente com o telefone. — De novo, Antoni piscou para mim. Ele estava especialmente animado.

Olhei-o com curiosidade esperando que ele concluísse o raciocínio, mas tudo que fez foi um gesto com as mãos que indicava que eu deveria pensar e descobrir sozinha. Que saco, odeio meias palavras! Antoni e Carol adoravam esse joguinho... Ah Deus, é claro!

— Sim! Foi Carol, só ela podia entrar sem ser convidada e sem ser vista. — Demorei alguns segundos, mas finalmente mais um mistério estava resolvido. — Mas por que ela faria isso?

— Não percebeu ainda chapeuzinho? Para afastá-la do lobo mau, é claro. Ela sempre soube que ele é um celsu e não queria que se envolvesse, ela afastou você de tudo e todos que pudessem lhe trazer para perto desse mundo oculto. — Antoni falou sério. Mas em seguida, emendou com sarcasmo. — Ou simplesmente, assim como eu, ela achou que ele não servia para você, mas isso só ela poderá dizer.

Antoni sorriu e encarou Santiago, que deixou bem claro sua vontade de partir para cima dele quando estalou os dedos como um lutador ao começar uma luta.

— Não vamos esquecer o que está em jogo! Precisamos sair daqui e encontrar um lugar para ir. Então, vamos pensar. Deve haver um jeito — eu disse, já nervosa.

— Eu consegui providenciar nossa fuga. Conheço algumas pessoas que me devem uns favores e podem ajudar.

— E são confiáveis? — Eu já imaginava que tipo de conhecidos Antoni poderia ter.

— Nem um pouco, mas precisamos tentar — respondeu.

— Eu conheço um lugar. — Voltamos os olhos para Eleonor, que estava visivelmente assustada. — Tem um lugar onde ninguém nos encontrará. É um local protegido, ninguém consegue chegar a menos que conheça o caminho e saiba que ele está lá.

— Por que não lutamos com eles, enquanto Any e Eleonor fogem para esse tal lugar protegido? — disse Santiago, fazendo-me lembrar de que era uma fera, em alguns momentos ao menos.

Antoni fez uma careta e para variar, sorriu e suspirou antes de dizer:

— Isto está fora de questão. Não faz ideia de quem está aí fora. Mordon é poderoso. Ele pode entrar na sua mente e o paralisar em segundos. E aquele guarda-costas pode matá-lo antes que você pense em atacar.

— Posso fazer alguma coisa, tentar afastá-los de algum jeito ou distraí-los. — Eu sabia que podia pedir ajuda dos elementos, mas claro que não fazia ideia de como, muito menos se daria certo.

— Não será necessário. Se você se revelar para Mordon, não vai demorar muito para ele ligar o nome à pessoa, se é que me entende. Aliás, eu já cuidei dessa parte da distração, só faltava mesmo o lugar, mas parece que já temos um. Então já podemos colocar o plano em ação, porque a ajuda acaba de chegar — avisou Antoni, esfregando as mãos.

Ele contou que tinha descoberto por suas próprias fontes que Mordon estava a caminho e nos revelou que precisou de uma ajuda extra. Vendo o esforço e o risco que correu para organizar a fuga, fiquei admirada. Ele estava se empenhando muito em nos manter seguros.

— Antoni, aqui é o último lugar onde você deveria estar. Podia continuar escondido, como ouvi dizer que já fez por anos. Por que voltou se sabia que ele estava aqui?

— Pode não parecer, mas eu sou o seu protetor e preciso agir como tal. Fugir e me esconder não é uma opção agora, então providenciei uma que realmente funcione. Mas preciso avisar que o lobinho aí não vai com a gente. — Ele apontou para San e eu pensei que a implicância começaria de novo. Estava cansada de separar esses dois, mas San ficou em silêncio, apenas aguardando o que viria a seguir. — A verdade é que Mordon não sabe que você está aqui dentro e não tem nada que ligue você a Any, ou a mim, o que o torna neutro e fora de perigo. Além disso, podemos precisar da ajuda de alguém que possa conseguir informações úteis no futuro. Mordon não vai parar de nos procurar e, se você realmente se importa com a Alany, poderá ser muito mais útil estando longe.

Santiago estava impassível, mas considerava a opção.

— A quem você pediu ajuda? — indagou San, parecendo preocupado.

Meu protetor estava parado próximo à escada, então ele apenas esticou o braço em direção à passagem que ficava entre a sala e a cozinha. Voltamos os olhos para a direção que ele apontava. Ao mesmo tempo, caminhava tranquilamente a última pessoa que eu esperava ver naquele momento.

— Carol? — Fiquei indignada e olhei para aquele que se dizia meu protetor, mas que agora parecia ter armado uma armadilha.

— Como eu disse, precisava de ajuda, não conseguiria despistá-los sozinho. Apesar de ser arriscado, testemunhei vários momentos em que Carol colocou a sua segurança acima de tudo. Ela realmente se preocupa com você, Any. Além disso, eu estava sem opção. Só segui a minha intuição, o que não é muito comum. — Ele até parecia uma pessoa normal desta vez, falando meias palavras.

Olhei para San e ele estava paralisado, como se estivesse vendo um fantasma. Transbordava medo e eu não entendia por quê. Tudo bem que ela era uma bruxa, mas o terror em seus olhos me pareceu exagerado.

— Any, sei que não adianta pedir desculpas e realmente não posso dizer, que se pudesse, faria tudo diferente. As coisas são muito complicadas, não dependem de mim ou de você. Mesmo que não confie mais em mim, eu nunca deixaria ninguém machucá-la. Você sabe que não estou mentindo. — Sua expressão era séria, mas sua energia era firme e verdadeira, o que não tornava menos horrível saber o quanto ela escondeu de mim todo esse tempo.

Antoni chegou mais perto de mim, segurou minha mão e ergueu os ombros. Seus olhos tentavam me tranquilizar, eles diziam: *ela é tudo o que temos agora.*

— Bom, só tem um jeito de conseguirmos nos livrar deles. Eles precisam entrar na casa e para isso você terá que convidá-los. Depois, vou alterar o feitiço e nós ganhamos tempo para fugir. Não temos muito tempo, quando tudo isso passar, conversaremos com calma — disse Carol, focada em mim.

San era o mais preocupado e logo se pronunciou:

— Não acha isso meio arriscado? O plano dele é entrar e se livrar de todos aqui, menos da Any. Por que acha que ele vai hesitar quando estiver aqui dentro? — perguntou ele.

— Se alguém sair desta casa, Mordon vai entrar em sua mente no mesmo instante — Antoni se pronunciou. — Talvez até deixe que fujam, só para criar uma perseguição. Isso deixará o bestiarri mais animado para caçar. Pensamos em muitas hipóteses de distração para ganhar tempo até que todos saiam do alcance dos dois, e acreditem, este é o único jeito. Aquele homem parado lá fora ao lado de Mordon se chama Carpophorus, seu protetor particular e mais conhecido como bestiarri. Ele é um guerreiro lendário, vive cada dia da sua vida para a guerra ou luta, sua natureza se baseia em exterminar animais selvagens. Pelo menos, isso é o que você vai encontrar na história tradicional. — Antoni saiu do meu lado e seguiu em direção à janela. Ele assumiu uma postura de professor enquanto falava. — Na Roma Antiga existia um espetáculo chamado de *venatio*, onde esse tipo de guerreiro se apresentava e matava inúmeros animais em sequência. O que os livros não contam é que alguns guerreiros se especializaram em matar bestas sobrenaturais. Naquele período, a linhagem dos lycans e metamorfos foi quase extinta da face da terra. Eles se tornaram fugitivos e alguns conseguiram, com a ajuda de bruxas, controlar sua transformação e assim se esconder do mundo, garantindo a sobrevivência de suas espécies. Além de matar bestas, ele é o ser mais controlado e focado que existe quando o assunto é matança. Não desviará a atenção de seu alvo, nem mesmo se uma bomba atômica estiver para cair em sua cabeça. Somente uma besta pode desviar a atenção desse guerreiro.

Imediatamente, olhei para Santiago, que estava com os olhos arregalados.

— Não, isso não vai acontecer. Se for o que eu estou pensando, não vou permitir que San se arrisque desse jeito — argumentei, exasperada.

Fiquei muito irritada com a sugestão maluca de Antoni. Mesmo havendo uma aparente inimizade entre eles, não era aceitável colocar o Santiago no fogo desse jeito.

— Any, eu não aprovaria um plano desses se não acreditasse que pode dar certo. Santiago ficará bem. Só queremos que ele aguce a natureza do bestiarri. Ele não consegue resistir quando se depara com esse tipo de besta. Só assim ele perderá o foco e deixará Mordon mais vulnerável — interveio Carol.

Ela podia até estar convencida de que o plano daria certo, mas eu não.

— Como vocês podem ter certeza que ele não matará o San assim que o vir? Que tipo de plano maluco é esse? — perguntei, só para constar o meu ponto de vista.

Sentia que nosso tempo estava se esgotando e esse parecia o único plano deles. Eu não estava acreditando. Antoni veio para perto de mim e me encarou com seriedade. Começou a me explicar o plano mais uma vez e senti impaciência em sua voz.

— Distrair Mordon, mesmo que por três segundos, é o único jeito de sairmos da casa antes que ele possa impedir. Você também tem parte no plano. — Seus olhos nos meus me diziam "sinto muito".

— E qual é a minha parte? — perguntei.

San, que estava quieto e pensativo até então, parecia estar considerando aceitar aquela loucura. Será que ele estava mesmo disposto a se arriscar tanto? Eu me sentia responsável por envolvê-lo na confusão. Se algo acontecesse com ele eu nunca me perdoaria.

— San, você não precisa fazer isso, é muito arriscado... — Ele deu alguns passos e me segurou pelo braço, cessando meus argumentos.

— Está tudo bem. Se é o único jeito, vou fazer. E não precisa tentar me dissuadir, porque essa decisão não é sua.

— Quem diria! — ironizou Antoni. — Não preciso dizer que é o mínimo que você pode fazer, não é? E você só será visto por eles na forma de lobo, o que ainda o manterá seguro no futuro. Se sobreviver, é claro — concluiu.

Antoni o olhava com a mesma expressão de raiva de antes, mesmo depois que San se ofereceu em sacrífico. Eu percebia que ele se esforçava para parecer malvado e sinistro, mas no fundo, nem sempre o que dizia era o que sentia. No entanto, naquele momento, ele realmente estava irado com Santiago.

— Antoni, você não está ajudando — disse Carol. Ela se pôs entre eles e explicou os detalhes do plano para San, a parte em que garantia que ele sairia vivo. — Precisamos fazer isso agora. A ajuda de Mordon vai chegar logo e temos que ganhar tempo para nos afastar o suficiente para não sermos rastreados.

— Como eles não podem saber que Carol está aqui, principalmente nos ajudando, ela sairá por trás quando tudo começar. Eleonor irá com ela, será mais seguro assim. Quando colocarem os pés aqui dentro, não poderão mais saber o que está acontecendo lá fora, por isso elas estarão fora de perigo. Todos prontos? — perguntou Antoni.

Eu podia até estar maluca, mas acho que Antoni estava mesmo gostando de tudo aquilo.

Capítulo 23

Carol e Eleonor sumiram de nossos olhos assim que concluímos que era hora de colocar o plano em prática. San também não estava na sala e pensei que o motivo era por precisar de privacidade para a transformação. Não devia ser nada bonito de se ver.

Abri a porta e observei os três homens parados na frente de casa. O detetive colocou a mão na cintura quando me viu, se postando em alerta para o que fosse preciso. O guerreiro estava parado com os braços cruzados e não moveu um músculo sequer ao ver a porta se abrir, o que me fez questionar se aquele plano daria certo. Ele parecia mesmo muito focado.

Já o Altivo, estava ao telefone e tratou de desligar assim que me viu. Engoli seco e tive uma sensação ruim, mas era tarde demais para desistir. Eu queria que San estivesse ao meu lado para ouvir o que dizia e com quem falava, e também para me passar um pouco mais de segurança.

Senti o medo ganhar força assim que encarei aquele guerreiro imortal. Nesse momento me recriminei por ter aceitado aquele plano. E seu eu não conseguisse cumprir a minha parte?

Mordon atravessou a rua e Carpophorus o seguiu, desatando os braços e marchando com a postura de um lutador; o detetive esperou um pouco mais, porém, logo se juntou a eles. Assim que chegaram perto o suficiente para me ouvir, soltei a parte do texto que me cabia naquele plano maluco.

— Vocês querem o Antoni, não é? Bom, eu quero um acordo — falei, direcionando o olhar para Mordon. — Consegui falar com ele e o convenci a vir me encontrar, então o trato é o seguinte: vocês esperam por ele e podem levá-lo, mas só se concordarem em sair daqui e nos deixar em paz — falei rápido, tentando não demonstrar muita insegurança.

Um pouco de insegurança fazia parte do plano, e essa era a parte fácil.

Mordon sorriu, de forma bastante presunçosa.

— Por que eu acreditaria em você, menina? E como você sabe onde ele está quando ninguém mais consegue encontrá-lo? — ponderou ele.

— Você não tem muita escolha, Mordon. Eu disse a ele que vocês haviam ido embora e que ele podia vir. Ele sabe que ninguém pode entrar aqui sem que eu convide e também sabe que eu jamais convidaria vocês. Mas pelo visto, vocês não vão embora e eu não posso colocar a vida de quem está aqui dentro em perigo. Não por causa de um irresponsável como Antoni. Esse problema é dele, não meu.

— Se eu concordar em poupar vocês, irá nos convidar e eu aguardarei a chegada dele aí dentro? Este é o seu acordo? — indagou Mordon, observando-me bastante cismado.

— Exatamente. Mas aconselho dar um fim a esses carros ou quando ele chegar saberá que estão aqui — eu disse apontando para o outro lado da rua.

O velho olhou para o detetive e com um sinal leve de cabeça, Graysson correu para o carro.

— Acho que temos um trato. Agora, convide-nos e todos sairão bem desta visita cordial. — O velho sorria satisfeito.

Ele tinha idade suficiente para saber que era muito feio mentir, mas estava mentindo para mim descaradamente. O plano estava funcionando, afinal. Se o meu protetor voltaria por minha causa, isso só reforçava a importância que eu tinha para ele.

O velho se encheu de esperança. Claro que ele sabia que Antoni jamais se deixaria capturar, era esperto demais para cair na armadilha. Mas, como o Antoni previa, a possibilidade de ter uma vantagem sobre ele botou um enorme sorriso naquele rosto enrugado. Em momento algum ele acreditou que o homem mais procurado pelo Ministério chegaria simplesmente ao receber uma ligação, mas não podia perder a oportunidade de me capturar e usar essa carta na manga. De uma coisa ele não tinha dúvida, eu seria uma boa moeda de troca. Respirando fundo, finalmente disse:

— Vocês podem entrar.

O guerreiro foi o primeiro a colocar o pé diante da porta e ao ver que nada o impediu, Mordon entrou atrás dele. Quando o velho viu os cacos de vidros que ainda rodopiavam em círculos nos cantos da casa, perguntou curioso:

— Como fez isso, menina? Um feitiço não pode eliminar outro.

— Por isso eles continuam rodando. — Precisei improvisar, pois não podia dizer que não era feitiço, que eu apenas controlava o ar. — O feitiço não foi anulado, apenas modificado.

Não fazia ideia se isso era possível, mas foi a primeira coisa que me veio à mente. Ele me observou e não disse mais nada até andar em direção ao meio da sala.

— Tem magia nesta casa, posso sentir.

Olhando para seu guerreiro, que estava a um metro de mim, ele fez um sinal com a cabeça, e antes que eu pudesse piscar ele já me segurava pelo pescoço. Com apenas um apertão fiquei completamente sem ar. Fui pega de surpresa e não tive tempo de fazer nada, meus pés não tocavam mais o chão. Já perdendo as forças, perdi também qualquer controle sobre a minha barreira.

Fiquei sem reação quando fui atingida pela energia daquele ser maligno, ele não tinha nada além de impassibilidade. Não havia raiva nem qualquer outro sentimento por trás daqueles olhos. Era uma máquina programada para matar. Ver e sentir aquilo me apavorou de um jeito inesperado, nunca havia sentido tanta frieza.

Meu coração começou a bater mais lentamente, talvez pela falta de ar ou pela experiência horrível de ser atingida por uma energia tão obscura. Só sabia que minhas forças estavam se esvaindo muito rápido, não tive tempo para me defender daquele ataque. Eu apenas estava ali, sentindo a minha energia escorrer, eu a estava perdendo.

Um rosnado gutural fez o guerreiro afrouxar o aperto antes que eu apagasse. A postura do guerreiro mudou. De repente, ele me soltou. Caí no chão como uma boneca de pano. Ouvi quando ele estalou o pescoço, fazendo-me lembrar, de novo, aqueles lutadores de ringue. Espremeu os dedos e arqueou as costas. Dei graças a Deus por Antoni estar certo, ele não via mais nada além do lobo.

Eu estava no chão, tentando voltar a respirar e pensando no fracasso que estava sendo o nosso plano. Ninguém tinha previsto que eles me atacariam tão depressa. Eu devia solicitar a ajuda do ar para confundir Mordon e ali estava eu, no chão, à beira da inconsciência.

Consegui ver um lobo enorme adentrando a sala e parando em frente ao guerreiro. Carpophorus estava em posição de luta. Santiago soltou um urro assustador, colocaria medo em qualquer um, sobrenatural ou não. Mas não naquele tal de Carpophorus, ele parecia gostar do que via. Fechei os olhos e senti uma lágrima escorrer. Eu temia pela vida de San e me arrependi imediatamente de concordar com aquele plano. Eu devia saber que estragaria tudo.

Busquei forças de onde nem sabia existir. Senti que levantava do chão com a ajuda do ar à minha volta, ele me sustentava como cordas de uma marionete. Já com a cabeça erguida, vi quando eles se atacaram. O lobo o jogou sobre a mesa de jantar que se quebrou. Com o peso e o impacto, os dois foram ao chão, e o homem parecia estar em desvantagem sob aquela enorme besta que se lançou sobre ele.

Em uma mudança repentina de posição, San foi jogado contra a parede com tanta violência que a fez rachar e soltar parte de sua estrutura. O guerreiro se levantou como se nada o tivesse atingido e seguia decidido em direção ao animal, que ainda se recuperava da pancada.

San precisava de alguma vantagem, se não fosse capaz de ganhar, precisava pelo menos ser capaz de fugir. Àquela altura estava claro para mim que ele nunca venceria aquela briga. Nada naquele plano estava saindo como Antoni previa e nossas vidas corriam perigo.

Refeita, ao menos parcialmente, recorri a minha conexão, eu precisava ao menos atordoar aquele ser sobrenatural. O ar começava a se manifestar, trazendo de volta minha esperança. Não demorou para que eu sentisse uma pontada, como um choque dentro de minha cabeça, em seguida, tudo acabou. A conexão foi cortada e me causou uma sensação de esgotamento total, fiquei sem forças e impotente.

Não pude ajudar San que, de novo, sofria nas mãos do bestiarri. Desta vez, ele foi jogado para fora de casa, voando pelo ar em direção à área externa.

O guerreiro não tinha pressa, ele se divertia. Neste momento percebi que San só estava vivo por que Carpophorus queria. Finalmente consegui ver algum sentimento naquele ser, ele sentia prazer em lutar.

Antoni esperava que a presença de um animal, como o que San podia se tornar, o deixaria transtornado, e estava certo. O objetivo de deixar Mordon desprotegido com certeza foi alcançado, mas a parte do plano onde San era apenas uma isca e não seria morto por um guerreiro sobrenatural e imortal, estava fadada ao fracasso.

Longe da minha visão, a luta continuava e pelos sons que se seguiam, não estava nada bom para Santiago. Vasos quebrados, seguidos por urros de dor me faziam desanimar.

Mordon chamou por seu guerreiro algumas vezes, mas era inútil tentar atrair sua atenção. Aquele velho andava em minha direção determinado a terminar o que seu capanga havia começado. Enquanto o observava caminhar, descobri que ele era o responsável pela quebra da conexão. Mordon tentava entrar na minha mente, ele estava me enfraquecendo e eu não conseguia me libertar. Senti uma influência ruim me consumir aos poucos. Ele realmente era poderoso e estava conseguindo dominar minha mente.

Eu sentia que estava perdendo a força, a vontade e a coragem de lutar. Era isso o que ele fazia, envenenava a energia das pessoas, até que elas ficassem totalmente sem ação. Uma ponta de esperança brilhou quando ouvi uma voz conhecida. Era a nossa salvação, ou nossa ruína.

— Eu não faria isso se fosse você. Aqui dentro você não é tão poderoso quanto imagina.

Antoni estava parado no meio da escada com a expressão tranquila. Talvez fosse uma estratégia dele para o velho pensar que tudo estava sob controle, quando na verdade, o nosso plano estava longe de dar certo como previamos.

O altivo voltou os olhos para o homem na escada e quase não acreditou no que viu. Um sorriso grande e amarelo se formou em seu rosto. Aproveitei a distração e me concentrei em pedir ajuda aos elementos. Se a energia do mundo era um dos elementos, então eu podia de alguma forma manipulá-la também. Eu não sabia como fazer aquilo, apenas me concentrei em uma energia boa e aos poucos senti a energia ruim de Mordon sair de mim.

Voltei a sentir a minha conexão, voltei a sentir vontade de lutar. Em seguida, consegui fazer com que todos os cacos de vidro o atingissem como pássaros enfurecidos. O vento soprou tão forte que o arrastou para o canto da sala, de onde ele não sairia tão cedo.

Apesar de surpreso, ele me olhou e sorriu. Fechou os olhos e murmurou algo inaudível. Vi uma nuvem negra vindo em minha direção, ela vinha daquelas palavras que ele sussurrava. "Não desta vez. Não comigo velhote", pensei.

Pedi ao ar para criar uma barreira na minha frente, impedindo que aquela nuvem me atingisse. Depois disso, vi o vento se agitando até criar um redemoinho no meio da sala. Ele sugou aquela nuvem negra e a jogou para fora da casa, por uma das janelas quebradas. Mordon olhava admirado com minha resistência. Ele não podia ver o que estava acontecendo, não sabia que a sua maldade estava sendo direcionada. Então, concentrou-se e continuou murmurando palavras sem sentido, mas só aumentou a carga negativa que subia e saía pela janela.

Concentrei-me na chama da vela, acesa sobre um móvel na sala, o fogo pela primeira vez também me atendeu quando busquei sua ajuda. Criei um círculo de fogo que impedia o velho de sair de onde estava. Ele ficou encurralado entre a sala e a cozinha. Claro que ele era um homem poderoso e não seria contido por um fogo qualquer. Embora tentasse desfazer as chamas, o que normalmente ele deveria fazer com facilidade, nenhuma tentativa foi bem-sucedida. O fogo em seu estado normal era manipulável, mas esse era diferente, estas chamas tinham um objetivo, não queimavam aleatoriamente, elas atendiam a um chamado. Mordon tentou todos os seus truques para se livrar delas. Sem sucesso, ele vociferou:

— Antoni, não pense que vai escapar para sempre. Vamos caçá-lo até no inferno. Não sei o que está acontecendo aqui, mas não há lugar no mundo em que possam se esconder.

O velho estava muito bravo, mas ele ainda tinha esperança que o guerreiro o libertasse, por isso soltou gritos chamando o seu guerreiro, mas obviamente não foi atendido.

— Carpophorus! Carpophorus! — ele gritava.

Antoni me ajudou a levantar e corremos para o jardim. O lobo enorme, apesar de ter duas vezes o tamanho de Carpophorus, estava muito ferido. Havia sangue escorrendo por sua boca e seu estado geral não parecia nada bom. O guerreiro não nos viu chegar, ou não deu qualquer atenção a este fato, estava focado na besta.

Com o San foi o contrário, tiramos a sua concentração dando oportunidade a um novo ataque do guerreiro. Com um salto mais alto do que os jogadores de basquete da NBA, ele aterrissou sobre San, fazendo-o cair sobre o banco de ferro no meio do jardim. A pancada foi tão grande que ouvi ossos se quebrarem.

— Não! — gritei desesperada.

Ele mataria San assim que se cansasse de lutar, e essa não era uma luta justa. O cara parecia ter dez vezes a força do lobo. Meu desespero foi tão grande que me fez correr em direção ao bestiarri, mas fui agarrada por Antoni antes de chegar perto.

Um novo grito saiu pela minha garganta e nesse momento o mundo parecia rodar, nuvens se formaram sobre nossas cabeças, soltando raios e dando início a um vendaval. Ventos ganhavam vida e sopravam mais fortes do que nunca. Um pequeno tornado se formou e, naquele quintal, uma tempestade caiu de repente. Antoni estava se segurando para não ser engolido pelo tornado e eu estava parada como se nada pudesse me atingir.

Com apenas um movimento, direcionei os ventos e eles envolveram Carpophorus, arrastando-o para dentro da casa. San estava quase desacordado e não conseguia se levantar depois do golpe que sofreu. O vento era muito forte, estava arrastando o lobo junto com o guerreiro para dentro da casa, isso seria o maior desastre que podia acontecer. Se ele entrasse, jamais conseguiria sair.

O guerreiro era muito forte e lutava contra os ventos com toda sua força, o que me deixava sem opção. Eu não podia parar até que ele estivesse totalmente do lado de dentro, diminuir a intensidade dos ventos não era uma opção.

Quando Carol alterou o feitiço, ela fez com que a casa ganhasse vida e aprisionasse lá dentro qualquer um depois que nós três saíssemos. E naquele momento, nós três estávamos do lado de fora; o feitiço já estava ativo. A magia se reverteu, os que ainda estivessem lá dentro não poderiam mais sair, porém, a casa não estaria mais bloqueada para quem quisesse entrar. Se San entrasse, ficaria preso com eles. Mas se eu não conseguisse colocar o guerreiro completamente dentro da casa, ele mataria o lobo.

Antoni se esticou e conseguiu alcançar San, mas o lobo era pesado demais para um homem segurá-lo; ele não aguentaria muito tempo.

— Desfaça a transformação. Agora! — gritou Antoni para o Santiago. Ele estava parcialmente consciente, conseguiu ouvir e entender o que Antoni queria, mas talvez não tivesse força para fazer.

Fiquei observando acontecer a coisa mais estranha e mágica que havia visto. Aos poucos os pelos diminuíam, as garras se retraíam, a fera se contorcia em agonia. Ouvíamos ossos quebrando em meio aos urros, que logo se transformaram em gritos de dor. As proporções estavam disformes, braços grandes demais, uma perna maior do que a outra, a forma de homem surgia aos poucos diante de nossos olhos. A cena era chocante até para Antoni. Percebi isso pela surpresa estampada em seus olhos. Com certeza, era a primeira vez que ele testemunhava uma transformação. Nunca pensei que veria uma cena tão dramática e dolorosa. Ninguém devia ter que passar por isso, senti-me péssima por fazê-lo viver isso por causa de um plano que quase o matou.

Com Santiago em sua forma humana, Antoni conseguiu segurá-lo e puxá-lo para perto dele. Não pensei duas vezes, intensifiquei ainda mais o vento até que o guerreiro estivesse totalmente dentro da casa. Quando o vi passar pela porta e bater em uma parede invisível na tentativa de voltar para fora, tive certeza que estava preso e pude libertar o ar da sua missão.

Corri em direção ao corpo nu e machucado de San. Antoni tirou seu casaco e colocou sobre ele. Vi algumas lacerações em suas costas e hematomas pelo corpo. Ele estava inconsciente. E eu arrependida.

Com San nas costas, Antoni seguiu em direção ao pequeno portão que nos levaria a saída. Olhei para trás para me despedir da minha casa, pensava se eu poderia voltar ali algum dia. Era triste, mas também era o começo de uma nova vida. Eu não fazia mais parte daquele mundo normal que ela representava.

A imagem do guerreiro bizarro, lutando com uma barreira invisível, ficou na minha cabeça enquanto saíamos daquele lugar que um dia foi o meu lar. Um carro nos aguardava com o motor ligado e ganhou velocidade assim que nos afastamos noite adentro, pelas ruas da cidade. Dentro dele estavam Eleonor e Carol.

— Querida, você está bem? — a voz de Eleonor carregada tanto medo.

— Estou sim, vó. Está tudo bem agora. — Segurei a sua mão para lhe passar tranquilidade. Aquele toque era muito reconfortante para mim, eu esperava que para ela também fosse.

San estava caído sobre meu colo, não fosse pelos movimentos do seu peito ao respirar, seria fácil pensar que estivesse morto. Lembrei-me do quanto dormiu depois da última transformação e imaginei quando acordaria depois de tudo que havia passado.

— Any, sei que ele não está em sua melhor forma, mas não devíamos levá-lo com a gente. Esse lugar precisa ser um refúgio. — Antoni media as palavras, pela primeira vez ele estava sendo cauteloso.

— Tem razão, isso não fazia parte do plano, assim como eu quase morrer e o San ser torturado por um guerreiro imortal maluco. Nada saiu como planejamos Antoni, e mesmo assim ficou tudo bem. O que quer dizer que podemos alterar um pouco os planos e, ainda assim, as coisas podem dar certo — argumentei sem olhar para ele. Não tive resposta, então subi os olhos e o encarei. — Se ainda não entendeu, o que estou querendo dizer é que não o deixarei sozinho neste estado. Não há como me convencer do contrário.

Carol balançou a cabeça e continuou dirigindo. Depois de uma hora de estrada eu estava quase dormindo quando percebi que havíamos parado. Ao abrir os olhos, vi que estávamos no meio do nada. À nossa frente só havia asfalto infinito e a noite escura como eu nunca havia visto antes. Não havia iluminação naquela estrada perdida, tampouco sinal de outros carros passando por ali. Virando o corpo e olhando atentamente para mim, minha amiga me encarou e sorriu antes de dizer que era o fim da linha para ela.

— Any, não vou continuar com vocês. Quanto menos pessoas conhecerem sua localização, melhor. Além disso, preciso voltar e ver como estão as coisas no Ministério. Vou ter muito trabalho para apagar alguns rastros. Mordon já deve ter conseguido contatar alguém para ajudá-lo a sair da prisão improvisada. Em breve, conseguirei arrumar um lugar para você, um lugar onde vocês não precisem temer o Ministério. Poderá voltar ao mundo e viver normalmente, se é que isso é possível, agora que não existem mais segredos sobre o mundo oculto.

Eu não soube o que dizer. Antoni parecia entender tanto quanto eu o que estava acontecendo.

— Como você vai conseguir isso, Carol? O Ministério inteiro deve estar atrás de nós agora. Mesmo você sendo do Conselho, acho improvável que eles parem de nos procurar algum dia — disse Antoni.

— É improvável que parem de procurar você. Por falar nisso, o que você fez para eles? Nunca soube de um ser que tenha causado tanto alvoroço nos Altivos. Por que Handall o odeia tanto? — perguntou Carol a ele.

— Não vai querer saber. Mas o principal é que eles pensam que eu faço parte da tal aliança secreta que tem pretensão de frustrar seus planos de dominar o mundo — respondeu ele tranquilamente.

— Então é isso. E você faz parte? — indagou Carol.

— Acha mesmo que se fizesse parte de um grupo tão secreto, eu contaria para você? — Antoni perguntou, erguendo a sobrancelha.

— Se não faz parte, como sabe que ela realmente existe?

— Eu não sei. Mas sei que Margo estava infiltrada, tentando encontrar algum membro desse grupo. Como dizem, onde há fumaça, há fogo — respondeu erguendo uma sobrancelha.

Com um olhar desconfiado, Carol prosseguiu:

— Não subestimem a minha influência, em breve vou procurar por vocês. Alany e Eleonor terão uma vida normal, mas você Antoni... já deve saber que não vai conseguir fugir para sempre, não é?

— Eu não fujo. Eles é que não me encontram.

— Não posso pedir que me perdoe ou que confie em mim de novo, mas prometo que não vou falar nada que não seja a verdade. Agora que já conhece sua origem, tenho que contar algumas coisas que você precisa saber. A cortina caiu e você vê o mundo como ele realmente é, mas ainda existem coisas que você não sabe — disse Carol, olhando fixamente para mim. Ela queria que eu visse que não estava mentindo.

Apenas a fitei, esperando mais informações. Ela pensava no que ia dizer, uma mulher extremamente calculista. Eu já estava me acostumando com isso.

— Como você já sabe, eu faço parte do Ministério, mas isso não tem nada a ver com a minha aproximação com você. Nunca informei a eles sobre suas habilidades e conexões. Esse tempo todo eu a ajudei a suprimir seus poderes, justamente para que eles não a encontrassem. Nunca houve um híbrido nascido de uma Elemental antes. Naturalmente, um Elemental carrega uma carga maior de humanidade do que qualquer outro celsu, por isso, o Ministério acreditou que você havia herdado mais humanidade do que habilidade. E eu descobri que isso não é verdade. Apesar de você ter sim mais humanidade do que os outros, ela não suprimiu sua porção Elemental, acho até que isso as potencializou. O Ministério não pode saber disso, talvez agora seja tarde, mas eu ainda tenho esperança de conseguir mantê-la em segurança sem precisar deixar de ser a Alany.

Antoni aproveitou um pequeno espaço de silêncio, nos interrompeu e fez um pedido a Carol.

— Pode, pelo menos, levar o lobo com você?

— Se não confia nele, então é mais um motivo para mantê-lo por perto.

Carol direcionou um olhar que escondia alguma coisa, mas certamente não do Antoni, por que ele concordou com a cabeça e seu olhar se acalmou. Com certeza, considerou que esta era a melhor opção.

— Fica tranquila, Alany. Isso não é uma despedida. E acredite, eles estão por toda parte. Onde menos se espera existe um membro ou um informante. Não dá para confiar em ninguém. Tome cuidado. — recomendou Carol antes de sair do carro.

Ela cedeu seu lugar a Antoni no assento do motorista. Outro carro já a aguardava, parado atrás de nós. A imagem da minha ex-amiga entrando em um carro e sumindo estrada a dentro, foi a última coisa que me lembro antes de acordar com o trepidar do carro passando por uma estrada de terra, que mais parecia uma trilha de jipe 4x4. San dava sinal de vida e parecia querer acordar.

— San? Está tudo bem agora. Você está bem. Nós todos estamos.

Ele não abriu os olhos, mas mexeu os lábios. Queria dizer alguma coisa.

— Desculpe! — Isso foi tudo o que conseguiu dizer e eu não entendi porque ele pediria desculpas. Eu lhe devia desculpas, não ele.

Eleonor percebeu que eu havia acordado e virou-se para trás.

— Será que você ainda se lembra desse caminho, querida?

— Por que eu me lembraria, vovó? Nem sei para onde estamos indo.

— Você vai se lembrar logo, não deve ter perdido essa memória totalmente. Você passou por esse mesmo caminho muitas vezes.

Como se estivesse ganhando vida, San levantou seu corpo, puxando o ar como se algo o impedisse de respirar.

— San, calma! Está tudo bem. Estou aqui com você.

Ele me olhou, demonstrando alívio e sorriu, fechou os olhos e encostou sua testa na minha.

— Obrigada por estar por perto. Não suportaria acordar e não te ver — disse ele baixinho.

— Está tudo bem. Estou aqui com você — respondi.

Ao dizer isso, eu sabia o que significava e ele também. Não importava o que nós éramos de verdade, muito menos se o mundo estava cheio de criaturas místicas ou sobrenaturais. Nada disso mudava o sentimento que estava nascendo. Estávamos juntos.

Abraçamo-nos e fechei os olhos por um momento. Quando os abri, pela janela do carro contemplei um cenário bem conhecido. Cada árvore me parecia familiar. Pequenos insetos voavam em volta da vegetação. Passarinhos cantarolavam anunciando a aproximação do dia.

Comecei a sentir que realmente já havia passado por ali e essa sensação só aumentava ao ver os primeiros raios de sol dardejando por entre as copas das árvores. Havia tanta força e sutileza no amanhecer. A paisagem demonstrava com perfeição a importância e o poder que a natureza tinha sobre o mundo, seja ele qual for.

O espetáculo à minha frente me trouxe a certeza do meu destino, nada naquele cenário era estranho para mim. Eu me lembrava. Então, esse era o tal esconderijo? Nossa casa de campo, onde passei minha infância e ouvi tantas vezes meu pai dizer que aquele seria um dia o lugar que me traria respostas, além de ser minha fortaleza e meu refúgio. Parece que ele tinha razão.

Agora entendia o que ele estava querendo dizer. Senti um grande alívio por estar seguindo para um lugar conhecido e por saber que lá eu encontraria a tranquilidade que precisava para compreender esse novo mundo, e finalmente me encaixar.

Agradecimentos

Não posso deixar de agradecer aos inúmeros autores de livros fantásticos que me sugam como um tornado e me inspiram a seguir meu coração, colocando em palavras uma realidade que só existia na minha cabeça.

Agradeço ao meu marido pelo apoio e paciência, mesmo nos momentos em que me dividiu com minha fantasia de escrever fantasia.

Obrigada meu amigo Joel, que me ajudou com revisões e incentivos, quando eu mesma não acreditava que conseguiria.

Agradeço a minha mãe, leitora ávida, que devorou o livro em dois dias e, como sempre, foi muito sincera – ela adorou.

E, por fim, agradeço aos meus filhos, que embora ainda não saibam, são meus talismãs e meu energético natural para continuar.

Daniella Rosa

SIGA AS PÁGINAS OFICIAIS

www.lereditorial.com

twitter@Ler_Editorial

www.facebook.com/lereditorial

www.instagram.com/lereditorial

pinterest.com/lereditorial/